北大『屠夫』

陆步轩 著

世界图书出版公司
北京·广州·上海·西安

图书在版编目（CIP）数据

北大“屠夫”／陆步轩著．— 北京：世界图书出版公司北京公司，2015.11
ISBN 978-7-5192-0438-9（2016.7 重印）

Ⅰ．①北… Ⅱ．①陆… Ⅲ．①回忆录－中国－当代 Ⅳ．① I251

中国版本图书馆 CIP 数据核字（2015）第 263238 号

著　　者：陆步轩
责任编辑：赵鹏丽　包晓嫱
美术编辑：黑白熊

出版发行：世界图书出版公司北京公司
地　　址：北京市东城区朝内大街 137 号
邮　　编：100010
电　　话：010-64038355（发行）　64015580（客服）　64033507（总编室）
网　　址：http://www.wpcbj.com.cn
邮　　箱：wpcbjst@vip.163.com
销　　售：新华书店
印　　刷：北京博图彩色印刷有限公司
开　　本：880 mm × 1230 mm　1/16
印　　张：19
字　　数：310 千
版　　次：2016 年 2 月第 1 版　　2016 年 7 月第 3 次印刷
定　　价：38.00 元

宿舍同仁

意气风发

2003年11月，与在京同学相聚于北大勺园

一家人

新婚之日

2009年8月，与儿女同游安康

2010年10月，与许智宏校长在西安

2013年4月，与陈生在北大职业素养大讲堂做“职业选择与人生发展”专题演讲

2013年11月，与陈生漫步于北大未名湖畔

🡅 2006年5月，接受湖南卫视《背后的故事》采访

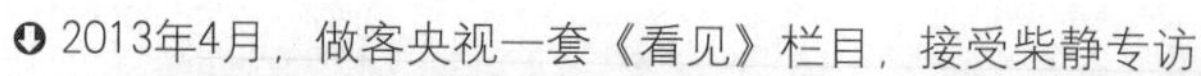
🡇 2013年4月，做客央视一套《看见》栏目，接受柴静专访

再版序言

PREFACE

我读《屠夫看世界》

2003年7月，陆步轩校友在陕西长安卖猪肉的消息见诸报端，接着是各种不同的议论，媒体炒得沸沸扬扬，有同情、惋惜，更多的是对大学教育和用人体制的质疑和批评。我也是从媒体的报道知道陆步轩校友的，但当时作为北大的校长，我也深信，其中必有原委。记得一次在全国人大常委的分组讨论会上，谈到大学生就业问题时，针对有人提到北大学子卖猪肉的事情，我作了发言，大意是：我当然希望北大的学子在离开母校走上社会后能找到他们理想的工作，学有所用，发挥他们的专长，虽然学校无法确保每位学生在离开学校后或人生的不同阶段就一定能有一个合适、理想的工作，尤其是在社会处于急剧转型的时期，即使美国的名校如哈佛也是如此。但我由衷钦佩陆步轩校友在挫折和困难之中所表现出的自强自力，也欣慰他最后也终于得到一个相对更适于他的地方志办公室的工作了。

在2011年临近暑假，我有机会与北大一批青年教师去延安，回京途中在西安小停，我很想见见陆步轩校友，就请陕西校友会帮我约他见面。初次见面，即让我感到他的老实、忠厚。我们和西安的几位北大校友一起吃西安羊肉泡馍，边吃边聊，很开心。只因下午要赶火车，饭后即匆匆告辞。临别，他送给我一本他写的《屠夫看世界》，并合影留念。回京后，我一口气读完了他写的书，这次应他之邀，很高兴能为他的书再版写序，为此我又仔细地读了一遍他的书，对他的人生经历也有了更为清楚的了解。

这是一本陆步轩校友自己写的记载他的人生经历的自传。书中没有华丽的词藻，丝毫没有做作，而是真实地反映了他从童年少年，到北大四年在中文系学习，以及毕业后抱着一颗为家乡服务的心回长安而开始的充满了曲折，甚至离奇的经历，记录了在这个过程中他所面对的各种人物的千姿百态。面对社会的剧变，有的人抓住了机会，搭上了顺风船，一帆风顺；但现实有时又非常残酷，也有不少人阴差阳错，走上了完全没有想过的人生旅途。在这过程中，有的人挺过来了，成为强者；有的人堕落了，为人所不齿。陆步轩校友无疑是前者，他在一系列的挫折和困难中，并没有泯灭他的良心，他在生意场上诚信经商、诚信待人，他在日常的一点一滴中感悟人生哲理。

他在书中引用他初中教导主任的告诫“处处留心皆学问”时写道：“走上社会后，摔过几个大跟头，头破血流之后，才真正体会到‘学问’二字的深刻含义。”通过卖猪肉，他领悟到：“人生是一个大卖场，只是各人所售的商品不同而已，……我靠卖肉维持生计。相比之下，我以为卖肉是一种牛仔般的生活，虽然苦累，但自由自在，不受约束，不必揣摩别人的心理，看他人的眼色行事，也不必鬼鬼祟祟，做贼似的难堪。心情愉悦时，多进一些货，为的是在店里多呆一些时间，听南来北往的宾客讲述他们的生活，每个人生故事都很精彩，有时令人捧腹，有时又黯然神伤；心情烦闷时，可把猪肉作为假想敌，猛戳几刀子，狠揍几巴掌，不必触犯王法却可消闷解气；也可早早打烊，点着烟，满上酒，几杯酒下肚，晕晕乎乎，忘乎所以，烦恼随风而去。”又写道，“上帝是公平的，他给富人以美味的食物，给穷人以良好的胃口；给伟人以短小的身躯，给伟岸者以卑微的地位；给小鸟以翅膀，给野兽以爪牙，让强大者独处，让弱小者群居……他不让任何事物完美，于是便有了人类对完美的追求，而完美恰恰是美好的愿意……”陆步轩校友在经历过挫折和困难后的人生感悟恰恰是当代很多青年学子所缺乏的，无法体会到的。

今天，与陆步轩校友毕业时的就业环境又已有很大的变化，青年学子如今有了更多的选择，也面临更大的挑战。在陆步轩之后，在广州又出了个第二个卖猪肉的北大校友陈生。几年前当我在深圳出差时，广州校友会联络安排我们见面。记得见面我就调侃地问他，你怎么也去卖猪肉了？他也调侃地回答我，你不是说过嘛，北大学子可以当领导，当科学家、学者，也可以卖猪肉。陈生现在已是一位有相当规模企业的领导人了。他专卖本地优质的地方品种黑猪肉，去年饲养的规模已达三十多万头，各地的连锁店也已达七百多家了。当年陆步轩曾想做的事，在陈生那里实现了。外界也许不知道，这中间也有陆步轩校友的一份功劳，正是他的经历他的经验，协助陈生校友开办“屠夫学校”，培训人员，编写相关教材，自古绝无仅有！北大校友中也出现了种菜的。去年我在海南三亚开会期间，去访问了刘国琪校友，他现在海南种黄花菜。他在北大生科院本科毕业后，在哲学系师从吴国盛教授做硕士研究生，本来已准备去德国读博士，待奖学金下来他已突发“灵感”去海南种黄花菜了。当我发短信向他了解怎么想到去种黄花菜时，他用电子邮件给我发了一个PPT材料。看了后，我感到很震惊，这个材料犹如一个博士生的开题报告，他作了大量的调研，古今中外有关黄花菜所属的萱草属植物的记载，分布、用途、诗词，以及他的设想，等等。当我在三亚见到他时，他就像一个农民，晒得乌黑，充满活力。随后不久，从报刊知道又一位北大校友邹子龙与几位人大的校友，在珠海办了一个“绿手指份额农园”种菜。年初，趁在珠海开会，抽时间去看了他们。他们以“社区支持农业”的模式运作，旨在建立与消费者共享收益、共担风险的合作关系，因他在北大修的经济学学位，又在做农业经济的硕士生，很有经济头脑。又读过山西校友会的刊物上高丽竹校友在太原办“创意厨吧”，实现当年她在北大做的课题的设想的报道，她让顾客可以自己挑选食料、进厨房大显身手或练习做菜，也很新颖。直到最近又读到《经济日报》报道北大研究生卖米粉的消息，为此《经济日报》还发表了评论。

读了这些报道，我感到欣慰。也许会有人觉得他们是“另类”，但我并不认为如此。不管你是迫不得已做出的选择，或是自己主动的选择，还是我国的老话说得好，“三百六十行，行行出状元”。北大中文系孔庆东教授为此书第一版所写的序中说：“北大不是不能培养官员和富翁，也不是不能培养卖肉的卖书的卖电脑的卖导弹的。培养什么不说明本质，关键是培养的人给社会做了什么贡献和他自己得到什么乐趣。”我希望每个北大学子，每个中国的大学毕业生在走上社会后都能找到可以发挥自己才能的地方，有用武之地，或能找到自己的乐趣。即使在遇到挫折和困难时，也不要丧失信心，路是靠自己走出来的。全社会也应以一种更加开放包容的态度来看待今天的青年人，看待他们的职业选择，给他们以更多的鼓励，给他们以更多的支持，而青年人也应有勇气和胆量去探索不同的人生旅途。

许智宏
于北京大学燕园
2014.6.10

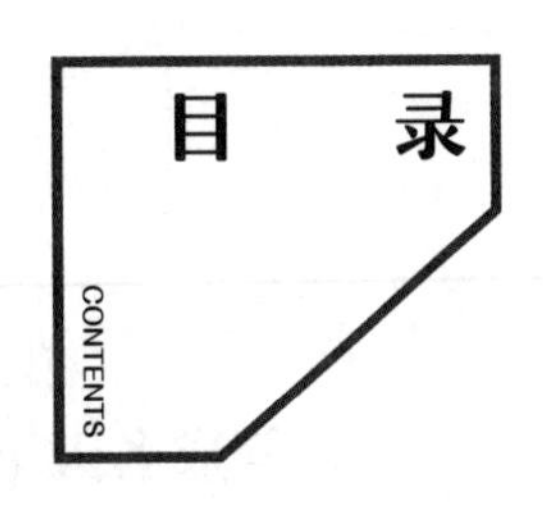
目 录
CONTENTS

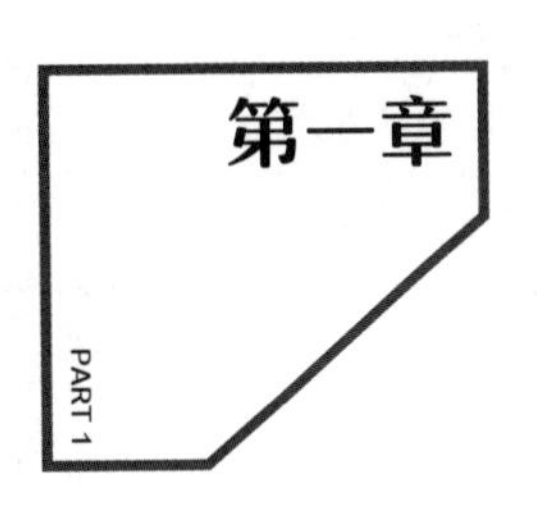

少年不识愁滋味

世间许多事，在旁观者眼里，充满了曲折离奇，绮丽无比，倘若写书或讲故事，自有引人入胜之处。然而置身其中，尝尝个中滋味，其酸楚与艰辛，不足与外人道哉。

孩提时代

社会的历史，人的历史，都将随着时间的推移而变得丰富、厚重。

大学毕业，就意味着失业。单位效益不佳，不久倒闭，为生计所迫，我一直在社会上闯荡，眨眼间，十几年光景，就这样翻过去了。这些年来，尽管我混生活的所在——县城韦曲（在今西安市长安区），距离我的老家——鸣犊镇高寨村，只不过咫尺之遥，坐上中巴，或骑上摩托，三四十分钟的车程即至。然而，混得不如人，蓬头垢面的，无颜见江东父老，平时很少回家。可怜老父，枯坐家中，常盼儿归，到头来，却辜负了生儿、育儿、望子成龙的一片苦心。

我开店之初，总想躲着熟人，然而，纸包不住火，如同雪地不能埋人一样，世间没有不透风的墙，久走夜路，必有撞见鬼的那一天。末了，终于让乡党看见了，充当起义务宣传员的角色，在村子里奔走相告：

“我看见北大学生了，混得没法子，杀猪卖肉了！”

此话终于传进老父的耳里，他再也坐不住了，蹒跚着两条腿，兀自找上门来。然而，父子相对，默默地吸烟，说不尽的凄惶。

世间许多事，在旁观者眼里，充满了曲折离奇，绮丽无比，倘若写书或讲故事，自有引人入胜之处。然而置身其中，尝尝个中滋味，其酸楚与艰辛，不足与外人道哉。

我出生在陕西省长安县（今西安市长安区，下同）东部旱塬的一个半坡半塬的村子里。旧时祖上有几亩薄田，农忙时节雇人帮工，带有“剥削”性质，“社教”时被划成上中农成分，属于帮助、教育、团结的对象，根不红苗不正，与贫下中农不可同日而语也。

我们第二生产队人均一亩田，沟沟坎坎，坡地多，平原少，缺乏灌溉条件，完全靠天吃饭，收成的好坏全凭老天爷的恩赐，在全村十个生产队中是最穷的一个。

通常，童年的记忆是幸福美好、无忧无虑的，而童年留给我的却是贫穷、饥饿与灾难，几乎没有什么欢乐与幸福可言。

高家寨，自然以“高”姓为主，其次是“郭”“李”“方”等，“陆”只是小姓，区区十多户人家。听老人讲，因闹兵荒，我们这一姓人三代前从城北迁徙，逃难到这个背风向阳的小寨，拖儿带女的，实在走不动了，便停了下来。那时候，人少地多，遍地荒芜，开几亩坡地，就定居下来，繁衍生息，竟成了部族。

老几辈都打牛的后半截子，祖宗缺少识文断字、耍笔杆子的，自然也没有族谱记载。从我记事起，只知道祖父辈为“恒”，父辈为“福”，我辈则从“步”，到了下辈，崇尚单字，便乱了方寸，再无“字辈”可循了。

那年下大雪，大跃进年代的“食堂化”撂了摊子，人们还没有从三年自然灾害的阴影中走出来，嘴角还残留着草根、树皮、观音土的苦涩味儿，我便迫不及待地来到这个世上，开始食人间烟火。

我在家中排行老二，前面有一个姐姐，大我三岁。此后八年，父母再无动静，我便是家里的老幺，常常得到大人们的偏吃另待，并未受多少委屈。

然而，身在福中不知福，看到别人的妈妈使劲儿地“捞”小孩，幼小孤独的我，热切盼望母亲的身子快点“笨”起来，也给我捞个小弟弟，抑或是小妹妹。到了1972年，二弟出生，于是一发不可收拾，次年三弟又降临。农村的习俗是“偏大的，向碎的，中间夹个受罪的”。我在家里的地位一落千丈，陡然间从爷爷、奶奶的掌上明珠跌落到肩负照看两个弟弟的重担之人，这下子，重任在肩，悔之晚矣。

1973年冬季的一天，爷爷抱病在床，父母出工挣工分，姐姐上学未归，奶奶生火做饭，我抱着小弟，坐在门墩上卖眼儿，二弟在一旁玩耍。不知几时，二弟趁奶奶不注意，从灶膛里引来火种，在院中玩火取乐。童心未泯的我看着稀奇，不觉之间也凑上前去，与二弟疯玩儿在一起，怀中小弟亦被逗得“咯咯”直乐。不料，一粒火星散落在小弟的肩上，我自浑然不知。待奶奶听到小弟凄厉的哭声，颠着一双小脚从屋里赶出来时，小弟的肩头已经浓烟弥漫了。急忙脱衣、灭火，小弟的身上已然落下铜钱大小的伤疤。父母归来，我自然免不了一顿责打。

说来奇怪，同样的地，公社化时，人们思想觉悟高，干劲也大，要多、快、好、省地建设社会主义，支援世界人民的革命斗争。人争气，地却偏偏不争气，就是不打粮食。那时候食粮紧，早晨苞谷糁子就浆水菜，中午玉米糊糊下面条，晚上没饭，一天不见干粮的面，两顿权且当作三餐。时常前心贴后背，肠子造反胃作酸，偶尔打熬不过，清水炖萝卜，再撒上一把咸盐，每人盛上半碗，剩下的第二天就饭，如此就是很奢侈的生活了。

好久未见白米细面，借用梁山好汉鲁智深的话说：“嘴里能淡出个鸟来。”一次，难得家里打牙祭，擀上半案板白面，切成细细的短条，用铁勺倒少许菜油，放入锅膛里，待油热透，切细葱头两根，“哧啦”一声，香气四溢。我虽年幼胳膊细，却能端起大老碗，早早就占了大碗，先舀多半碗，快速搅动，“稀溜溜”地喝下，然后再满满地盛上一大碗，慢慢地享用。父亲端了一碗，夸富似的去了“老碗会”，回来再舀时，却成了少许清汤。

建设社会主义新农村，冬战“三九”，夏战“三伏”，出大力，流大汗，要“三年实现大寨县”。社员们一颗红心跟党走，先交爱国粮，后交战备粮，到了自己，勒紧裤腰带，再过紧日子。每年秋后，村上的人都要拉着架子车，推着手推车，辗转几百里，到渭河以北的泾阳一带，以细易粗。不是农民喜食杂粮，实是腹中空虚，只能如此，才能下几把野菜，勉强糊口，混到第二年初夏大麦上场。

年复一年，日复一日，尽管艰难，终于挺过来了。到了1974年，我到了读书的年龄。那时，农村没有学前班，更谈不上幼儿园，农村娃读书晚，上学那年，我已经九岁。本以为从此可以摆脱照看弟弟的责任，万万料不到，一场灾难正在逼近，悄无声息地，事前没有一丁点儿征兆。

农村人命苦，一年到头，总有干不完的力气活，连女人也不例外。在关中农村，过了腊月二十，家家户户都要“扫房”。将屋子里的家什搬空，扫除灰尘，端来洗衣盆，泡些许“白土”，把经过一年烟熏火燎的土墙彻底地浸墁一遍，再贴一幅年画，便有了过年的气息。

1974年农历腊月初八清晨，母亲正要出工，隔壁会贤婶子来邀，叫一同前去崖下挖“白土”。同去的四人，母亲身体好，有力气，与会贤婶子在窑洞里面挖，另外两人负责运出洞外，结果窑洞塌了，挖的两人被深埋在洞里，运输的两人也身负重伤，待高声呼救，喊来乡亲，将两人从泥土之中刨挖出来时，早已气绝而亡。

依照关中农村的习俗，非正常死亡叫作“横死”，横死鬼是不能进入庭院、登堂入室的，否则于家人不吉利。可怜的母亲，辛劳一生，临死只能在门前简单地搭一顶破烂帐篷停放尸首。数九寒天，北风怒号，似孤魂野鬼在瑟瑟寒风中哀鸣、游荡。

其时，父亲刚刚与人结帮搭伙，偷偷地钻进终南山掮木头。家中出了这等大事，急忙派人进山找寻。可是，莽莽大山，重重林海，如此寻觅，何异于大海捞针。而在当时，这却是唯一的办法，因为进山卖苦力也是明令禁止的，故而不敢通过当地的高音喇叭寻人。好在自古进山一条路，费尽周折，终于找到了父亲，又不敢将真相言明，只能委婉地告知父亲：爷爷病危，让赶快回家，见上最后一面。

待父亲火烧火燎地赶回家中，已是繁星满天。看见门前的两顶帐篷，父亲一下子傻眼了，顷刻之间，委顿于地，失去了知觉。据父亲后来讲，当时他的第一猜想是出大事了，可能是自己进山时走得匆忙，没有来得及给家里贮水。长安东部塬区水位低，井深达十余丈，绞水时须用辘轳，下双索，一人绞，一人撴。父亲以为母亲与姐姐一起去绞水，姐姐失足，母亲去拉，失手一同坠入井底，溺水而亡。

顾不了死人，顾活人，草草地埋葬了母亲，眼瞅着一家老小，以后的日子该如何度过，心里实在没谱，一夜之间，父亲仿佛苍老了许多。一连几天，总是圪蹴在一个地方，咂巴着旱烟袋，不言不语，不吃不喝，时不时地发出一两声无奈的叹息。

经历了这场变故，父亲心力交瘁，变得神神道道，喜怒无常。父亲也曾想过续弦，无奈家中老的老、小的小，负担沉重，曾介绍过几个，看过家中的光景之后，都不了了之，只得作罢。我们姐弟几个，对父亲似老鼠遇见了猫，且惧且怕，见了父亲，都远远地躲开，唯恐父亲一时不顺心，给自己一巴掌或踹上一脚。这对我后天性格的形成，产生了莫大的影响。

依照社会主义分配原则，按劳取酬，多劳多得，少劳少得，不劳动者不得食。母亲离世后，我们一家七口，老、弱、幼、病，一应俱全，可谓睡觉时候全是腿，吃饭时间都是嘴，干活当口缺人手。父亲单枪匹马，轻易不敢缺一个劳动日，脏活重活抢着干，就图挣个大工分，但一个人总抵不住两个，一双手难捂四张嘴。到了年底兑现，工分少得可怜，粮自然分得很少，还欠生产队一屁股烂账。记得最惨的那年，我家分到的口粮是每人五十一斤，除掉麸皮，面粉大致不足四十斤，这可是一年全部的粮食啊！四十斤面粉能释放出多少千卡的热量！年轻人也许不明白，如今，蔬菜、副食增加了，鸡、鸭、鱼、肉吃腻味了，米和面自然吃得少了。可是在三十年前，人们的肠胃异常空虚，食量也出奇地大，一个成年人差不多每天得消耗两三斤粮食，还只是吃个薷饱肚子饥。

蝼蚁尚且贪生，人总得活着，悲伤总要过去。几天之后，摆在全家人面前的首先是生计问题：母亲的离去，打破了原来的生活节奏，一切都得重新筹划。爷爷年轻时出了大力，刚过五十就浑身是病，力气活一点儿都不能干，可作为无一技之长的农民，除了力气活还能做什么？二弟不足两岁，吃羊奶，爷爷放羊；小弟刚刚八个月，正是吃奶的年龄，断了奶，只能喝炼乳。炼乳，这个早已消失的词汇，对于许多人来讲，是非常陌生的。其实，就相当于现在的奶粉，不过那是粗加工的，每瓶一块七毛钱。其时生产队的每个工日还不足一毛钱，一块七毛钱，就是将近二十个劳动日的报酬，何其大的一笔开销！炼乳加水，再配以稀饭，勉强可喝五到七日；我和姐姐年龄稍大点，放了学，挖野菜，打猪草，掐草帽辫，以补贴家用；家务重担全落在奶奶一个人身上。奶奶整天颠着一双小脚，扑前跑后，忙东忙西；家里的顶梁柱——父亲，则在生产队里没黑没明地苦挣工分，偷空儿和村里其他一些穷苦人家一道上山打柴，扛木料，卖苦力，挣点小钱，称盐打醋，青黄不接时，买点苞谷勉强糊口。

我家院落里有两棵大杏树，是祖上留下来的家产。每到麦熟季节，黄灿灿的果实挂满了枝头，引得许多大肚子婆娘驻足仰望，垂涎三尺。自己吃是舍不得的，拿去卖又是明令禁止的。父亲便令我采摘下来，挎上竹篮，一分钱一个，穿村走巷地叫卖。

“小孩子家，没人管的。”我不敢去，父亲给我打气。

一次，我正沿街叫卖，迎面走来一位乡党：“碎崽娃子，还敢卖，看我割你的资本主义尾巴！”

我一惊，信以为真，扭头就跑，他在后面佯追。一不小心，我脚下一绊，摔了个大跟头，踒了手臂，疼痛钻心，哭声撕心裂肺。杏儿没卖成，还得花钱接骨看病。玩笑开过了头，乡党买来糖果看望，父亲虽没说什么，乡党也落了个大红脸。

尽管我们全家是麻子打喷嚏——全体动员，但一家人的生活仍然难以为继。人常言“一个婴儿忙十亩田”，何况两个年龄尚幼的弟弟，家里实在无法抚养。农村看重男孩，能干力气活、顶门立户。母亲死后，曾经商议将小弟过继与人。消息传出去，便有多家来看孩子，其中亦不乏城里抑或是家境好的人家。可二姑知道了，急急地赶来，死活不依。于是，二姑将小弟接到了她家，做起了小弟的亲娘。

若干年后，小弟得知此事，埋怨家人为何不将他早早送给城里人家享福，却留在农村受洋罪。

父亲听后暴跳如雷：“早知道你是个不成器的东西，当初就应该扔到尿盆子里淹死，还能容你活到今天，丢人现眼！”

小弟命硬，终于活了下来。到了第二年，即1975年入冬的时候，二姑父突发疾病，必须住院治疗，家庭状况也陷入窘境，二弟又被辗转送到了八舅爷家。男孩子淘气劳神，记得有一次，小弟趁人不注意，爬上饭桌，掀翻了热水瓶，烫得浑身是伤。八舅爷托人带话，父亲与我前去探望，买了两个新热水瓶带着。我们刚一进门，舅爷、妗奶言未开，先落泪：“孩子小小年纪，便遭此大劫。”

“大难不死，必有后福。”父亲宽慰，众人潸然。然而几十年过去，终未见到小弟的“后福”，至今仍在乡下受穷拉懒杆，而我们高寨村前几年已经荣获“省级文明小康示范村”称号了。

舅爷、妗奶年事渐高，小弟也一天天长大，愈来愈顽皮淘神。父亲担心将小弟长时间寄养在亲戚家里，尽着性子宠着、惯着，到时候谋生的本领没有，反倒学个馋嘴懒身子。于是，一商量便把他又接回家。

从此，我的负担愈加沉重，早上、中午上学，下午顶替爷爷放羊，捎上镰刀、担笼，顺便割草。最多时，家里养了三只羊、五头猪。

八舅爷、八妗奶是大大的好人，十里八乡有口皆碑。可是好人难做，好人未必就有好报。张家谋担任长安县革命委员会主任时，在引镇包公社，做了八舅爷的入党介绍人。成为光荣的中国共产党党员之后，八舅爷感激知遇之恩，勇挑重担，当上了生产队队长，从此以革命干部的身份，带领社员与天斗，与地斗，与阶级敌人斗，斗了个没完没了，没黑没明，最终“斗”瞎了自己的眼睛，基本丧失劳动力。步入古稀之年，连唯一的儿子都未能保全——其子在驾驶拖拉机犁地途中，刹车失灵，坠崖而亡。八舅爷老年丧子，儿媳妇改嫁，孙子亦更名换姓，为他人顶门立户。白发人送黑发人，痛莫大焉。

八舅爷于我家有恩，眼睁睁看着他老无所养，头疼脑热感冒发烧时跟前连个端水送饭的人都没有，父亲于心不忍，遂将八舅爷、八妗奶接回家中，小心伺奉赡养。而小弟虽已娶妻生子，另立门户，对此却装聋作哑，不闻不问，整日以赌为生，游手好闲，不思进取。

高寨村的梯田多，土色红，瘠薄，所产红薯，个儿小，干面，味甜，似板栗，远近闻名。其蔓叶做酸菜，汤显红，较之醋酸，色味俱佳，是半年最主要的副食。已故著名秦腔老艺人阎振俗先生的《教学》台词“萝卜缨子红苕蔓，窝浆水比醋还酸”，唱的就是此菜。

进入冬季，人们称之为“冬闲”，这是相对而言的，其实并不闲。土地结冰上冻，便到了给梯田施肥的绝佳季节。那时候，化肥全部依赖进口，数量极少，而且价格昂贵，农家肥是最主要的肥料。有一则笑话称：“干部见干部，前面‘日本’，后面‘尿素’。”说的就是日本尿素用完之后，其包装袋归了支部书记、大队长、小队长，干部们废物利用，又做成衣服，穿在身上，成为一道独特的风景。一般老百姓是无福消受的。

村子半坡半塬，梯田则全部在塬上，坡陡、路远，一个时辰来往一趟。拉粪是定额活，论“趟”计工分，每趟一分五厘工；一个人是拉不上去的，除非“气死牛”再生。生产队牲畜又少，倘若用牲畜挂坡，则每趟记一分工。凌晨，我与姐姐睡梦正香，奶奶便叫，外边冷风飕飕，被窝温暖如春，就磨磨蹭蹭不想起来，装作瞌睡很死的模样。父亲不耐烦了，“啪”地一巴掌上去，揉揉眼睛，都醒了。戴上帽子，包上头巾，裹得严严实实，一人一根绳子，权当车襻拽车。开始很冷，不一会儿便暖和了，上坡时，屁股撅得老高，头几乎贴着地面，吃奶的劲儿都要使上。上完坡，满头大汗，卸掉帽子，热气腾腾的，仿佛刚从蒸笼中跑出一般。

第一趟回来，天还未透亮，奶奶便将红薯蒸好了。这么香甜的红薯，过日子的人，平时是舍不得吃的，得留着换苞谷。吃完香喷喷、甜丝丝的热红薯，才胡乱地抹把脸，背着书包，飞也似的去上学。跑出老远，才听见奶奶在后边喊："跑慢些，小心绊倒！"

小学时，一位同学叫利民，其父在公社食品站工作，因猪肉挂架子卖，背后人称"架子客"，和我现在的职业差不多，也是杀猪卖肉的。所不同的是，人家是公家人，当官差、吃官饭，隔三岔五还要到各村各户去验猪、收猪，根据膘的厚薄，把肥猪划分为一至五等，各等级价格不一。哪家喂了肥猪，备下上好的茶叶，买来"宝成"牌香烟，屋里屋外打扫得干干净净，迎财神似的捋顺得停停当当才将他迎进来。

"他叔，来了，快请屋里坐。"听到招呼，"架子客"一脚跨进门来，全家人笑逐颜开，递烟倒茶，一时忙得不亦乐乎，比见了亲爹还热乎。末了，"架子客"跳进猪圈，这个捏捏，那个摸摸，从衣袋里掏出纸和笔，飞快地划拉几下，"二等！"一家人便喜形于色，若验得三等、四等，主人便蔫了，顷刻耷拉下脸，怪这个怨那个，将刚才的热情抛到九霄云外。

那时候提倡养猪，猪也分"口粮"，农村家家户户都养猪，猪肉却不知运到什么地方去了。有人说苏联变脸了，故意刁难我们，猪肉都给苏修还了账；还有人说国家发扬国际主义、共产主义精神，支援了亚、非、拉人民的革命斗争……总之，大肉很紧缺，得凭票供应。大油、下水、骨头、猪血都成了紧俏物资，被有头有脸的人抢购一空，甚至连猪毛也被"学工学农"的学生做成了刷子。因为这个原因，利民在学校很吃香，老师们时不时地会从他那儿拉拉关系，走走后门，接点猪血蒸着吃，弄点骨头炖汤喝。

当然，这点光我也能沾上。我在学校学习成绩好，经常受老师的表扬。一俊遮千丑，同学们都乐意与我套近乎。可平时连肚子都填不饱，哪有吃肉的福分？然而农村人讲究"宁穷一年，不穷一天"。逢年过节，拿着供应的肉票，拉上利民，食品站的"架子客"们将刀子一偏，就能买到较肥的肉。那年月，食粮紧，没有人担心长胖，也鲜有高血压、高血脂、糖尿病之类的怪病，自然而然，大肉就愈肥愈好了。

最幸福的时刻莫过于一年一次的缴猪了。

拿到“架子客”的验猪票，我们起个大早，把肥猪喂了又喂，装上架子车，然后，带上奶奶精心准备的干粮，父亲驾辕，我拽车，兴高采烈地出发了。一路上步履轻盈，健步如飞，心想，赶个早场，早早地缴完猪，街上再逛逛。遇到父亲高兴，偶尔还会“吼”几句光棍乱弹。待到了公社食品站，前面已排起长长的队伍，原来，人们凌晨便开始排队了。没办法，只有耐心等待。好不容易缴完猪，结了账，日已偏西，早已饥肠辘辘了。于是，豁出去了，父子俩往食堂里一坐，也充当一回大爷的角色，美美地吃上一碗红肉煮馍，直吃得满嘴流油，满头冒汗。

上小学三年级时，正值全国开展“批林批孔”和“评《水浒》，批宋江”运动。为了批判的需要，学校请人做报告，讲述《水浒》故事梗概。从小到大，从未听过如此扣人心弦的故事，我被书里的故事情节完全征服，听完一遍还不过瘾，于是产生了通读《水浒》的强烈欲望。

瞌睡时便来了枕头，一位同学不知从何处搜寻了一部残缺不全的《水浒全传》，自己又看不明白，在同学之中炫耀。我便借来，用了两个月的时间，一口气读完两遍。自此，我开始迷上小说，且一发不可收拾，至于以后报考北大中文系，大抵与喜读小说不无关系。

农村人养牛，无形中受到牛的熏陶，无论干什么事都有一股子牛劲，喜钻牛角尖。门中本家伯叫陆福善，是个乐善好施的大善人，民国时当过保长，家中有不少珍贵藏品，可在一场“破四旧”运动中化作了灰烬，“社教”中又被定下大成分，从此家人不再读书，不再为官。我的祖先虽然读过几天私塾，但久不与文字打交道，除了会写自己的名字，记得银票上的几个字之外，其他的都已经忘光了。家中唯一的藏书，就是红宝书——《毛泽东选集》了，我翻过几页，不明白其中高深的道理，就提不起兴趣。然而读小说上了瘾，又无钱购买，往往十里八村地赶着去借。一部难得的小说，读了一遍读二遍，读了二遍读三遍，直至烂熟于心。

父亲常告诫我，不要看闲书。我说是课本，正经书，反正他又不认识。

北方农村的冬天很冷，那时又经常停电。为了御寒，我们用废弃的搪瓷缸，缸底打上小圆眼，自制成小火炉，以玉米芯、小树枝为燃料，上学的时候带着烤手。借一本小说不容易，有时天黑了，又不能从引人入胜的情节中自拔出来，就借着小火炉微弱的亮光孜孜夜读。当时还意识不到对视力的伤害，蓦然发觉，为时已晚，为后来“眼镜肉店”的招牌埋下了伏笔。

学校遵照毛主席的“五七”指示，开门办学，把学生分成学工、学农、饲养三个兴趣小组。农村没有什么工厂，所谓学工，无非是成立了一个木工组，修理学校破败的门窗、桌凳；学农，出身农村，父母本身就是农民，时常帮大人干活，镢头、铁锨、架子车、小推车都很熟悉，绝不会像城里的孩子，四体不勤，五谷不分，把麦苗当作韭菜，胡乱发一番感慨；我喜欢小动物，学校买回一些小兔子，唇红、毛白、腿短，跑起来一蹦一跳的，煞是可爱。待兔子长大了，食量大增，青草、树叶、秸秆什么都吃，而且繁殖特别快。到了冬天，缺少饲料，连树皮都要被它啃光了。学校便发动学生到麦田里挖野菜、拔野草甚至撅麦青，许多学生双手都因此冻肿、冻烂了。

学校还养了一头老母猪，很大，生育力也特别强，两年下五窝猪崽，每次都是十多只。

老母猪跑圈子时，老师便叫上两位同学，每人手持一根小树枝，吆上老母猪，老师在后面背抄手跟着，到几公里之外的公社配种站配种。配种的过程老师是不让同学们看的，用老师的话说“不雅观”。但学生们偷偷地看，回来讲给其他同学听，大家津津乐道。猪公见到猪母，摇着尾巴，哼哼着先在头上、脖子上磨蹭，叫“耳鬓厮磨”，然后转到背后，嗅着，拱着，待母猪动了情，屁股自动撅过来，尾巴高高地翘起，猪公不再柔情，前蹄腾空而起，搭在猪母背上，使劲地晃了晃，片刻便没了精神。同学们最初的性教育就是从动物身上获得的。

老母猪口粗，平时吃青草、苞谷秆等粗饲料。待到下崽时，为保证猪崽有充裕的乳汁，老母猪就可以改善改善伙食了。

我们发现老母猪不吃食，嘴里噙着柴火，满学校到处乱窜，急忙去叫老师，老师噙着旱烟袋，趿拉着破拖鞋，四平八稳地来了，瞅上一眼“早着呢！”又回家睡觉去了。

待老母猪哼哼着卧下，使劲，再去叫老师，老师已顾不得许多，衣衫不整地急急跑来，母猪已顺利产下两个。于是老师指挥我们将手指伸进猪崽嘴里，把黏膜掏出，再用干净的抹布将身上拭净，然后放到母猪肚下喂奶……一个时辰之后，已有十七个猪崽落地。母猪歇息片刻，又开始使劲，不一会儿便下来一堆黑乎乎黏稠稠的东西，恶心而吓人。我们没见过，很怕，不敢用手去动。老师便解释：“那是泌包，也叫胎盘，不会咬人的！”

我们仍战战兢兢，缩手缩脚，老师不耐烦了，亲自动手，把剪刀放在炉火上烤了烤，剪断了泌包。不一会儿，大家都没在意，老母猪竟将泌包给偷吃了。

老师“唉唉”了几声，虽未言语，但从其表情上明显看出，老师不高兴。后来才知道，胎盘既可以当肉吃，又能入药，治疗不孕不育症，是大补品。老师可能想要，只因我们一时不慎，却喂了老母猪。

猪崽“一”字儿排开，挤在母猪怀里吃奶。这时我们惊奇地发现，一个猪崽嗷嗷直叫，却怎么也找不着奶头。原来，母猪只有十六个奶头，而一窝却下了十七个猪崽。

接完生，老师安排我们给猪煮食，用的是老师灶房的锅灶，熬小米粥。因小米产量低、拔地、伤工费时，现在的关中农村已经很少种了，人也很难喝到。

我们用心淘过米，倒进锅里，先用大火，待锅烧开，再改用文火慢慢地炖。不一会儿，便香气扑鼻。我们肚子“咕咕”直叫，终于禁不住诱惑，也顾不了许多，趁老师不在，借用老师们的碗筷，一人舀了一大碗，稀溜溜地喝下，那滋味，胜过世间任何美味佳肴。

“学生要以学为主，兼学别样。”大队为支持学校开门办学，专门给学校开辟了几亩试验田，用于培育小麦良种。因有学校的人粪尿，第一年长势良好，喜获丰收，每位老师均分得百余斤小麦。后来收成每况愈下，最后居然长成了“苍蝇头”。学校终于失去了耐心，干脆不种了，局内损失局外补，就发动学生拾麦穗，每个学生夏忙之后必须交纳十斤小麦。这个办法好，不用操心费神，且收入稳定，老师们尝到了甜头，遂形成惯例，延续至今。

回头来想，当年学校引进优良品种，为确保优势，秘而不宣，与左邻右舍之劣等品种混种，互授花粉，逐渐失去了优势，可惜当初无人想通其中的道理。推而广之，生物之习性、规律亦适合其他领域，包括科技。

我虽对“学农”无太大的兴趣，却喜欢果树嫁接。

将软枣核埋在院落里，待长成拇指粗的小树时，立春前后，将它齐腰锯断，正中开杈，采两枝柿树的枝条，分插其中，以麻绑紧，再用泥巴厚厚地密封，浇上水，变戏法似的，不久便有嫩嫩的绿芽冒出。还有一法，名字不雅，叫“热粘皮”，选择软枣树将出树芽的地方，刻个小块儿，再于柿子树上取下同样一块树皮，快快地贴于软枣树上，用牛皮纸包严，出芽的地方留个小孔，然后用麻扎紧，泥巴薄薄地糊上，便等出芽了。嫁接得多了，渐渐地摸索出了规律：凡成熟期相若的果树，都可以互相嫁接，如苹果与梨、杏儿与李子。动物也一样，凡孕育期相同的动物，都可以杂交，如马与驴、家猪与野猪等，由此看来，博士猪倌陈声贵搞的那一套，也算不得什么新鲜玩意儿。

现在，在我的农村老家，院中有五棵柿树，碗口般粗了，果实很繁密，都是我儿时的杰作。

极“左”路线时期，时兴的提法是“割资本主义尾巴”，副业是不许搞的，但搞草编——掐草帽辫儿是例外。把掐好的草帽辫儿交到大队合作社，根据粗细、手工质量的不同，每辫儿可卖一毛六到两毛五，用以称盐打醋。

每到麦子上场，家家户户都准备好剪刀、小铡刀等工具。碾场时家家出动壮劳力，将麦个子抢来，麦穗儿齐刷刷地剪掉，再把第一节秸秆铡下，便是掐帽辫儿的原材料——麦秆儿了。麦秆儿愈细愈好，我们第二生产队土地贫瘠，庄稼不好，麦秆长得很细，却是掐帽辫儿的上好材料。

储备够一年的麦秆儿，学校就该放暑假了，也到了农闲季节。晚上，凉风习习，婆娘、女子、大男人，人们三五成群，聚在一起，趁着月色，或唠家常，或讲古今，或哼酸曲，或吼秦腔，嘴不停，手亦不停。不知不觉，夜深了，一把帽辫儿也就掐成了。

那时最吸引人的，莫过于附近哪个村庄放映电影了。赶场子似的，挎着帽辫儿，十里八村赶着去看。尽管开始总是一些老生常谈的“新闻简报”：毛主席会见柬埔寨贵宾，周总理接见西哈努克亲王，等等，然后是一些老掉牙的黑白战斗片。但对于文化生活贫乏的农村人来说，百看不厌，好在能够眼看电影，手掐帽辫儿，两不耽误。

我二姑有个堂侄，叫常恩娃，烟酒不沾，克勤克俭，勤快得出了名，人称

“假婆娘”。他擅长掐帽辫儿，既快又好。兴修农田水利时住在我家，白天上水库挣工分，拿补贴；晚上掐帽辫儿搞副业，每天一辫，从未间断。三五年下来，竟用卖帽辫的钱娶回了一房媳妇，假婆娘引来了真婆娘，一时传为佳话。

在“人定胜天”的思想指导下，1974年公社革委会决定在我们高寨村修建蓄水库。为了加强领导，公社设水利建设总指挥部，生产队则设一正两副三名生产队长。队长管全盘，两个副队长分抓农业生产和兴修水库，要打一场旷日持久的人民战争。

既然是场群众运动，学校当然不能袖手旁观。设一名专职副校长，带领各班劳动委员，专门负责义务劳动。为了加快工期，全民动手，全体动员，男女老幼，全力以赴，肩扛背驮。考虑到小学生年幼，不堪连续的重体力劳动，学校把高、低年级岔开，分成两拨，一、三、五，二、四、六，轮流上水库，礼拜天全体休息。

水库一修就是五年，那时我们思想觉悟高，革命干劲大，班级之间、学校之间展开劳动竞赛，发扬“一不怕苦，二不怕死”的革命精神，“轻伤不下火线”。几年下来，稚嫩的双手上都留下了厚厚的老茧，老师说，这是贫下中农的本色，我们引以为荣。电影《决裂》中，不是凭一双劳动人民的手就能上大学吗?

水库终于修成了。蓄水那天，我们编排了文艺节目，载歌载舞，欢庆胜利。人们望着奔涌的水流注入水库，以为从此可以摆脱靠天吃饭的命运，难耐内心之激动，高呼“毛主席万岁！”“中国共产党万岁！”

不料第二年即大旱，太阳晒，库底渗，还没有来得及浇灌农田，水库便见了底。原来水库没有自然水源，依靠大峪、许家沟水库雨季泄洪时蓄水。干旱时，其他水库水源亦很紧张，哪里顾得了你，自然便干涸了。

劳民伤财，白白占用了几百亩良田，村民没有享受到一丁点儿好处，反而饱受其苦。二十多年来，每到夏日，家家都得看好自家的孩子。但防不胜防，每隔一两年，总有几个小孩戏水时葬身其中。

不过说水库百害而无一利也不客观，在缺水的东部塬区，妇女们洗洗涮涮倒是方便了许多，再也不必大包小包，辗转几华里到邻村的河里洗衣服了。但改革开放后，水库被人承包养了鱼，村民们连这点权利也被剥夺了。

求学生涯

不知不觉中，我结束了孩提时代，升入初中。当时极“左”思潮已被纠正，高考制度业已恢复，学校开始重视教育质量，县里的中学纷纷举办各种特长班、重点班、实验班。

小学毕业，我以全区第一名的成绩考入鸣犊中学重点实验班。学校距我家十五华里，道路崎岖不平，要涉过两条河，翻过一架塬。走读已不现实，必须食宿在校。当初，学校条件艰苦，学生宿舍是三间教室临时改成的瓦房，夏天，蚊虫叮咬；冬天，阴冷潮湿。同学们打通铺，全班三十八个男生一个紧挨着一个挤在一起。晚上睡觉前，为了避免长虫吃过交界，侵占地盘，舍长总要拿尺子丈量地方，否则难以睡下。俗话说“人数过百，形形色色”。打呼噜、磨牙、放屁、说胡话、尿床，司空见惯，房间里总充斥着一种怪怪的难闻气味。有的同学不习惯，便上访到学校。

“上学又不是做官，条件要那么好干吗？”校领导回答。

“可也不是蹲大狱。”学生们不服，但又不敢当面顶撞领导，只能背过身去，私下里嘟囔。

学校办有学生灶，同学们自带粮食，交到灶上，加点人民币，兑换成饭票，开饭时排队购买，有时去晚了则没饭。所以，下课铃声一响，同学们个个如打仗一般，夹着碗筷，飞也似的往灶上跑。一位同学在作文中写道：“下课铃响了，同学们如脱缰的野马一样……”语文老师称赞形容得恰切，作为范文在班上宣读。

灶上每周安排一位老师值周，维持买饭秩序。教导主任杨德林老师称之为

“君子谋道，小人谋食”。

“小人就小人，总比死人强。”同学们嘴上不说，心里不服。

杨老师很有心计，一次县上召开运动会，杨老师慧眼识英才，竟在争先恐后的买饭过程中相中了一名运动员。该运动员不负众望，一次囊括一百米、二百米、一千五百米三项冠军，为学校争得了荣誉。

早餐玉米糊糊，午饭糊汤面，晚上供应开水，吃自带干粮。这对于正处在生长发育期的中学生来讲，根本不能满足身体的需要。路近的同学每周回家取两次馍，条件好的家长会送来，像我这样路途遥远的，每星期只能回家一次。冬天还好办，但其他季节，担心干粮发霉变质，每次都要焙干、晒干，拿到学校泡着稀饭或开水充饥。

1979年秋，农村实行了联产承包责任制，加之老天凑趣，风调雨顺，秋季的庄稼收成不错。但由于当年夏收时，仍然是大锅饭，夏粮歉收。干粮也是一半麦面，一半苞谷面掺和着。有则笑话，说旱塬上的一户人家，几年未见米粒，一天晚上，一家人商议着想喝大米粥，恰遇停电，黑灯瞎火的，锅开了，下了几粒米，熬了半天，舀饭时却发现煮的是清水——大米下到了锅台上。这虽不是真实故事，但从一个侧面反映了当时大米、白面的紧缺。

我的两个弟弟总是翘首盼周末，因为平时家里没馍，只有等到周日，他们才能跟着沾沾光，混顿馍吃。而直到现在，我都不喜欢吃馒头，大概是那三年初中时，霉变馒头吃得太多，倒了胃口的缘故吧。

同村和我一起考上重点中学的还有两名同学，一名叫郭娃利，初中毕业考上了航空学校，是初中专，现在西安飞机城某研究院任职；另一名叫李成仁，没能成功，早已成仁。其兄李有成是我们高寨村最早的一名大学生，属于老三届，考取长沙国防科技大学，当初是我们学习的楷模。他毕业以后分配到一家军工企业——位于蓝田县境内的向阳公司，在子弟中学任教。其父逢人便夸儿子又给他汇了多少钱，带回多少东西。村民们很羡慕，尊其为“老爷子”。后来，不知道什么原因，李有成被单位除了名，其间开过一家餐馆，让其弟弟前去帮忙。李成仁在办理健康证时查出身体有病，不久便去世了。此后，李有成也不知踪迹，有人说发了大财，开着一家公司；也有人说混得很背，在给别人打工。反正这些只是听说，谁也没见过，“老爷子”离世时，也未回家尽孝。

我想，倘真成了气候，早都该回来重修祖坟，再建祖庙了——连黄帝陵都每年祭奠，给自己的祖先磕几个头、烧几炷香也不是什么丢人现眼的事。

我们村还出了一位大学生，比我稍长，叫方稳田，毕业于四川石油学院，分配至安徽蚌埠市某部队后勤部。工作几年，成绩斐然，提为团职。终因割舍不下家乡父母的牵挂，转业回到了家乡，在某县石油公司工作。因不安于现状，创办高科技塑料炼油厂，后企业破产，多年积蓄化为乌有，而且债台高筑，现在赋闲在单位，也混得灰头土脸。

与此相反，倒有几位中专毕业生和部队转业干部，回乡后一直在单位，安安分分，稳扎稳打，成为单位的中流砥柱。

我初中时的班主任王珍芳老师，得悉我等的际遇后，曾经发出过这样的感慨："过去老师眼里的一些尖子生，相继进入大学深造，最后竟都莫名其妙成了社会闲散人员；而看似不怎样的学生，有的顶替了父母，接了班，有的参了军，后来却成为单位的骨干。掴来掴去，连老师也搞不清以后该如何教育、培养学生了。"

无独有偶，有一则外国幽默，校长告诫新来的老师：如果一位学生学业优秀，你要善待他，他可能是未来的科学家，对社会可能有所贡献；如果一位学生学业良好，你也要善待他，他可能会返校当老师，成为你的同事；如果一位学生学业一般，你更要善待他，他可能会赚大钱，会给学校捐一笔款子；如果一位学生学业很差，而且经常考试作弊，你最要善待他，因为他将来很有可能竞选总统或议员，成为国人景仰的领袖。

看来，王老师的疑虑已经跨出了国界，成为一个全球性的问题。

王珍芳老师，曾经给了我慈母一般的爱。由于个人爱好，我喜读课外书，在昏黄的灯光下，损坏了眼睛。我年幼无知，孤陋寡闻，一直没有意识到视力问题，那时也少有近视一说。读初中时，我坐在后排，看不清黑板，学习成绩下滑。王老师觉得蹊跷，几次找我谈心。我感觉自己学习不如人，不好意思主动提出要求，如此反复多次，老师最终弄清了原委，立即将我的座位调到了前排。我也不辜负老师的厚爱，学习上迎头赶上，老师亦倍感欣慰。

我是单亲家庭的孩子，家里人多劳力少，学校离家又远，生活一直很困难。王老师在生活上也处处关心我，每逢周末，便主动将自行车借给我，方便我回家与返校。

大学时，我常给老师写信，谈理想，谈抱负。王老师也常回信勉励我，告诫我。但是，在毕业后的十几年里，自己蓬头垢面，窝窝囊囊，活得不像人样，无颜再与老师联系。其实我知道，恩师就在西安市二十六中，她对我期望很高，我辜负了她的一片苦心，羞愧难当，无地自容。

1981年初中毕业，按照我的中考成绩，完全可以进入县级重点高中。但由于家境贫寒，我最终选择了离家较近的普通学校——引镇中学，就是现在的长安六中。在这里，我走读上学，一方面可以利用课余时间帮家里干农活，另一方面吃住在家也省却了不少的费用。

引镇中学培育了我，但实话实说，我对学校印象不佳。

我参加的第一次全校大会不是开学典礼欢迎新同学，而是一位老师的追悼会。大会由一位据说是悔过自新、重新做人的造反派头目主持：

“第一项，全体起立，默哀五分钟，奏哀乐！”

话音刚落，本来悲悲戚戚的气氛忽然变成哄堂大笑，校长叫“乐”，大家岂敢不乐！原来主持人竟将“音乐”之“乐”读成了“快乐”之“乐”。

“就这水平，还当校长？”大家背后议论纷纷。

引镇比邻蓝田、柞水县，是长安东部塬区最大的商品集散地，农历三、六、九逢集，商贾云集，有“万人集”之誉。引镇中学始建于1953年，是长安县设立最早的三所完全中学之一，历史上也曾人才辈出。高考制度恢复后，部分优秀教师纷纷告别穷乡僻壤，举家迁往大都市，享受上流社会的生活去了。到我们入学时，教育质量已日见衰微，今不如昔了。

街面上的人有优越感，刁蛮、任性，学校管理也有漏洞。那时没有保安，门卫是位退了休的老教师，待人诚恳，脾性谦和，是个老好人，但对地痞流氓，如秀才遇见兵，无可奈何，街痞随便出入校园比在自己家里还便当。学生为了免遭骚扰、欺压、勒索，往往拉帮结派，寻找靠山，这就更助长了一些街痞无赖的嚣张气焰。

有这样的大环境，校园内的小环境也如出一辙。高年级欺负低年级，离家近的欺压离家远的，宛如旧时的上海滩，形成种种帮派势力，打架斗殴严重。记得有一次，两位高年级同学李某与赵某，为了争夺学校“霸主”地位，展开决战，在校园内大打出手，老师们管不了，躲得远远的，却引得不少学生围观瞧热闹。

几十个回合不分胜败。战至半酣，赵某随手操起半截砖头砸向李某。说时迟，那时快，李某闪身躲过，砖头砸在教室门上，反弹过来，落到一位围观同学的头上。该同学手捂伤口，顿时血流如注。赵某稍一愣神，李某抓住战机，一个箭步冲上，按住赵某后背，使出浑身力气，猛击一拳，赵某当场吐血。李某一拳定乾坤，从此确立了“龙头老大”的地位，行走前呼后拥，好不气派。

引镇街道分东、西、南三个堡子和北街，共四个行政村，开放搞活之初，禁锢已久的乡民如初出牢笼之鸟，有事无事总爱在集上闲逛瞎转悠，集市贸易活跃。得天独厚的地理位置使引镇街道在东部塬区率先富了起来，村民们手里有了便当钱，便大兴土木，而引镇中学的学生，为了在校外寻找靠山，自然而然地成为免费的小工。

校风的根本好转缘于一次偶然的机缘。

两位同学课间嬉戏，你打我一拳，我踢你一脚，你来我往，互不吃亏，不久恼了，一位同学出手偏重，打在对方的小腹上。挨打者顿时手抱腹部，萎缩于地，虚汗不止。旁观者急送镇卫生院，结果内脏出血，不治而亡。公捕公判大会就在学校的大操场举行，尽管打人者属于过失伤人，但造成了严重的后果，伤人者难逃法律的制裁，师生们则从中汲取了血的教训。

恢复高考制度之初，农村中学外语教师短缺，开设英语课程较晚。为了完成教学计划，老师拼命赶进度，同学们如听天书，有的同学跟不上，干脆自动放弃了，杨余利便是其中之一。

杨余利的父亲是个小木匠，有手艺，家境好。杨余利上学时，手表、自行车一应俱全，家庭条件优越，把读书升学当作谝闲传，据说家里还给他订了媳妇。语文老师常常教诲我们，长大以后要当什么什么“家”，不要做什么什么“匠”。我们便看他，扮鬼脸，吹口哨，他便脸红，大家哈哈大笑。我买了一部小收音机，收听英语讲座，他老跟我争抢，偏要听秦腔、流行歌曲。他学了三年英语，识不全二十六个英文字母，单词仅会写一个“English”，还读成“外国里氏”。

进入高三，学校分文理科，我结合自己的兴趣，选择了文科。老师、同学们纷纷质疑：

“学好数理化，走遍天下都不怕。你理科成绩那么好，何必报考文科。”

在人们的意识里，只有头脑不够用，数理化学不懂才会选择文科。他们哪里知道，我自幼饱览群书，博闻强识，倘不学文，这些资源岂不白白浪费！

现在看来，当初选择学文，是我人生道路上的第一败笔。除外语类之外，文科多属软科学，与政治结合太过密切，倘若头脑不灵活，不会见风使舵，八面玲珑，又无叔伯阿姨提携，绝无前途可言。如果学理工科，以我的成绩和天赋，必考清华，掌握一定的专业技能，毕业后即使时运不济，分配到柴油机配件厂，也会如咸阳街头擦皮鞋的工程师所说的那样，用所学知识改进、改造柴油配件设备，或许能使工厂起死回生，为地方经济做点贡献，断无学非所用、沦落街头杀猪卖肉为生的道理。

抛开这一切不说，单从应试的角度讲，理科成绩优秀的学生弃理从文未必就吃亏，因为语文、数学、外语是文、理科都必须考的科目，而铁了心学文的学生往往数学成绩不好，这恰是我等的优势。

选择了文科之后，我重点突破英语、历史、地理。因为对我而言，语文、数学即使不复习，单凭以往的基础，考试时也不至于拖了后腿。至于政治，与时事结合太紧，死记硬背的玩意儿，临阵磨枪，不亮也光，背得早了，到时候反倒又忘了，或者又过时了，跟不紧形势，白忙活一场。

如此调整了思路，上课便不再用心。一次上语文课，老师在讲台上慷慨激昂，引经据典，广征博引，讲得神采飞扬，唾沫星子乱溅。我却在座位上心猿意马，昏昏沉沉，打起了瞌睡。结果被老师发觉，罚站到后排。我不服气，赌气似的取出一本英语书，叽里咕噜读了起来，又被老师“请”到了教室外面。我故意作弄老师，未加理会，扭头就走。老师恼羞成怒，捡起一块砖头，在后面追赶。我年轻力壮，身手敏捷，老师硬胳膊硬腿，哪里追得上？在学校兜了几个大圈子，老师气喘吁吁，上气不接下气；我自逍遥法外，嬉皮笑脸，气得老师破口大骂：

“日后你要是能考上大学，把驴骑到俺家门前，呹（骂）俺的先人！”

后来我考上北大，得饶人处且饶人，并未睚眦必报。老师也似乎很健忘，将那件事抛到了九霄云外，始终没能想起班里曾经有过我这么一位调皮捣蛋、经常旷课的学生。

1984年高中毕业，我以全校第一、遥遥领先其他同学的成绩超过了大专录取分数线，但英语、政治、历史、地理分数相对较低。我权衡再三，认为自己的潜力还没有得到充分发挥，在个别老师、同学的怂恿下，最终自动放弃上西安师专的机会，选择了复读。

分田到户后，粮食日渐宽裕，再也不必为吃饭发熬煎了。这时父亲也开始做一点“投机倒把”的买卖，农闲时分，买来牛、马、驴、骡等牲畜，精心喂养一段时间，上膘后，农忙时节再卖掉，赚取其中的差价。

猪是不屑再喂了，没有利润，还劳累人，但有时却贩。1980年前后，关中地区猪价大跌，猪崽降到三元一只，还少人问津。价值规律之下，河南猪贩子蜂拥而至，专门收购老母猪，据说老母猪皮糙肉厚，骨头硬，寿命长，可以几天不吃不喝，长途贩运死不了。运到河南，嫩的当肉猪卖，老的做腊肠，都是好价钱。父亲曾与河南省漯河市的一位小学教师搭帮，专做老母猪生意。每次小学教师前来，与我住同一间屋子。他鼾声雷动，脚气熏天，但我们一家还得委曲求全，奉财神似的尊他为上宾，好酒好菜好茶饭地悉心招待。

那时，奶奶还健在，整日拖着一双小脚，忙前忙后，照顾一大家子的饮食起居。

奶奶是1986年春天，即我上大学的第二年过世的。

在我的记忆里，奶奶没有吃过一天闲饭，总是扑前奔后，忙里忙外的。听父亲讲，爷爷年轻时是个江湖派，狐朋狗友结交了一大帮，挥金如土，嗜赌成性，三天、五天见不了踪影，常把奶奶一个人撇在家里。奶奶孤独，学会了吸旱烟。后来，爷爷把祖上积攒的基业如一个鸡毛毽子放到脚尖，“嘣噔”一声踢踏得一干二净。“树倒猢狲散”，没钱了，酒肉朋友也不勾引了。爷爷金盆洗手，奶奶也染上了烟瘾。“塞翁失马，焉知祸福。”也亏得爷爷赌运不佳，否则“社教”时我家不是地主便是富农，一辈子抬不起头来。爷爷失却江山有功，五十多岁就抱病在床，做起了老人；而奶奶却因肺气肿咳得厉害，扔掉了旱烟袋。1985年底，我放寒假回家，奶奶已卧病在床，几天水米未进了。看过赤脚医生，没穿鞋的大夫说没什么大病，偶感风寒而已，吃他几服中西医结合的药就会好的。但我知道，奶奶已经七十多岁了，风烛残年，如不停运转的机器，零部件已经磨损得不成样子了。说是没病，其实已浑身是病。

想到奶奶辛劳一生，没有过过一天好日子，如今病成了木乃伊的模样，将不久于人世，我心头一酸，不停地抹眼泪。奶奶却宽慰：

“俺娃甭难受，你上了大学，我走就放心了。到了阴曹地府，我会跟你爷、你妈说你出息了，叫他们也放心。”

我号啕大哭，亲戚邻里都跟着流泪，大团圆的日子顷刻变得凄凄惨惨，悲悲切切。

哭罢，我自己下厨，给奶奶炖好鸡蛋羹，喂奶奶慢慢地喝下。以后几天，我哪儿也不去，整日守在奶奶的炕头，精心侍奉，希望在奶奶弥留之际，跟奶奶多待一会儿，尽点孝心。奶奶心中高兴，竟能挣扎着吃点东西，一天一天也好了起来。

过完小年，到了返校的日子，奶奶竟奇迹般能下炕走动了，说她命长，死不了，还等着抱重孙子呢!

我便放心地返回了学校，没想到，这一走，与奶奶竟成永诀。听父亲后来讲，我刚走，奶奶又睡倒了，再也没能爬起来。回光返照时，叮嘱父亲，千万不要给我发电报，娃学本事重要，耽误了学业，她死不瞑目。

父亲终于没有把奶奶的死讯告诉我，还让二弟给我写信报平安呢！可怜的奶奶，临死都未能见她最疼爱的大孙子最后一面。而我，作为长孙，许多年来，也因未能送敬爱的奶奶最后一程而懊悔不已。

1981年秋，关中地区遭遇了百年一遇的连阴雨。这雨淅淅沥沥，没完没了，一下就是五十多天。好久见不着阳光，到处散发着一股霉腐的气味，仿佛连人都快下霉了。

老屋的土房历经了六十余年的风风雨雨，已经破败不堪了，随时都有倒塌的危险。在每一次小修之后，父亲总会重复同样的话：“无论怎样，天晴后，都应该好好修缮一下了！”

但阴雨过后，我们依旧住在风雨飘摇的老屋，父亲也不再提及当初重复过多次的话。我们心里都很清楚，经过几十个春秋的风吹日晒，柱子、檩、椽都已腐朽，简单的修缮已经不可能，必须推倒重盖，我们的钱不够。

到了六十年一个花甲子的1984年，古谚云：“不兴甲兵闹灾荒。”家家户户小心翼翼，不敢越雷池一步。然而，老屋却再也支撑不住，倒塌了，一家人寄住在生产队废弃的饲养室里。

尽管关中地区有甲子年不宜立木的讲究，但事已至此，也顾不了许多，一家人总不能住在瞭天地里。

帮我家盖房子的是当民叔。

当民叔是地主的后代，父亲的朋友，和我家隔路相望。阶级斗争年代，批斗会上总有他双手背后、“老实交代”的身影。他年轻时因为成分大，讨不下老婆，与邻村一位富农子弟换亲。后来他妹妹长大心高，看不上富农的傻儿子，撕毁婚约。当民叔的老婆为了弟弟，也狠下心肠，撂下儿子与他离了婚。但当民叔一表人才，人有本事，他“唉”的一声，一气之下，从大山里领回一个漂亮娘们，让村子里的光棍汉们羡慕不已。

多年之后，本村青年东峰因人实诚，脑子少根弦定不下媳妇。其父备好礼品，找到当民叔山里的婆姨：“他婶子，你看着给咱东峰在你们山里头也拾掇一个媳妇，行不？”

“现在俺山里头条件好了，拾掇不下了！”当时给东峰他大来了个嘴啃地，成为村民的笑柄。

要知道关中方言里，“拾掇”是个很刺耳的词汇，含有“凑合”“收拾破烂”的意思。

当民叔在村里抬不起头来，常年浪荡在外，为了谋生，学了一身泥瓦匠的好手艺。改革开放后，他率先拉起了私人建筑队，很快成为村里的首富。父亲常与他开玩笑：

“你是不是又想当地主了，小心斗争你！”

当民叔起先由于土地多而成为地主，贫下中农们纷纷与他划清了界限，“鸡犬之声相闻，老死不相往来”；后来却因为钱多而成为共产党员，当上了村长，乡亲们又纷纷与他拉关系、套近乎。短短几十年，从小少爷到狗崽子，从地富反坏右被批判的对象到大老板再到村干部，最后冤死，其间发生了戏剧性的变化，命运之神数次捉弄于他，世态炎凉也在他身上得到了充分体现。

钱是人的胆，权是人的识。当民叔发家致富以后，社会交往宽广了许多。一个偶然的机会，其弟弟结识了省民政厅某领导的儿子，有了这层关系，当民叔又依仗村长的权力，廉价租赁了村子里几百亩坡地，创建了“凤栖山骨灰墓园”。具有讽刺意味的是，墓园刚刚建好，产生经济效益，正日进斗金的时候，却不得不拱手让与他人，因为他自己患上了淋巴肿瘤，在省城某三级甲等医院甩出了十多万元之后，撒手人寰了，真正成为自己的掘墓人。

“君子之交淡如水”，经济时代，金钱比人情贵重。当民叔既然患了不治之症，现代医学回天乏力，人们挣钱不易，如果再破费去巴结一个死人已失去了功利价值，带不来任何实际利益。所以在他病危的三十多天里，据说除了至亲至爱之人，没有人去医院探望过他。我与父亲看他时，他已经到了弥留之际，说话已经非常艰难。人生很快就要画上句号，回想起如梦的一生，不禁泪流满面。我们父子触景生情，心里也挺难受。

粮食宽裕了，可农活也多了。在农村，每到秋夏两忙，中小学都要放忙假，一般为两个星期左右。师生们大都来源于乡村，家中都有几亩责任田，学生暂且不说，民办、“一头沉”老师多，他们可都是家中的主要劳动力。小学生年幼，干不了重体力活，夏忙拾麦穗，秋收掰玉米棒子，晾晒粮食，翻红薯，颗粒归仓，都是力所能及的活路。况且古诗都说“锄禾日当午，汗滴禾下土”，倘若暴殄天物，对不起辛勤劳作的父母，更对不起赐予五谷杂粮的上苍，说不定哪天老天震怒，降下罪责，来个三年大旱，颗粒无收，岂不又要吃二遍苦，受二茬罪。

责任制后，我长成了小伙子，成了父亲的左膀右臂。1985年“三夏”大忙，我面临高考，而八亩小麦却同时成熟，“鲤鱼跳龙门”与“虎口夺食”狭路相逢。夏天的天气如小孩子的脸，说变就变，刚才还是晴空万里，一阵大风袭来，雷声阵阵，顷刻之间大雨倾盆，到手的粮食就要泡汤了。

学校也有升学压力，给其他年级放了忙假，留下初、高中毕业班照常上课。但我不得已，还是请了假。我天不亮起来，拿着镰刀上了坡地，头顶烈日，忍着酷暑，水米未进，一口气干了七个小时。渴了，舔舔嘴唇，饿了，坚持坚持，待将六分小麦全部割完，自己却因高温作业，劳累过度而中暑，晕倒在田间地头。

学校给复读生的环境是很宽松的，放任自流，你爱学不学，反正又不花老师的钱，考不上，明年继续复读，学校照收银子不误，还多了一条创收渠道，何乐而不为?

引镇中学后面有座塘库，钢筋混凝土结构，是大搞农田水利建设时的产物，责任制后，多年不用，早已干涸。这里，冬日背风向阳，空气新鲜又安静，铺些柴草，坐着、躺着看书，累了，睡一觉，醒来再看；春夏秋季，塘库旁的田间小道，绿树成荫，凉风阵阵，鸟语花香，正是读书学习的好去处。不经意间，我发现了这世外桃源般的所在，告诉了另一位孙姓同学，于是，我们俩成双结伴，带上干粮，一大早便来到此处，天黑方回，难怪语文老师教了我们一年课，竟不记得曾经有过我这么个调皮捣蛋的学生。

在这里，我们不受老师授课的限制，自由安排，针对各自的薄弱环节，突出重点，各个击破，学习上突飞猛进。后来，我考取北大中文系，孙姓同学考取北京师范大学历史系，为父母争了气，为学校争了光，引镇中学也算放了两颗大大的卫星。

学校有个习惯，明天考试或者测验，今天晚上授课老师必定辅导，辅导内容必与试题有瓜葛。有的同学得了高分就沾沾自喜，自以为是，以为自己学习确实了得，不然怎么能得九十多分一百分呢？可惜的是，该校老师并不参与全国高考统一命题，真正考试时便露出了马脚。我对于这种自欺欺人、掩耳盗铃的做法不屑一顾，每每冷嘲热讽。老师就说我轻狂，“一瓶子不响，半瓶子才咣当”。

1985年，我以531分，陕西省第十四、长安县第一的成绩考入北京大学中文系。村子里打了锣，乡亲们奔走相告，说那是天子脚下，毛主席他老人家待过的地方，了不得啦，祖上烧了碌碡粗的高香，几辈子修得的福分，出了人中龙凤，亲朋好友邻里乡党脸上都有光彩。父亲更是喜上眉梢，一改以往一分钱掰成两半花的脾性，割肉打酒，几次在家中大宴宾客。

1985年8月28日，我第一次远行。带着简单的行囊，肩负着家乡父老的期盼，独自一人，登上了北上的列车。那年，我十九岁。

临行，亲戚朋友为我送行。走到村口， 我叫他们回去，送人千里，终须一别，况且奶奶年纪大了，又是小脚，行走不便。他们也答应不送，挥手言别。我继续前行，走过一段，感觉身后有些异样，猛一回头，父亲搀着奶奶，就在身后。那情，那景，深深地印入脑际，至今想起，依然历历在目。

“朝为田舍郎，暮登天子堂”，这是多少穷酸秀才梦寐以求飞黄腾达的捷径。我，一个来自大西北穷乡僻壤的山村穷小子，一旦踏上京师的土地，总不敢相信这是真实的。掐掐鼻子，撕撕耳朵，不是梦境，于是心中神圣的感觉油然而生。这就是首都，共和国的心脏！我在心底祈祷，但愿自己不是这繁华都市的一位匆匆过客，更不是南柯一梦。

初来乍到，人生地疏，顾不得旅途的劳顿，更来不及欣赏京城旖旎的风光，放下行李，急忙来到天安门广场，拍张照片，连同平安家书捎回家。

军训之后，学校正式开课了。我的专业是汉语语言学，研究汉语自身的发展变化。老师们是蜚声中外的，而专业课却是枯燥无味的。在我的意识里，中文就是文学，与中小学学过的语文是一码事，只是到了大学，故弄玄虚，叫法不同罢了。我喜欢小说，故填报志愿时选择了中国语言文学系，以后无论搞文艺创作、文学批评抑或其他文字工作，都是我所钟爱的，岂料语言与文学根本就是两回事。孔乙己说“回”字有四种写法，而今，距离孔乙己的年代已经过去了半个多世纪，经过几代老夫子的不懈钻研，“回”字可能已经发展成八种写法。中学里，语文老师从未讲过，可见，偏远中学如何孤陋寡闻，对大学课程的设置又是如何陌生。

我们的班主任张猛老师，他是全国人大常委会副委员长、民进中央主席，著名语言学家许嘉璐先生的研究生，现已移居日本。他曾在一次班会上告诫我们，学习、研究语言要耐得住孤寂，心无旁骛，持之以恒，有坐坏板凳的精神，则必成大器。

尽管专业课很乏味，但一些老先生的讲课依然给同学们留下了深刻的印象。如何九盈的《古代汉语》风趣幽默，王理嘉的《现代汉语》一丝不苟，裘锡圭的《古文字学》高深莫测，唐作藩的《音韵学》晦涩难懂，陆俭明的《语法研究》简明扼要，许嘉璐的《训诂学》触类旁通，郭锡良的《汉语史》有板有眼，冯其庸的《红学研究》考证枯燥，王扶汉的《易学研究》不知所云……

最有趣的当属叶蜚声老先生。对于叶老，同学们久闻大名，不见其人。想象中的叶老先生必是鹤发童颜，神仙一般的人物。一天，上《理论语言学》课，铃响了，一位边幅不修、衣冠不整的老者走进教室，同学们以为打扫卫生的工人师傅来了，纷纷将废纸、果皮等垃圾拿出，不料老者却走上讲台，同时以多种外语讲授“比较语言学”，这才知道老者竟是叶蜚声教授，人如其名。

还有一次，是初冬季节，同学们相约去燕南园欣赏落叶，却看见叶老先生在冬储大白菜，大家很奇怪：解放前已蜚声海内外的叶老先生咋还吃大白菜？问之，答曰：

“旧社会老师月俸一百块现大洋，那时一块大洋可买大米一袋；而今老师的工资每月二百六十元，可买八十斤黄瓜，将老师吃得满脸菜色。”

入学之初，有一门公共课《中国通史》，上大课，好几个系几百人挤在第一教学楼的阶梯教室，坐在后排，既听不清，又看不见，而且都是中学时学过的，背得滚瓜烂熟的内容，备感无味，我就经常逃课。到后来，能容纳三百余人的大教室竟只剩下寥寥五六个学生。老师不动声色，依然照本宣科，我行我素。我们以为老师平和，颇有大教授的风度。但期终考试给我们来了个下马威，当头棒喝。他全考讲义，照教科书内容答题者一律判错，结果百分之九十的同学不及格，我仅得55分，放寒假后提心吊胆，春节都无心思过，操心第二学期补考。

在北大，累计三门功课不及格就取消学位。有了《中国通史》的教训，同学们再也不敢妄自托大，以后凡是必修课，无论如何乏味，均小心翼翼，如履薄冰，认真记好笔记，给足老师情面。唯恐某些老师心胸狭窄，打击报复，到最后聪明反被聪明误，丢了学位，寒窗苦读，付之流水。

“清华如花羡云端，北大秋水隔婵娟”，海纳百川，有容乃大。北大崇尚科学民主，对各种思潮“兼容并包”，学生视野开阔，思想活跃。许多学者以能在北大演讲为幸，甚至连一代大侠、武学宗师金庸先生都曾喟叹平生做过三件不自量力之事：草堂题诗，兰亭挥毫，北大讲学。我等农家子弟，鲜有家学渊源，业余爱好极少，除了基础课、专业课、公共课等必修课程外，把不少精力和时间投放到选修课和各类讲座上，以拓展自由发展的空间。

可惜人生没有未卜先知，倘能预测以后要从事杀猪卖肉的行当，求学之际，就该选择“中国屠夫学院”，苦心钻研开膛破肚、剔骨、剥皮的技艺，这样以后开店会更专业。即使不幸考上了北大，也不必每日“帮、旁、并、明、非、敷、奉、微”地瞎捣鼓，节约出时间，多与学三食堂的大师傅们亲近亲近，先取得感性认识，免得后来走了不少弯路，折了老本。

引镇中学有一位老师是鸣犊镇嘴头村人，50年代的大学毕业生，学过几年俄语。大众场合，对党说了几句不中听的话，被划成右派，下放农村修理地球多年。落实知识分子政策后，他改行当了我们的英语老师。该老师讲课声音洪亮，地方口音浓重，被同学们戏称为“口头英语”，简称“口语”。讲起英语，假洋鬼子略知一二，真洋鬼子可听不明白。高考时我英语成绩之所以不错，是占了不要求听力的便宜。到了大学，这种哑巴英语很不合时宜，老师讲课，几乎不知所云，曾经一度灰心，所以选修日语，希望听、说、读、写从头学起。

有一位青海民族学院的进修研究生，叫程凯，日语很流利，现为中国残疾人联合会副理事长。他身患残疾，行动不便，北大对进修生又不解决住宿问题，这对他的学习、生活造成很大的困难。我被其精神所感召，常常上课、自习帮其占座位，又通过同学关系在数学系帮他找到一张床位，而在日语学习上，他亦给予我莫大的帮助和支持。

我还认识一位日本鬼子，叫菅健，来自东京大学，很有优越感。他研究中国文化，在学习上我们取长补短，我辅导他汉语，他教我学日语，顺便了解日本的风土民情。我们经常在一起聊天，尽管信仰不同，却非常投缘。一次，我鼓足勇气，问了他一些我在肚子里憋了许久的问题：

“社会主义好，还是资本主义好？”

小日本鬼精鬼精，笑而不答。

“你到中国最大的收获是什么？”

“学会了睡午觉。”

“毕业后，你准备干什么？”

“在日本赚钱，来中国生活。”

……

我愕然。

那时大学门槛高，尤其像北大这样“浪得虚名”的学校，每年在几百万毕业生中挑人，竞争之激烈绝不亚于诸如哈佛、耶鲁、牛津、剑桥等人才辈出的世界级名校。学生们自幼就将脑袋削尖，过独木桥似的想尽法子往里边挤，即使有万分之一的学生跨进校门，也有许多条条框框约束着，丝毫也不敢懈怠。

如今高等院校大规模扩招了，百分之六十的升学率，连我的母校——引镇中学，每年都要给高等院校输送一二百名人才。再看看扩招后的大学，只要父母不至于穷得揭不开锅，大部分学生都可以到高等院校转悠一圈，取得一张花花绿绿的纸，好看而不实用。尤其一些民办院校，生源已非常艰难，更不会由于分数的原因而将怀揣大把人民币的莘莘学子拒之门外。几年下来，倒是成就了不少鸳鸯，满目的江郎。

当然，我说这些，并没有诋毁民办院校的意思。应该说它们对中国高等教育的普及，国民素质的提高做出了不可磨灭的贡献。我想说的是，那时，大学竞争之激烈，百分之三的升学率，大部分学生在学校食堂——教室——宿舍三点一线式地忙碌着，生活圈子狭窄，学习、学习、再学习，枯燥而乏味，远没有如今的学生可以逛网吧、玩游戏、谈恋爱，活得洒脱自在，丰富多彩。

宿舍是我们的乐园。我们每个人都有绰号，我来自陕西，他们叫我“老陕”，也是“臭大”，广东的哑巴是“傻二”，北京的京片子叫“瘪三”，尖嘴猴腮的湖南人是“猴四”，大连的老白鸡是“麻五”，江西井冈山的白面书生叫“狗六”。每个人各有特点：傻二傻头傻脑，却傻人有傻福，而今已有两个儿子，是广东某县的实力派官员了。他最早背叛了南方，不吃米饭，喜食馒头、面条，满口潮州普通话，说话像吵架，打太极拳老师评价“有力”，吃饭便要死皇帝（吃饭叫“驾崩”），每日必品工夫茶，而且嘴皮子工夫日益见长，大家很惧怕噪音污染，希望他早日不会说话，所以叫他“哑巴”。他则偷偷地去掉了“口”字旁，据说在闽南话中“亚”与“阿”同音，无形之中让这傻小子占了便宜。北京半壁店的小瘪三，说话总把舌尖翘起，故意混淆普通话与北京话的界限，然后嘲笑我们的普通话少盐寡醋。每天都要照无数遍镜子，拨弄几下吉他，唱一些忧郁歌曲的猴四，对于别人都长胡子，甚至连女同学都有“络腮胡子”的绰号，而自己颌下却童山濯濯非常恼火。脸上时隐时现几粒麻点的麻五老白鸡酷似警匪片中的老大，当听心仪的女孩说他声音很有磁性的时候，经常在楼道里一展歌喉，唱一些跑了调、走了味的歌。以清词丽句著称的狗六，自喻为情种，到处拈花惹草，刚送走桂林大学的痴心女，又迷住了北京四中一个很清纯的小姑娘，害得人家三天两头找上门来，自己却东躲西藏，免得落下拐带幼女之嫌。一代神人，“佛学大师”王伟正，大学四年，五载参禅，终未看破红尘，大彻大悟，不得不从最北端的哈尔滨，跑到最南端的广州，做起了城市的美容师。书贩子胡足青，我们班五大三粗的那个，在学校举办的拳击擂台赛上，一记勾拳，将对手打翻在地。老哑巴一伙唯恐天下不乱，台下拼命鼓噪“打死他，打死他！”他终于心慈手软，动了恻隐之心，如农夫与蛇，反被对手赶下了擂台。想不到他却早已把书香换作了铜臭，几个春秋下来，置了房，购了车，成为大款一族。

倒霉的当属老白鸡，他刀子嘴豆腐心，嘴硬屁子松。他住下床靠门，晚上熄了灯，大家讲故事解闷，老白鸡捣乱，偏要唱一些乌七八糟的歌，扰乱我们的思绪。老哑巴一声呐喊，哥儿几个一拥而上，抓胳膊搬腿撕耳朵，把老白鸡抬将起来，一收一放，狠蹾屁股，直蹾得老白鸡哭爹喊娘，打躬告饶。

2003年11月，我受中央电视台之邀，做客新闻会客厅。其间假公济私，回到了阔别已久的母校。学校青石构筑的南大墙已然推倒，代之以充满孔方兄气息的商铺、门店，高大雄伟的理科教学楼群拔地而起。可昔日的老师，大部分已退休，尚有少数或定居海外，或远走他乡，早已是物是人非。短短十余年的光阴，变化尚且如此，那么二十年、三十年以后呢？世事变幻，果真难以预料。

在京同学，相约于北大勺园。《人民日报》的老崔，常年在北京，可工作繁忙，已经好几年没回过学校了，开着锃亮的汽车，却找不着进校的路径，七绕八拐的。保安看汽车高档，才没有拒之门外。中国国际旅行社的老王见到我，第一句话就是：“老陕，你真行，我也要向你看齐，准备下海了。”我说我差点儿被海水呛死，准备抓根救命稻草上岸了，如今“道不同，不与为谋”。据悉，他供职旅行社多年，客户、业务都很熟悉，这时下海，正是时机。留校任教的龙清涛、刘颂浩历经家庭变故，仍能处之若泰，一丝不苟地教书育人。社会科学院语言研究所的谢留文，温文尔雅，学者风范呈现无遗。

相比之下，自由撰稿人老白鸡已不敢相认。一顶帽子遮掩着已然脱光的头颅，昔日的风采未留下任何痕迹，坎坷的生活阅历已使至今仍孑然一身的他愈加世故、老到，也更显现出世态的炎凉。真不敢相信，这就是当年匪气加才气，桀骜不驯的老白鸡！他曾给我写过一篇文章，发在互联网上，摘抄如下：

兄弟，我在这里

提交者：白色的鸟　于北京时间2003-07-27　23：43：57

我从没有想到会在这样的一张照片上重新见到你，也从没有想到十四年后你是这样的处境。昨天晚上，我和几个朋友在北京的一家户外大排档吃饭，大家兴高采烈地议论着即将开始的足球比赛，我的手机响了，电话里，一个朋友有些猎奇一样地提到了你的名字，然后说在网上看到了你在西安街头小店肉案上操刀卖肉的照片。我不相信地让他再核对一遍你的名字，每一个字的写法，以及新闻里有关你的一切。最后，我不得不承认，那就是你，我同宿舍的兄弟。

那天晚上我家乡的球队来北京比赛，我和家乡的朋友们一起参加了赛后的球员球迷联欢会。那些拥有一张灿烂的脸的孩子们忘情地追逐着他们心目中的球员，表情嚣张而肆无忌惮，我在他们身上隐约看到了当年的自己。整个热闹的晚上我都心不在焉地想着当年的我们，想着当年的你。我知道你从来没有过这样放纵的表情。回到在北京的临时寓所，我做的第一件事就是打开电脑，拨号上网。我在电脑屏幕上又看到了你的照片，别人对我描述的那张。我的心脏在收缩，你的样子除了比在学校时更加苍老以外，其余的都没有改变，不同的只是你的手里拿着一把砍肉的刀。你的旁边，有一个女人在忙碌着，旁边的文字介绍说那是你的妻子。你和她一起租下了一间只有二十平方米的小屋，前店后家，日复一日地将一块块猪肉卖给附近的家庭主妇。文字还特别介绍说：因为你的信誉好，你的顾客很多是回头客。

看到这里，我的眼睛湿润了，我觉得照片里的你突然变得陌生起来，我终于知道了你现在的具体地址：西安市长安区韦曲镇汽车站以南“眼镜肉店”。我恨不得马上跨过我们之间相距的十四年的时间鸿沟，在你身边大声地喊一句：兄弟，我在这里。

算来离开学校已经十四年了，我现在还清楚地记得当年十七岁的我兴冲冲地拎着行李，只身一人从家乡来到北京时的样子。我办好了入学手续，推开北大三十二楼四〇八宿舍，屋子里只有你一个人在那里，你孤独地在那里抽着烟，相貌与表情与我想象中的同学大相径庭，我险些将你当成是送同学上学的农村亲戚。我们两个人都是下铺，你靠窗边我靠门，有的时候是四足相对，有的时候是两头相抵。我从兜里掏出烟，扔给你一根，你像我在电影中见过的那些陕北农民一样，盘起腿坐到床上，将我扔给你的烟夹到耳朵上，冲我憨厚地笑了笑，面孔黝黑而牙齿焦黄。从此，我们和另外的四个兄弟一起，在这座当时号称是“才子楼”的灰色建筑物里住了三年，你还记得那时的时光吗？

所有关于西安的印象都是从你开始的，你告诉我你来自西安附近的长安县，一个闪动着历史青铜味道的地方。你叫陆步轩，相对我们这些被自然命名为什么“学军”“爱国”之类的人，透露出一番不同，希求登堂入室的愿望一目了然。而你身上浓厚的旱烟味道和熏得焦黄的牙齿，是你那时的标记，像那时宿舍另一个同学铿锵短促的潮州味道的普通话，像我在走廊里经常响起的走调的歌声。

你是我们宿舍里岁数最大的一个，但是宿舍的事情你很少参与，你在自己身上包裹着一层厚厚的壳。宿舍里当时只有我们两个人抽烟，你抽的是那种用白纸卷起来的烟丝。我试着抽过，很呛，相处的时间长了，我们慢慢了解了你的一些过去：你在第一年已经考上了西安师范大学的中文系，可是当时你将通知书撕了，回炉苦读了一年，终于圆了自己未名湖的梦。你的家庭情况永远是你心中一个坚硬的核，谁也无法敲开它，同学了四年，我甚至不知道你有没有兄弟姐妹。刚入学那年冬天的一个傍晚，你和我两个人在未名湖边上散步，湖面已经冻得严严实实了，零星的几个人偶尔会从我们身边掠过，我在和你谈我写的诗歌，你耐心地听着，像一个宽厚的兄长，并不时纠正我的偏激。你顺带告诉我自己对于训诂学和音韵学的热爱，表情宛若一个恋爱中的少女，我很少见过你脸上有这样的表情，那些奇异的光芒，让我从此对你刮目相看。

日子就是这样朝前走着的，还记得吗？当我们怀抱作家诗人的梦想踏入北大中文系，系主任给了我们当头的一声断喝：北大中文系不是培养作家和诗人的地方，最重要的是要学会做一个对社会有用的人。我们群情激愤地回到宿舍谩骂理想的流失，然后按照自己的兴趣迅速组建了诗歌、小说、评论等小团体。我们给那些教授古代汉语和音韵学的老先生们起了各种绰号，并且理所当然地每天都睡到日上三竿，自然地逃掉上午的课。可是你从没有，你的笔记总会是我们几个人和教授期末考试短兵相接克敌制胜的利器。你在旁观中目睹了我们很多人首先是装扮上变得像一个北京人，然后舌头不自然地卷起来像一个北京人，再然后是举止开始轻浮地像一个北京人，最后是将自己真正地当作了一个北京人。那时，我们中间很多人仿佛一只中了魔法的兔子，不断地有人在旁边告诉它，说它原本是一只山羊，于是它就真的认为自己是一只山羊了。

我是一个惧怕回忆和怀念的人，我知道有的时候会像海边无声无息的潮汐，在不知不觉中将一个人吞噬到黑暗的海底。可是我现在必须这样做，我要让你再重新审视一下当年的自己。老陕，这是我们在宿舍里用来称呼你的，从只言片语的新闻中，我看到了你离开校门后那些艰难的沉浮。浮生沉重，对于我们这些1989年离开北大的人来说，更是如此。

一百张不带一丝皱纹的青春的脸聚集在一起，这就是我们当年的北大中文系八五级。一个中学时就写过长篇历史题材电视剧的女孩率先放弃了学位，大学三年级就移民到了加拿大。一个恋爱中受挫的女孩申请休学了一年。剩下的像命运不经心撒播的一把种子，散落到了人间的各个角落。在我们毕业后的第二年，游进，那个开朗热情的四川男孩，在成都与歹徒搏斗中不幸殉职，当时的《中国青年报》为他发了一个整版的通讯：人民的好记者。在1991年，我们共同的朋友，诗人戈麦选择了主动离开人世。其后，每个人的生活都随着时代的变迁而变，像风吹起的那些树上的叶子。

几年前，我和“烧饼”在广州相遇。那天“烧饼”（他已经举家移民法国了）、建云（他现在已经是一个著名娱乐节目的后台老板，应验了他所说的要干一番事业的夙愿）、“咪咪”（古文献的老操，在大名鼎鼎的《南方周末》里，他是一个不可或缺的人物），还有

“烧饼”的媳妇（还是在学校时北外的那一个，那时孩子都已经三岁了，她刚从广州雪铁龙公司辞职，自己创办了一家投资咨询公司），我们几个人一起坐在广州一家绍兴风格的酒吧，拿着茴香豆下黄酒，谈起当年的同学，其实大家当时特别看好你，觉得你做事稳重，不骄不躁，肯定能把日子过得美满而圆润。你离开校园以后，谁也没有你的消息，无声无息得像一阵风，“相忘于江湖”吧，大家有些感伤。那天“哑巴儿子”（这家伙如今成了一个潮汕地区的实力派官员，想不到吧？）因为有事，实在没办法从潮州赶过来，电话里一个劲地道歉。结果第二天我就去了深圳，以后一直没有机会见到，实在遗憾。你记得那首诗吗？“我所不认识的女人如今做了我的老婆/她一声不响地跟我穿过城市/给我生了个哑巴儿子。”当时我们戏弄“哑巴儿子”的情景直到现在还清晰如初。这家伙现在有一样比我们都强，他已经有了两个儿子，并且成为他嘴上津津乐道的资本。电话里，他的第一句话就是：“老白鸡，我现在有了两个儿子，你要是再气我，我就让他们一起揍你。”

宿舍里几个人的情况大致是这样的：“连长”现在是一家实力雄厚的文化公司的职业经理人，想不到吧。他在此之前也曾经戏水新经济，新浪网的管理层之一。“连长”搬走后，“烧饼”从哲学系搬到了我们这边，还能记起他的吉他声和歌声吗？“建云”和“哑巴儿子”的情况我已经说了，“小龙”，我们宿舍最小的那个家伙，那个书生味道十足，总写些“清词丽句”，总会被别人误认为是女诗人，总会收到一些文学男青年大胆火辣的表白信件的才子，他留在了校园，成了我们都很景仰的钱理群先生的同事。还记得他当年的口头语吗？2001年秋天，北大举办了一个纪念“老六”（戈麦）的诗歌朗诵会，当我朗诵完诗下台，这家伙一把就拉住了我：你那两步走还是原来那样。他的脸还是那么白，像我们少年时的心一样，永远改变不了。

两年前我从大连回到了北京，想要开始一种全新的生活。我对你说了这么多同学的情况，只是想告诉你，就像你当年喜欢过的那个上海诗人王小龙写过的那样：不管大家从事了什么行业，生活发生了什么的改变，“心，永远是最初的那一颗”。感谢日益发达的互联网，它让我找到了久违的你。得知你近况后的那个晚上，我和北京的几个同学都通了电话，遇老大、阿花、阿渡、阿沛……我们这些在北京的你的同学们都在关注着你，劈柴也好，喂马也好，我们都希望你能走出生活中这段最沉重的时光。我们现在知道你在哪里了，而且也知道你希望重拾过去喜欢的字典编纂和辞书修订工作，我们会尽最大努力来帮助你的。

别忘了，“出租车总会在最绝望的时刻开来”。

兄弟，老陕，我们都在，我们现在也知道你的具体地址了。记得我曾经写给你的但丁的诗句吗：“每个人都不是一个单独的岛屿……”我在网上逐条翻阅着那些对你境遇的网友评介，他们将你最不愿看到的东西捏合在一起，哗众取宠地搞出了“北大毕业生流落街头卖肉”的耸人新闻。北大曾经是我们自由的王国，但它绝对不要成为我们一生的负累。在离开校园的这十四年里，和你一样，我也做了很多为了谋生而不得不做的事情，我的身上好像总背负着一个沉重的十字架：做得好了，因为你是北大出来的，理应如此；做得不好，所有的污言秽语都会袭来，北大就这个水平呀？我用了生命中最好的十年光阴才卸去了身上这沉重的包袱：做一个独立的人才是最重要的。我曾经在数九严寒的冬天骑着板车沿街叫卖过咸鸭蛋，也曾经在建筑工地和民工们大碗喝酒，大块吃肉，一言不合，拔拳相向。因此我觉得自己更能理解你的想法，我最想对你说的是：千万别放弃你自己心中的梦。

当一个人不能成为自己心目中的那个人的时候，他就只好成为别人心目中的那个人了。好兄弟，我在这里，我们当年的兄弟都很想你，很愿意尽自己最大的努力来帮助你。我们愿意通过自己的努力，让更多的人都来帮助你，让你重新在社会上站稳脚跟，然后做你自己想做的事情。

在为你写这些文字之前，我刚从医院的急诊室回来，这具臭皮囊跟了我三十多年，居然也开始耍起了脾气。有的时候，朋友们的帮助就像医院里输液管里的那些药水，它会让你的身体重新健壮起来，所以，不要拒绝我们的帮助。

当风突然停息，当你手中那支嘹亮的铜号突然沉寂，兄弟，别忘了，我在这里，我们都在。

2003年7月27日病中急就

由于大山阻隔，沟壑纵横，延缓了语言的交融与发展，因而山西方言被公认为是最古朴，保存古音、古义最完整的北方官话。1987年夏，我们汉85级与汉84级一道，组成浩浩荡荡的队伍，赴山西吕梁地区进行实地考察调研。在山西省社会科学院一位老师的指导下，我与田静、赵文秀两位同学一道，经过一个多月的调查走访，完成了山西省孝义县方言土语的调查工作，形成了调查报告。后来，该报告交由这位老师整理，并在山东教育出版社出版发行。

毕业回乡后，百无聊赖之际，也曾参照此法，对关中方言进行了比较系统的调查研究，形成了点滴见解，几次寻思整理，想到出版界不会对一位无名小辈的见地感兴趣，况且经济时代，人民币就是筹码，赔钱的买卖，天王老子都不会去干，加之我所从事的职业与此可谓风马牛不相及，心想这辈子与文字是无缘了，遂将之扔在一旁，慢慢地便遗失了。

那时少年气盛，意气风发，自以为学了一点东西，接触了一些思潮，便满怀爱国热情，指点江山，激扬文字，针砭时弊，忧国忧民，简直不知天有多高，地有多厚。

为了让大学生多接触社会，了解国情，不要整日躲在象牙塔里指指点点，说三道四，发无谓的感慨，遵照上级的指示，按照学校的安排，完成方言调查后，我们取道延安，参观革命圣地，接受革命传统教育。

汽车在蜿蜒的山路中穿行，经过河渡时，稍事休息，生平第一次如此近距离地面对母亲河，望着浊流滚滚、波涛汹涌的大河，心中豪气顿生，我与几位同学产生了模仿毛主席当年横渡长江，从黄河上游过去的强烈冲动，被带队老师拦住，终未成行。以后再无机会，每念及此，懊悔不已。

汽车继续向前颠簸，大约行驶了十个小时，宝塔山隐约显现。从表面上看，那只是一座普通的佛塔，与其他名山古刹不无不同，它不比西安大雁塔高大挺拔，不如法门寺舍利塔精致典雅，只是不同的历史时期，特定条件下赋予了它特殊的含义，方显与众不同。与心中天安门城楼一样，现实中的宝塔山远没有想象中的雄伟、高大，未免有种失落感。

几回回梦里回延安，双手想搂宝塔山。
宝塔太粗搂不住，满怀抱住大树干。

这就是我们当初心情的真实写照。

杨家岭、王家坪、枣园等人文景观，免不了要朝圣一番。但黄土高原上的如此小寨、窑洞比比皆是，除了毛主席当年坐过的那把藤椅，有点古朴，一位同学不禁手痒，摸了一把，被工作人员一顿训斥，悻悻而退以外，其他的并未留下太深的印象，倒是南泥湾之行感触颇深。

从延安城出来，翻过一道山梁，前行约二十公里，便到了当年“三五九”旅“自己动手，丰衣足食”的所在。这是一块相对低洼的小盆地，四周群山、丘陵环绕，郁郁葱葱，稻田成片，阡陌纵横，俨然一派江南气象。

附近有驻军，正要前去拜谒，巧遇当地农人。闲聊中得知，驻军不少，有好几个营，不过早已不种农田，只种少许蔬菜，自己享用，顺便摆摆样子罢了。土地大部分租给当地农民耕种，他们只管按时收租，恰应了“自古力役，兵三民七”的古语。

末了，走进南泥湾大生产运动展览馆，特别注意了当年“气死牛”开荒的锄头。那是一把普通的农具，形状与一般农户所用并无二致，只是稍微大了一点。作为文物，它已经锈迹斑斑。农村出身的我，无论如何也不敢相信当年郝树才竟用这把破锄头能够一天开荒四亩二分三，把牛都能气死——除非接上电动机，用电带。

曾经看过一篇通讯《毛主席到了徐水》，搞不清是徐水人民在故意糊弄伟大领袖，还是毛主席的光顾导致了徐水人民的神经错乱，竟然宣称亩产小麦十二万斤。而从小种过庄稼的领袖竟对这天方夜谭的神话深信不疑。从“气死牛”这把锄头可见，1958年的“大跃进”“放卫星”早有渊源。

有了感观认识之后，我们来到了延安大学，聆听该校历史系老师讲解延安精神。老师走上讲台，大笔一挥：

“延安精神永放光芒！”

几个遒劲的大字便呈现在黑板上，颇似毛主席的真迹。至于所讲内容，与革命史教材并无二致。自从《中国通史》被授课老师判了不及格，同学们吃一堑，长一智，再也不敢轻易逃课。《中国革命史》中学背，大学讲，早已烂熟于心。所以延安大学老师讲解延安精神时，就只顾模仿那几个大字了，老哑巴临摹得最为出色，甚至能够创造性地仿出“发扬革命传统，争取最大光荣”几个字。

1988年夏，我们汉85级又与汉86级一道，受中国社会科学院语言研究所委托，去浙江绍兴进行语言调查。早听说“上有天堂，下有苏杭”，免不了去西子湖畔游历一番。

那天细雨蒙蒙，驱散了夏日的炎热。天气不错，心情更不错，雨中的西湖别有一番韵致。苏堤漫步，杨柳拂面，三五成群，细雨窈窈，四周群山相映，绿地连绵，洞幽泉清，茂林修竹，山明水秀，湖天一色。末了，来到平湖秋月，泡一壶龙井，清香沁来，心旷神怡。再仔细品味曲院风荷、花港观鱼的景致，阵阵凉风袭来，柳浪闻莺，水波不兴，真乃人间仙境，使人流连忘返。

终于看到了断桥残垣。远远望去，雷峰塔已荡然无存，触景生情，不由得联想到小时候看过的戏剧《白蛇传》。白蛇经过千年苦修，现身成人，追求人间真爱，被法海和尚阻止，压于雷峰塔下。鲁迅也有《论雷峰塔的倒掉》一文，为白娘子鸣冤叫屈，责怪法海和尚多事，拆散人间鸳鸯。然而仔细一思量，白蛇虽已成精，然终归畜类，人畜生情，为社会法理所难容。法海和尚挺身阻止，正是出于大慈大悲之心，拯救白蛇千年道行，免堕地狱。将其压入雷峰塔下，是为了让它闭门思过，专心修行，消除淫欲。而法海和尚维护正道，何罪之有，却遭千古之唾骂？终于挨骂不过，躲入螃蟹肚下，成为人们饭桌上的美食。不由感叹：世间之事，怎的如此不近情理？

1989年，临近毕业。本专业名义上面向全国招收研究生十六名，事实上，除了上海某大学三年级时分设了汉语专业外，全国其他高校都不设此专业。就是说，研究生基本上要从本班二十一人之中产生，而报考者只有五人，就是说只要外语、政治通过，专业课基本不存在问题。但我考虑到自己年龄偏大，家中经济困难，主动放弃了继续深造的机会，选择了就业。

经过十多年的填充，中国各行各业已经基本告别了人才青黄不接的时代，大学毕业生也不再是前几年的“皇帝的女儿不愁嫁”，就业形势已经严峻。但作为全国少数几所知名院校，北大毕业生的就业形势相对还比较乐观。春节刚过，系里就陆续传来就业信息，有北京的，也有外地的。学校负责毕业生分配的老师预计：供需基本平衡，与往年相比，没有太大的起落。

吃了这粒定心丸，同学们的情绪安定了许多。利用毕业前有限的光阴，一方面做好毕业论文，另一方面，多学点知识与技能，为走上工作岗位作最后的充电。

毕业前的一段时间，每天学习文件，讨论总结，汇报思想。闲来无事，我们写了一首校歌聊以自慰，歌词大意是：

那年我们求学来到这里边
古老的校园有新潮的青年
讲座报告天天有，广告飞满天
于是我们欢呼
敬爱的北京大学　亲爱的中文系
燕园永远是乐园

读书太多就去争取自由民主权
归来方觉世界并非那么宽
抓紧时间匆匆忙忙赶快去把恋爱谈
棋牌麻将随你选
我们的生活比蜜甜

大学四年一晃就要快过完
面对毕业分配我们都不知应该怎么办
四处推销没人要只好去考研
于是我们来到了久违的图书馆
临阵磨枪一条心

稀里糊涂过了关

最后我们相约荡漾的未名湖畔
点燃一支红塔山
回忆过去的好时光　时光一去不复返

回忆过去的好时光　大家一起朝前看

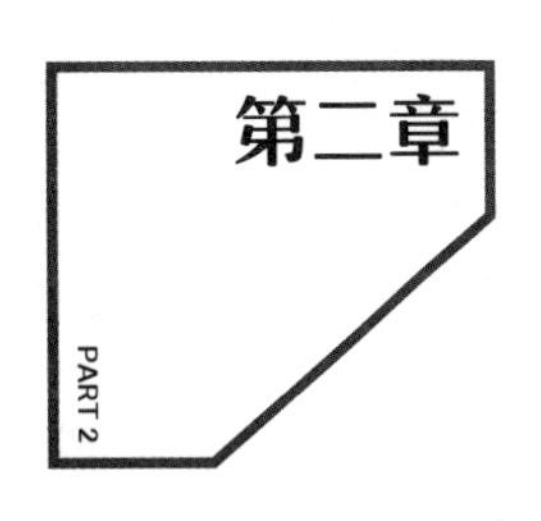

一波三折求职路

俗话说：“骑着骡子，才能赶马。”毕业分配时的一次错位，使我在人生的道路上一步踏绽脚，步步赶不上，最终为生活所迫，逼上梁山。这个“逼”字，在我的身上，得到了充分的体现。

回乡征程

许多年来，我一直羞于提及这段尘封的历史。常言道：“人往高处走，水往低处流。”自己从云端跌落粪坑，一身的猪屎味儿，走到人前都惹人生厌，倘若再如阿Q一般，炫耀祖上如何风光，既不能被赵太爷称作“老Q”，又招不来吴妈的青睐，只能成为人们茶余饭后的谈资，岂不于事无补，徒添烦恼？于是声言自己是文盲，不识字的人尚能杀猪卖肉，这样一来不会遭人耻笑，二来还认识秤，会算账，偶尔还能开张发票、收据什么的，字也写得不赖，自学成才似的，人们便会另眼看待，儿子走在大街脸上也风光：

“看××他爸，没上过学，还会做生意，日子过得滋滋润润！”

一生之中最美好、最快乐的日子，就在这不经意间翻过去了。仿佛做了一场梦，梦境醒来还在原点。就这样，梦境被彻底击了个粉碎，各种努力都告枉然。绝大部分同学和我一样，不得不面对现实，在皇帝脚下绕了个大圈子，旅游了一圈，打道回府。

我的派遣证开到西安市人事局，参加第二次分配。此前，对于北大毕业生来说，这种情况非常罕见。往年，用人单位纷纷涌进学校，毕业生与用人单位面对面地交流，倘不满意通过学校还可以调整。如今，各用人单位视学生如同毒蛇猛兽，避之唯恐不及，哪里还有找上门的道理？

在中国，二次分配，意味着毕业生的个人能力退居其次，把家庭背景、社会交往推到了前台。一鞭子吆回地方，如我这般山村穷小子，亲戚朋友不是扛锄头、镢头、铁锨的，就是拉架子车的、推手推车的，两眼一抹黑，与上流社会八竿子也打不着，想请客送礼、拉关系、走后门还找不着路径哩。

西安市人事局拟将我分配到市教育委员会，由市教委再分到莲湖区教委，然后再到某中学教书。父亲的意思，当教师是良心账，不操心，少费神，一年还有两个假期。但当时老师的地位低下，社会上盛传“手术刀不如剃头刀”“造原子弹不如卖茶叶蛋”“宁为×××，不当孩子王”“傻得像博士，穷得如教授”，连驰名中外的叶老先生都是“满脸菜色”，脑体倒挂严重。我与王珍芳老师商量后认为，倘为孩子王，还不如当年就上了师专，省却不少费用不说，教起书来也更专业。现在名牌大学毕业，应该成就一番事业。

我把不想去学校的意思委婉地告知了西安市人事局，希望人事局能够看在名校毕业的份上，网开一面，重新安排。

“那你自己联系吧！”市人事局一位处长发了话。

在以后的几十个日日夜夜里，我骑着自行车，风雨无阻，穿行在西安的大街小巷。凡是与专业沾边的单位挨个去找，重点是原来进京有过用人意向的单位。每次碰一鼻子灰回来，总在心里给自己打气：

“再努力一次，也许距离成功仅一步之遥。”

可是几十天下来，瞧得上眼的单位，要么没有指标，要么人满为患，就连一个郊区的广播电视局也告知：

“代表单位来欢迎，个人前来概不接待。”

一家省级行政单位与我接触多次，初步同意接受我，还有意考察我的文字功底，让我写过一篇文章，发表在其内部刊物上。因我当初的派遣证是开往西安市人事局的，需要通过省人事厅和市人事局交涉，该单位人事处处长让我先回去。

“组织上的事，需要单位出面协调，个人起不了什么作用。”处长说，还领我与宣教处处长见过面。那时，“组织”二字在我的心目中是神圣的。我以为万事大吉，回家耐心等待。约一星期后，估摸着该有眉目了，于是满怀喜悦之情冒雨赶到该机关。

“协调未果，很抱歉。”处长神情怪怪的，说完随手拿起一份文件，装模作样地翻阅起来，不再多言。

亏得当年未进成大机关，否则李真似的，禁不住金钱美色的诱惑，滥用职权，贪污受贿，沦为阶下囚也未可知。真到那时，欲杀猪卖肉而不得也。

还有一家省级钢铁企业，我得到用人信息，急急地赶去，却是为子弟中学招考老师，其他岗位并不需要文科大学生。

“如果愿意，先试讲。”企业效益好，门槛也高，人事处长趾高气扬。

“倘教书用得着来企业，娘希皮。”我最烦高高在上、不可一世的公仆，芝麻粒似的官，放在今天，不照样也得下岗。看到人事处长傲慢的神情，我窝了一肚子火，扭头就走。

省级单位协调很麻烦，那么就退而求其次，市级机关也凑合。通过熟人关系得悉，西安市即将升格为计划单列市，许多部门都要跟着齐步走，可能有进人的机会。这回汲取了一个月来的经验教训，托了关系，找了路子，客请了，礼也送了，但某局方面始终不肯明确表态，不说行，也不说不行，事情就这么耗着。反正他们有的是时间，中国什么都缺，就是不缺人，当一天和尚撞一天钟吧！也或许是礼轻人意也轻，香未烧够，搬不动大佛的缘故吧。

表姐早我几年毕业于西安医科大学，在附属医院工作，表姐夫是一家军事院校的老师。在西安跑工作期间，我早出晚归，就借宿在他们租住的小屋。时间长了，很不方便，尽管他们每次都笑脸相迎，热情有加，可我觉得事情悬而不决，久拖下去不是办法，很无奈，也很无趣。

多方努力无果，表姐夫找到他的一位老同学。其时为一乡党委书记，在省委党校脱产学习。这位同学道出了实情：不必白费劲了，上峰有精神，应届大学毕业生必须下基层接受劳动锻炼。

可悲的是，当时离校匆忙，我竟不知在西安还有个北大陕西校友会。多年以后，很多校友，包括现在北大校友会陕西分会秘书长、西北政法学院王鸿信老师，在谈论起这件事时唏嘘不已，责备我为何不在校友会寻求帮助，却一味依赖个人奋斗。要知道，“个人的力量在强大的社会面前是多么微不足道啊！”

报国无门，走投无路。我请求市人事局将我改派到长安县。

“想好了，下去以后可不要后悔。”市人事局那位处长说话意味深长，话中有话。

西安是十三朝古都，人才济济，而长安不过是个下属县，弹丸之地。我榆木脑袋，鬼迷心窍，一时不能领会处长的弦外之音。心想长安是生我养我的家乡，说不定到了小地方能有大用途，正好用自己所学的知识为家乡建设出力。于是，我不假思索，坚定地点了点头。

我是怀着忐忑的心情回到长安县的。

到长安县人事局报到的第一天，我一山村野小子，见识浅薄，加上第一次独自出门办事，傻乎乎的，不清楚办事程序，也不知道应该找谁，看见一间办公室的门虚掩着，就冒冒失失地推门而入：

“同志，同—志，同——志！”

里面有一位戴着眼镜的女同志在闭目养神。我连喊三声，嗓音提高了两个八度，不知是我称呼有误，引起她的反感，还是她正在修炼一种高深内功，进入无物无我的境界，眼睛都未眨巴一下。我怕打扰了她的清修静养，更担心触怒了公仆，引来一顿臭骂，赶紧隐身退出。

我的书读痴了，变成了猪脑子，不会脑筋急转弯。按常理，官僚主义的当头棒喝，我应该及时幡然醒悟，回过头来重新找市人事局的那位处长，打躬作揖，磕头下跪，也许他会看在上天有好生之德的份上，收回成命。如果那样，也可能会是另外一番景象。

天生的牛脾气害了我，认死理，不到黄河不死心，不见棺材不落泪。有人说，这是幼稚、不成熟的表现，碰过几次钉子，碰得头破血流，世故了，老到了，圆滑了，也就成熟了。我也赞同这种观点，但是事到如今不用说头破血流，简直是血肉模糊了，牛脾气仍未见改观。我还是过去的我，正应了“江山易改，本性难移”这句老话，真没办法。

毋庸讳言，长安县并没有我十分对口的专业，即使省、市，除了高等院校与科研机构，专业对口的几率也微乎其微。到了这步田地，专业不专业倒放在一边，找个落脚之地乃是当务之急。人们常说“大树底下好乘凉”。那么能进入行政事业单位，捧上铁饭碗则是不幸之中的大幸。

文字作为一种工具，说话或写文章，把意思表达准确、清楚、恰如其分就可以了。一般人知道“回”字有几种写法又有什么实在意义？北大在专业设置上，一直沿用传统套路，本科生专而不宽，走向社会学非所用居多，尤其是文科学生。当然，作为全国少数几所知名院校，保留传统专业的优势无可非议，国粹的继承，文化的发展依然不可或缺。建议北大将诸如中文系汉语专业等部分社会应用面窄、又具有传统学科优势，不能撤销的专业改成本、硕、博连读，为一些科研机构、大专院校定向培养专门人才。免得弟子走向社会，用非所长，四处碰壁，于弟子无益，更辱没了母校的名声。

八舅爷的一位老乡曾任中共长安县委副书记，后来年龄大了，退到县政协当了主席。父亲把八舅爷请来，说明来意。政协主席倒挺热心，二话没说，领着我直接去县城建局，闲人不搭话，径直找局长。

“老领导来了，好说。”城建局长很爽快。

末了，政协主席又给人事局打了电话，答应得也很干脆，看来没有问题。几十天的奔波总算有了着落，心里踏实了许多。一时高兴，一起上街，喝酒、吃饭。当然，政协主席等人与我等非同等档次，推说有事，告辞走了。

下午去了一趟人事局，主办人员不在，让明天一大早来。八舅爷眼睛不好，在县城又没有亲戚，人生地疏，行走不便。我与父亲便一起陪着八舅爷，回了老家。

第二天是星期六，天公不作美，飘着蒙蒙细雨。去人事局找人，恐怕不好找，白白浪费时间不说，再淋个透心凉，不划算。反正有政协主席的颜面，事情已成定局，煮熟的鸭子，谅也飞不到哪儿去，也不急于一时半刻的。如此想着，便产生了惰性，待在家里，美美地睡了一觉。

星期一起了个大早，胡乱填饱了肚子，就骑上自行车，直奔县城。到人事局时，还未上班，便耐心等待。八点半左右，工作人员陆续来了，打扫完卫生，慢条斯理地点燃香烟，泡杯香茗，悠悠地坐下。我这才唯唯诺诺地走近前，说明了原委。听完叙述，办事人员犹豫了片刻：

“这里有点情况需要沟通，这样吧，你先回去，过两天再来。”

我起了个大早，赶了几十里路，等待了半天，就听到了这几句废话。心里有气，又不便发作。“也许具体办事人员真有苦衷，这岂是你一个才走上社会的毛头小伙子所能理解的。”心里如此想，便心平气和了许多，又回家耐心等待。

如此反复多次，一天天地又过去了两个礼拜，事情没有任何进展。我感到蹊跷，就又找政协主席。

“没事儿，都说好了的事，你先走，回头我再给你问问。”政协主席以为有老领导的威望，底气十足，满怀信心。

三四天后，我再去人事局时，话已经变了味。工作人员开始给我推荐别的单位，比如长安报社、县一中、二中等，说我到了那里更能发挥专业特长。我反复强调自己是学文字的，与文学关系不大，教育系统目前不打算考虑。因为如果当老师，市内条件比县里好得多；至于报社是县级小报，每周一期，每期四版，刚复刊不久，不足十人上班，恐怕不得长久（果然，在2003年全国清理整顿报纸杂志工作中停办了）。

后来辗转得知，在我即将被安排的节骨眼上，某科技副县长横空出击，将其亲戚安插了进去——政协主席毕竟年龄大了，退居了二线，再要出山，绝无可能。当今世道，人一走茶就凉，哪里比得上副县长正值当年，前途无可限量！不懂这些，能在国家机关、要害部门混？当然，这些情况我也是后来才得知的，人事局方面始终守口如瓶，而挤掉我的人恰好是我的中学同学，毕业于西安某三类学院，分到城建局后，工作安稳，收入不菲，数次在同学之中炫耀有权倾一时的好亲戚撑腰云云，让人不敢小瞧于她。

县计划经济委员会需要人，但是没有编制。时至今日，我依然没有弄清指标、编制究竟是怎么一回事。我进计经委时，没有编制，可是半年之后，又陆续进来两人，人家说是带指标的，顺理成章地进入了机关。其中一位是部队转业干部，国家照顾，带指标还能说得过去；而另一位却与我一样，是1989年毕业的大学生，对最初的分配不满意，拒绝上班，在家里待了半年，后来忽然有了指标。我至死也弄不明白，国家的政策非为我一人量身定做，应该一视同仁，怎么执行起来就有了可操作的空间，这其中必有猫腻。

县人事局的意见，要么无法安排，退回市里。要么服从分配，去县计经委，由计经委再分配。我觉得从西安市回到长安县，又折腾了二十多天没有结果，再被退回去，岂不让人笑掉大牙？于是无可奈何，选择了扎根农村干革命。实践证明，这是我人生选择的又一次重大失误。若干年后，成为社会闲散人员，为生计所迫，拿起屠刀，街头卖肉，还真让某些人齿冷了。

几经改制，计经委变成了大杂烩，既有机关建制，又有事业编制，还有企业人员。当时流传，机关是金饭碗，事业是银饭碗，企业是泥饭碗。而今，“人为刀俎，我为鱼肉”。到了这份上，如出槽的肥猪，提起来一吊子，放下去一摊子，只有任人宰割的份儿了。这样，没有任何背景的我，理所当然地成为企业人员，为以后的下岗、下海埋下了伏笔。

计经委所属企业，大多是20世纪50年代在“土法上马，大办工业”的思想指导下，盲目兴办的工厂，设备陈旧，工艺落后，没有规模，缺乏竞争力。计经委党委办公室李副主任曾经讲过一则笑话，从一个侧面确切地反映了当初建厂时的情况。

长安钢厂在筹建之初，资金缺口较大，不能形成流水线，好几道工序必须交叉作业，这样既浪费资源，又费工耗时。技术人员以为不妥，要求县上追加资金，完善工序。此事汇报到时任工业建设总指挥的张常委面前，张常委大手一挥：

“苞谷地里套豆子不照样高产？就这么办。”

可谓“活学活用”！许多县办工业就是在“苞谷地里套豆子”的指导思想下建立起来的，不可避免地存在先天不足。计划经济时代，物资相对匮乏，企业勉强能够维持，一旦引入竞争机制，在市场经济中就很难立足。

可惜的是，我当初并没有意识到这一点。年轻气盛的我，雄心勃勃，抱着成就一番事业的信心和决心，在未学会“游泳”的情况下，过早地投入到市场经济的大潮中，注定了以后道路的坎坷多舛。

单纯从名称上看，计经委似乎牛皮哄哄，国民经济综合管理部门，既抓经济，又管计划。其实，在全县几十个部门中，是名副其实的烂摊子、大杂烩。它分南北两院，北院负责制定和实施国民经济与社会发展计划，行政事业编制；南院名义上管理经济，事实上权限只能管理不足二十户县办企业，而且大部分亏损，资不抵债，有行政、事业、企业编制。当时正处于从计划经济向市场经济的转型期，计划那块日渐衰微，经济这边更是朝不保夕。记得有一年，单位已经三个月没发工资了，临近春节，给每人借了三百元过年。

历史往往有惊人的相似。儿时看电影，能从人名或者相貌上分清敌我；我去计经委时也是觉得名字挺唬人的，未作深入了解，以致追悔莫及。近几年来，一些高等院校纷纷改名。不可否认，一些学校经过几十年的发展变迁，原来的名称的确名不副实了。可更多的则是在高等院校放低门槛、大规模扩招之后，招生、就业等多方面存在着很大的压力，不得不改名以增加生源。举一个简单的例子，某民办高校原名“××培训学院”，招生很难，几乎难以为继；

请教高人之后，更名为“××大学”，大张旗鼓地广而告之，一夜之间，门庭若市，不得不在报纸上刊出“名额已满，请勿再报”的启事，实则换汤不换药，锅里依然下的是那几粒米。

无独有偶，一些不法厂商，挂着羊头卖狗肉，冒用、混用知名品牌、商标，大发不义之财。一次买“喜之郎”果肉果冻，回家却发现是“喜三郎”，其包装与“喜之郎”一模一样，连笔的“三”与“之”可以乱真。别人扔过来一支香烟，以为是“中华”，受宠若惊，好几元钱一支，是卖十多斤肉的利润，可想它该是如何香醇。抽着，味道却很一般，自以为“中华”也不过如此，但仔细一瞧，原来是“中萃”，繁体的“萃”和“华”十分接近，连我这个学语言文字的，若不放在具体语言环境中，有时也真难区分。洒家嗜酒，常喝几元一瓶的烧刀子、二锅头、老白干。央视黄金时段广告“五粮液”，其包装深印脑际。一次过年回家，看商店柜台赫然摆放着“丘粮液”，与“五粮液”神似，便买了一瓶，回家孝敬老父。老父以为儿子出门摔了个大跟头，拾了一块金砖，发了大财。父子对饮，辣辣的，呛呛的，末了，父亲说：

“我看这几百元一瓶的国宴酒也上头，与跟头酒差毬不多。”

凡此种种，不一而足。

李鬼的板斧虽是冒牌货，但与李逵的家什酷似，有他黑爷爷的威名，行人焉有不惧之理？

工作历练

我是1989年9月13日赶到计经委报到的。

缘何不迟不早，选择了这个时间上班？其中另有隐情，如今，时过境迁，说出来也不怕贻笑大方。按规定，15日之前报到，可领全月工资；15日之后则只能领半个月薪金。我家穷，确实在乎这半个月的工资，虽然只有区区三四十元，也就是官们、款爷的一两包烟钱，却够我家一个月的日常开销。倘14日去，万一出现意外情况，拖到15日，岂不有冒领半个月工资之嫌？“君子坦荡荡，小人长戚戚。”背后遭人指指点点，非谦谦君子所为。

我人被留在计经委机关，关系却下放到其下属企业——长安县柴油机配件厂。当时有个专用词汇称作“借调”，顾名思义，先“借”后“调”，事实上则是只“借”不“调”。领导许诺，关系下放只是权宜之计，一旦有指标，马上调入机关，并且给财务科写有手令：享受机关干部的全部待遇。事后看来这是一张空头支票。领导的官不大，仅是个乡科级，可事稠、健忘，国事、家事、天下事，事事操心，说过的话，承诺的事顷刻就不记得了。如果追着领导的屁股，反复提醒，万一将领导惹恼了，一句“我说过吗？”当时落个大红脸。况且铁打的衙门流水的官，几年之后，领导另谋高就，新官上任，来个新人不理陈事，你一个破借调人员如何硬气得了！

这是命，冥冥之中由上苍主宰。可能是屠夫转世，杀孽太重，也可能是祖上风水欠佳，冲撞了哪位神灵，降下这等罪责。

我报到的当天，就被安排到“党员评议试点工作组”，到距离县城十里之遥的杜曲镇长安造纸厂参加党员评议工作。

记得读过一则幽默，喜剧大师卓别林老前辈，惊闻法国举办“看谁更像卓别林”大赛，急赶去报名参加，结果荣获第二名，就是说有人比卓别林还更像卓别林。

我的故事与此有异曲同工之妙。

我并非党员，至今也不是。让一个民主人士去参加党内的活动，并对先锋队员们品头论足岂不成了笑话。但小地方的人们行事就是如此怪异，即使现在，党员学习开会也非把我拉着不可，不去不行，还要签到。用领导们的话说：

“难道你不想向组织靠拢？”

也有这种可能，我到单位报到后，虽然单身，容易凑合，但总不能睡在撂天地里，解决住宿问题成为当务之急。计经委没有条件,把矛盾先转移给企业，给单位一个缓冲的余地，免得措手不及，使领导颜面无光。果然，五十多天后，“民主评议”结束，我回到了单位，被安排到了老家属院的门房，做起了兼职门卫。

长安造纸厂是计经委的龙头企业，有职工五百余名，刚刚完成技术改造，安装上马了长网纸机，主要生产70克、90克凸版纸，课本纸和胶印纸，产销两旺。其时，某县长从外地带来了一位厂长，听说是造纸方面的行家里手，想安排到该厂。当时造纸厂的王厂长虽然是供销人员出身，可在造纸行业摸爬滚打了几十年，积累了丰富的实践经验，在职工中享有较高的威望，一时难以更换。当然，如何过渡，这是领导们考虑的事，咱们为百姓的只能或锦上添花，或落井下石地摇旗呐喊。在机关工作，至关重要的一点，要口紧，该知道的，迟早都会知道；不该知道的，千万不要打听，不能克格勃似的，四处活动，传递小道消息，惹人烦。反正“民主评议党员”结束不久，王厂长就被免职了，至于与“评议”有无关系，我不得而知，也不敢妄下结论。总之，造纸厂在日益激烈的市场竞争中落伍了，后来又改制、承包给个体户经营，再后来就彻底关门停产了。

当时，计经委主任是部队上的一名转业干部，对开会情有独钟。所以，计经委会多，不断地掀起学雷锋、学焦裕禄、学张思德、学赖宁……的高潮。大家的耳朵都听出了老茧，他依然在那儿慷慨陈词，喋喋不休。工作热情有余，章法不足，兴之所至，不分主次，眉毛、胡子一把抓，有种天马行空的感觉，同志们背后称之为“二杆子”。我作为一名党委办公室的工作人员，可以想见工作如何忙乱。

这位领导最后的结局非常悲惨。在此之前，计经委作为县上国民经济最主要的管理部门，其主任理所当然地升任为常务副县长。而他却例外，先被调到县政法委任书记，年龄大了，退到了人大当副主任，又与主要领导意见不合，提了不少意见，涉及部门、人员众多，打击面过大，有的意见道听途说，未经核实，状子递到北京，在县委门前张贴小字报，破坏安定团结，被揪住把柄，告以“诽谤罪”“文革作风”，被关进了班房。临近退休，他丢掉了公职，后半生没了着落。前段时间，我在街上碰见他，已憔悴得不敢相认。

记得有一次，轮我安全值周，主任带班。睡到半夜，主任心血来潮，要到几十里之外的斗门纺织厂检查安全生产，让我去找司机。

当时电话已经很奢侈了，更何况手机。司机家住在农村，我初来乍到，只在白天去过一次，记得大致方位。半夜三更，如鬼子进村，挨个敲门，吵得四邻不安、鸡犬不宁。终于没有找到司机，主任火冒三丈，命我与他骑自行车前往。

没法了，领导的话就是命令，我只有服从的份儿。冒着飕飕寒风，骑车夜行。待我们磕磕绊绊赶到斗门纺织厂，天已大亮，工厂生产秩序井然，领导说：

“责任重于泰山，这我就放心了。”

事后，我写了一篇通讯《×××主任夜半走单骑》发表在《长安报》上，博领导一悦。

有位办公室主任，与计经委主任同庚同族，都是五十多岁，同为×主任，不熟悉的人经常张冠李戴，即使同机关的人也经常胡叫冒答应，弄得领导很恼火，中层很尴尬，却又无可奈何。偏偏这位中层年龄大，资格老，即将退休，升迁无望，就倚老卖老，每日一杯清茶，一包香烟，一份报纸，碌碌无为混一天。领导看他饱食终日，无所用心，故意气他，无事找事，让他调查如今的机关干部在想什么、干什么，言明过几天来检查。

大家以为领导在开玩笑，都没有往心里去。不料，一星期后，领导果然来检查，本以为办公室主任会措手不及，挨一顿批评。岂料这位办公室主任言出惊人，回答得无懈可击。

“机关干部在想什么？事少一点儿，钱多一点儿；在干什么？吃喝嫖赌嘛！”有诗为证：

上午坐着轮子转，
中午围着桌子转，
下午跟着麻将转，
晚上绕着裙子转。

充分展示了一个老机关干部的睿智与诙谐，令人捧腹叫绝，成为一时的笑料。

办公室大多是上了年龄的人，空气常常很沉闷，但也有例外，尤其是主任心情好的时候。有位女同志，是当地驻军首长的家属，山东人，人高马大，快人快语，说话无所顾忌：

“×主任，你说话有个歧手，爱说‘这个的话’。”

主任马上反驳：“这一伙的话，糟蹋咱的话，我倒几时说‘这个的话……’”话未说完，倒把自己给逗乐了。

党政机关务虚。在机关里干事，就是摆花架子，做表面文章，一级做给一级看。我初到计经委，满怀革命热情，给根麦笕儿当拐棍，拿支鸡毛当令箭，还真把事当事，回头想起来，真傻得可以。为了恢复瘫痪多年的团组织，在没有一分钱经费的条件下，我骑着自行车，顶烈日，冒寒风，整日奔波于各直属企业之间，做深入细致的具体工作，仅自行车就骑丢了两辆，这些人们都看不到。几个月后，奠定了一定的基础，适时召开了团代会，重新组阁，手底下有了一帮人，搞起活动一呼百应。那几年，无论是3月5日“学雷锋做奉献”、每年一次的上山植树，还是为北京亚运会捐款活动，计经委系统都搞得轰轰烈烈，气势恢宏。

据说某敬老院的一位孤寡老人，曾在3月5日这一天被学雷锋、做好事者拉去洗了五次澡，不但洗去了陈年老垢，还险些脱了一层皮。

尽管都是一些表面文章，华而不实，却引来众多好评。但是，由于牵扯到待遇问题，计经委党委在研究团委工作时，却让四十岁出头的党委办副主任挂名团委书记，升格为正科级，报县委组织部备案，我这个具体操作人员只是副书记，还说是团县委的意思。我心中不服，曾对团县委旁敲侧击，可他们说绝无此事。

其时计经委有五十多人上班，名义上我的岗位在党委办公室，负责宣传，写材料，兼团委工作。事实上，全机关每个人都比我的工龄长，资格老，资历深，人人都是我的领导，遇到麻烦事、忙乱事总喜欢把我拉上帮忙，美其名曰“接触社会，加强锻炼”。记得那年石油紧张，计经委凭借掌握指标油的便利，搞到部分计划内汽油，但必须去西安某油库提货。要经过闹市区，别人嫌操心，不愿去，办公室为我指派了专车，押运易燃易爆危险品。

我常常早上第一个到达办公室，拖地、抹桌椅、烧开水、给主任沏茶，时间久了，便成为惯例。忽一日，写材料到深夜，或许烟抽得太多，或许浓茶喝得过量，总之熬过了眼，怎么也无法入睡，直至黎明才迷糊过去。一觉醒来，“糟糕！”太阳已高高在照。脸顾不上洗，牙也无时间刷，急忙赶到办公室，主任他们已经俨然在座。见我进来，主任便责备：

“你小子，越来越不像话了，卫生不搞，茶也不泡了。”

应该说，我有一次改变命运的机会，但我未把握住，一念之差，机会悄悄地从指间溜掉了。

大约是1991年初，县上召开经济工作会议，我被抽调到大会筹备组，负责大会材料，包住在长安宾馆，其间巧遇张××先生。我与张先生有过一面之缘，那还是在京求学期间，张先生去北京出差，顺便看望他在北京的学生，我与周锋锁一同拜谒了他。

提起周锋锁，此人大大地有名，自幼就有神童的美誉，长大了更是不得了，学习上颇具天分，中学时参加全国物理竞赛，荣获一等奖，被免试保送清华大学物理系深造，师生称其为长安一中“百年不遇的人才”。然而，当时清华偏重工科，周锋锁擅长形象思维，喜欢理科或文科，几次想转入北大物理系或哲学系，终因转校手续繁复未能成行。他记忆力惊人，据说过目不忘，大学入学时英语水平已达到六级，又同时学习德语、法语，两年时间，竟皆小成，令老师、同学惊诧不已。1989年春夏之交，周锋锁曾风光一时，后来曾就职于西安无线电二厂，再后来辞职下海，与几位同学在广西北海搞房地产项目，赔得一塌糊涂，现旅居美国。

周锋锁是张先生的得意门生。

其时张先生刚从长安一中调任县教育局局长，他与我促膝长谈，诚邀我去教育界，去省级重点中学——长安一中。我当时认为，自己刚刚参加工作，情况逐渐熟悉，接下来会柳暗花明，应该扎扎实实，立足本职，以求发展；不能朝三暮四，好高骛远，这山看着那山高。况且当时还未形成尊师重教的社会氛围，教师的地位与如今相比相去甚远，因而谢绝了张先生的好意。

然而世事难料，变幻无常。若干年后，我下岗失业，赋闲在家，又想去教育界，托关系，找门路，千方百计，费尽周折，终于没有办到。想当初，即使接受张先生之邀请，拿我一个破企业身份，既无人脉，又缺乏经济基础，想进事业又谈何容易！不知又要烧多少香，拜多少佛，跑多少路，花多少钱，事情究竟能否办成，也还未知。

也曾动过考研的念头，重新考回母校，经过几年寒窗苦读，以求再次分配。转眼一想，老父为供我读书，两个弟弟相继辍学，好不容易盼到毕业，分担家庭负担，竟又想一走了之，徒增老父伤心；而且，自己胡子一大把，究竟还要把书读到何时？况且学那么多“回”字有几种写法的知识走到社会又能用得几许？以后年龄渐大，结了婚，拖家带口的，便打消了考研的想法。

在机关跑腿，没有硬性指标，尽干些人云亦云、无关痛痒、鸡毛蒜皮之事。虽然整日上班下班，忙忙碌碌，却是碌碌无为，劳而无功，忙得没有名堂。对于这种活法，开始很不习惯，觉得年华虚度，时不再来，心中时常惴惴不安。然而大家都这样，渐渐地就习以为常，心安理得了。革命导师说过，面包会有的，一切都会有的。待媳妇熬成婆，一切都会随之改观。

但后来发生的几件小事，彻底破坏了我的心理平衡，转变了我的价值观念，也改变了我的人生轨迹。

“聪明难，糊涂更难。”这是一句酒类的广告语，但在我看来，却是人生真谛。我在自己的寝室贴着“忍”“制怒”“难得糊涂”等字画，用以自勉。但关键时刻，尤其几杯“马尿”下肚，就沉不住气，容易头脑发热，将这些人生格言抛诸脑后，以致追悔莫及。这叫胸无城府，用关中话说，叫巷子不深，也是幼稚、不成熟的表现。

有一则故事应该是出自某位愤世嫉俗的人之手。在一个寒冷的冬夜，一头肥羊问一匹饿得东倒西歪的狼：“为什么不多吃点东西长胖点？”饿狼说：“现在天冷了，东西不好找。”肥羊：“怎么会呢？人不是挺多吗？可以吃人呀！”饿狼却说：“没有胃口。”肥羊不解：“为什么？”狼说：“吃人？现在一些人的骨头软得像肉，而肉连人味都没有了。”

我人黑心不黑，看似粗皮大胯，实则细皮嫩肉，特别是脸部，面皮忒薄，生怕伤脸，说不出话，尤其在涉及个人利益的时候。按理，在党委办公室工作，与领导接触的机会很多，趁领导高兴之机，提出转入正式人事关系事宜；或者逢年过节，多去领导家里走动走动，联络感情。或许领导会视我为“自己人”，当成心腹；或许看在我农村出身，无依无靠的份上，法外施恩，给我解决个人问题。但我不会来事，不会曲意逢迎，拍马巴结，至今连领导的家门向哪边开都不知道。也曾口头提过几次，大概扫了领导的兴致，领导或沉默不语，或以长者的口吻教训：

“你还年轻，多考虑工作的事；至于个人问题，领导们会考虑的，不用你操心。”

话说到这个份上，再反复已经很乏味。

1991年，国家加强宏观调控，在经济领域开始治理整顿，表现最为明显的是银行紧缩银根，泡沫经济得以遏制。影响最为严重的则是，企业形势急转而下，以往依靠银行贷款维持表面繁荣的企业，周转不灵，无米下锅，出现大面积亏损、停产。为了扭转不利局面，县委能做的就是及时调整计经委的领导班子，原来的领导带着遗憾，灰溜溜地卸任了。新主任上任，一是熟悉情况有个过程，二是企业成批瘫痪，职工上访不断，一大堆事儿需要处理。领导脚面上的火都拨拉不清，在这个节骨眼上，麻烦领导，无异于自讨没趣，于是我便很知趣。张不开口，调动的事就又搁置起来。

“鸟过留声，雁过留影。”新领导上任，必定大兴土木。宛如到某旅游胜地，在围墙、石碑刻上“××到此一游”一般，这已成为不争的事实。所谓“前人种树，后世乘凉”，留下标志性建筑，让后来者“吃水不忘挖井人”，牢记其业绩，也不枉“为官一任，造福一方”。长期以来，计经委一直分南北两院办公，为方便管理，卖了砖瓦厂之后，前任领导就决定用自留资金在北院兴建办公楼，并已付诸实施。新领导推陈出新，在办公楼尚未交付使用的情况下，又决定修建住宅楼，一方面给下属办点实事，显示“皇恩”浩荡，笼络人心；另一方面，那几年建筑市场鱼龙混杂，十分拥挤，在县级小单位，一把手是绝对的权威，无论大小事，都要“一竿子插到底”，这中间有无猫腻，天知、地知，局外之人，哪个说得清？

集资建房，单位补贴，比市价便宜不少，等于变相的福利。大家的态度都很积极，而我更表现出空前的兴奋，自告奋勇，请我的同学帮忙设计。我的同学刘××，是高考制度恢复后长安县第一个考入清华的学生，早我两年毕业于清华大学土木工程系建筑结构专业，在西安某建筑设计研究院工作。住宅楼分两居室、三居室，因为我的关系，七万多元的设计费只收取了一万五千元的劳务费，除去上缴单位的管理费和其他专业人员的报酬，我的同学自己等于白做。为了图纸，我不辞劳苦，骑着单车，多次奔波于长安与西安之间，具体跑了多少趟，已经记不清了。其间，建筑方多次要求变更图纸，而刘××去了海南淘金，从海南打来电话，委托其同事更改。我夹在中间，予以协调，那种滋味别提有多难受。

原以为，家属楼必有自己的一套。因为在单位上班的人数总共不到五十人，而房子是六十套，而且许多人已经拥有一两套住房，我是真正的困难户，目前就借住在仅有六平方米的门房里。可是分房方案出台，取消了两居室，全部变为三居室，住房面积增大了，户数却从原来的六十户压缩至四十户。

一位中层领导刚刚在老家盖了新房，又参加单位的集资建房，银钱紧张，便发牢骚：

“他奶奶的，干了一辈子，倒拉了一屁股烂账。”

“若把你家盖成金銮殿、雍和宫，拉的烂账还多。”工会主席反驳道。

分房规定，未婚者与人事关系不在本单位的不得参加集资建房。这两条规定如对我量身定做，不大不小，恰恰合身。然而单位还有一位顶替父亲接班的，年龄小我几岁，也未婚。按规定他也不在集资建房之列，但其父是离休干部，“解放战争扛过枪，抗美援朝负过伤”。有功之臣，天不怕，地不怕，领导就忌惮三分，于是急忙改口“老干部是党和国家宝贵的财富”，便照顾了一套。

世间之事大抵如此，领导处理问题也与我卖肉如出一辙，抱定一个原则：老头吃柿子——净拣软的捏。善良的人总是吃亏。

经营形势日趋严峻，亏损企业不断增加。县政府也没辙，唯一能做的就是任用贤能，专家治国，计经委的领导也走马灯似的更换频繁。1992年，又更迭了新一届领导班子。主要领导是位读书人，颇有儒将风度，上任伊始，“八”字还未见一撇，便在媒体上将扭亏增盈的方略和盘托出，最后承诺，一年之内彻底消灭亏损户，否则就地引咎辞职。

既立下军令状，夸下海口，就非得采取切实措施，扭转乾坤。措施之一：调动企业领导的积极性，为厂长、书记兴建住宅楼，解决后顾之忧；措施二：领导包厂，机关干部下基层，与企业职工同吃、同住、同劳动。

为企业领导集资建房，依旧采用我同学设计的图纸，照例没有我的份儿。理由是，我不是企业的人，更非企业领导。厂长、书记们工作在第一线，起早贪黑，多么辛苦，即使亏损，没有功劳也有苦劳。我同学后来知晓了此事，非要控告计经委，原因是图纸未经其审核并授权就擅自使用，一个地方与另一地方的地质构造不同，出了事故该谁负责。好在两个地方相距并不太远，地质构造可能也大致相同。总之，楼盖好了，并没有倒塌。我与同学喝了一晚上酒，相互开导，看在我还要在单位混，得罪了人于我不利的份上，方才作罢。

十年后，柴油机配件厂倒闭，拆除了厂房，地皮搞了房地产开发，职工们均分到了福利房。我则早已离开了单位，在社会上晃荡，人事关系虽仍放在该企业，可没有在企业上过一天班，对企业没有任何贡献，“三金”都无人交，福利房哪能轮到我？掬来掬去，弄得我连自己究竟是哪儿人都不知道，成了货真价实的社会闲杂人员。

至于领导包厂，机关干部下基层云云，领导干部手中掌握一定权力，社会交际又广，可为企业解决实际困难，倒还有些许效果；企业实行厂长（经理）负责制后，工厂自主经营，一般干部下到基层，起不了什么积极作用。相反，会对企业正常的生产秩序带来消极影响，作为企业并不欢迎。大家发现这个问题后，便不太常去企业，而领导的指示又不能不贯彻，待在家里闲得无聊，时间长了，倒会闷出病来。于是逐渐在办公楼四楼，没有办公室的地方形成了棋牌娱乐室。

有位老干部，人称“刘老干”，时任工会副主席，擅长跳舞、打麻将，最拿手的便是“闷八，一、四、七，缺门出风听”。倘若谁坐了高庄，刘老干便使出撒手锏，往往能起死回生，反败为胜。

一日下午，领导忽然接到通知，急需汇报材料。找遍一、二、三楼各科室均无人，以为大家都遵照指示下基层去了，便回到二楼自己的办公室，亲自动手准备相关材料。不知过了多久，待完成材料走出办公室，天色已晚。领导正要锁门回家，却发现楼上滴水，以为下雨，返身回办公室取雨伞。然仔细一瞧，月光朗朗，繁星满天，丝毫没有下雨的迹象，便颇感诧异。抬头一望，四楼灯火通明，似有喧哗之声，遂上楼，楼上牌局正酣，有人内急，来不及如厕，站在楼道，溺于楼下。

转眼过了半年，企业的亏损户非但没有消灭，反倒把盈利户给消灭了。到1992年下半年，计经委所属工业企业全面亏损，纷纷停业，企业到了破产的边缘。而该领导非但没有引咎辞职，反而调离了计经委这个破烂摊子，荣升为副县长。

这时恰遇机构改革，计经委又分家为县计委与工业局。我是企业身份，当然属于工业局。分家后的工业局，趁机构调整之机，又进了不少人。这时的我已经浪迹于江湖了。

在县委宣传部工作的一位朋友，在搞企业政工人员职称评定时，调到了市委宣传部。他曾经讲过一则笑话：某县委、县政府召开动员大会，主题是压缩编制，精简机构，提高办事效率。会后立即行动，展开工作。工作一段时间，卓有成效，形成经验，上报市委、市政府，得到上级的肯定。而县上的部、委、局、办则从原来的六十个变成六十一个，多出了一个“精简机构办公室”。

古时候，一名县令，几个衙役，连断案都行了。如今，哪一个县不拥有几十个部、委、局、办？又有几个部门不执法检查，搞些创收？衙门多了，浪费纳税人的银两权且不论，每家都要找些事干，门槛自然多，难怪老百姓怨：“门难进，脸难看，事难办。”

上学时，曾读过一本小册子，叫《帕金森定律》，大意是，一间办公室原来只有一个人负责某项工作，过了一段时间，招到两名下属，其人自然而然成为科长；再过了一段时间，两名下属也想过过科长瘾，各自招兵买马。有一点值得注意，招人的时候，不能只招一个，每次至少两名，最好成倍地增长。这样，科员成为科长，科长就变成了局座。如此这般，金字塔似的上升，用不了几年，原来的科员就变成了省部级。后来社会上出现了传销，我想，发明传销之人必定深谙“帕金森定律”。

读了一点书，识得几个字，闲暇无聊时写点文字聊以自慰也成了一件趣事。在单位写材料，必须贯彻上级精神，遵照领导的意图，填括号似的填充内容，水平能高到哪儿去？刚毕业时，将大喜大悲之事时常诉诸笔端，顺应时代潮流的，拿出去发了；不合时宜的，压到箱底，想着留到以后，倘有机会，整理出来，也算是一段心路历程。然而，十数年来，命运多舛，如雨中浮萍飘忽不定，居无定所，几经搬迁，所写的文字慢慢地遗失殆尽了。当然，这与后来的封笔不无关系。

大概是1991年，县委宣传部、《长安报》联合举办征文活动。按照领导的意图，我写了一篇关于企业改制方面的文章，题目已不记得了，发表在《长安报》上，获得一等奖。想不到的是，报社与政法委的两位同志，将文章稍作改动，堂而皇之地把自己的名字缀在了我的前面。领取获奖证书时，我才发觉了此事，当即撕毁证书，从此辍笔。

2003年，《南方都市报》记者姜英爽采访我时，无意间提到此事。说者无意，听者有心，可能是记录失误，也可能是为行文之便利，竟将改我文章之人说成是报社的主编，弄出许多误会。其实与薛亚利先生并无半点关系，况且1991年时，薛先生也并非报社的主编。

农村社教

20世纪90年代初，不公正的待遇与诸事的不顺心，犹如急风暴雨般向我袭来，使我的心一下子凉到了冰点，我开始自暴自弃，酗酒、打牌、逛街，过一种自由散漫的生活。如果不是割舍不下烟、酒的刺激，真想跳出三界外，不在五行中。

1992年夏，农村开展“社会主义思想教育”运动，简称“农村社教”。由于农村条件艰苦，大都市的人自不待言，即使在小县城里待惯了的机关干部们，也不乐意去。而我当时身心疲惫，情绪异常低落。我心里清楚，长此以往，自己的一生将会毁于一旦，但是自己管不住自己。为了换换环境，调整心态，从头再来，我强烈要求去农村，甚至扬言，若不批准，就请病假。因为当时的心境实在太坏了，看猪狗都不顺眼，连桌椅都想踹一脚。

好在当时是孤家寡人，了无牵挂，可谓一人吃饱，全家不饿，脚一抬就算搬家。

终于如愿以偿了，我被分到马王镇新庄村。那是个容易被人遗忘的角落，地处长安县最西边，与户县为邻，民风淳朴，阡陌纵横，泥土飘香，炊烟袅袅，鸡犬相闻，一派田园风光，正是修身养性的所在。

我们一组五人，其中有一位女同志，是某中学老师，自幼生长于城市，对农村环境不适应，受不了蚊虫叮咬，吃不惯粗茶淡饭，加之新婚不久，不几天就告病回家。组长刘忠礼，我们戏称“国务院领导同志”，他对我们进行了分工，我只负责最后的总结材料，其他诸事与我无涉——我最烦轰轰烈烈走过场的政治运动了。而总结材料对于长期舞文弄墨的我来说，乃小菜一碟，即使不参加“社教”，凭以往的经验，待在办公室，一包烟、几瓶酒便可以杜撰出来。

学校正在放暑假，我们的住处被暂时安排在村办小学的教工宿舍。对于我们的到来，村民们是疑惑的，村干部是客气的，都持观望态度，彼此保持一定距离，因此，生活单调而沉闷。配合“社教”工作第一阶段的任务，早晨起来，到村广播室，宣传动员。村上抽调的老师，在街头巷尾刷写标语，上级检查时，便有一点搞政治运动的气息了。下午或者晚上，睡一觉醒来，深入田间地头，瓜棚农舍，与村民唠唠家常，调查摸底。

随着时间的推移，彼此之间越来越熟悉，包括村干部与学校的老师，于是生活便丰富多彩起来。开始是打乒乓球，下象棋，遗憾的是我们的水平都不高。我对围棋的兴趣最浓，可惜无人对弈，只能如金庸先生笔下的周伯通一般，演练左右互搏之术。渐渐地也觉得没劲，于是便想起了麻将。

除“国务院领导同志”之外，工作组还有一老一幼两位同志。年轻人拳猜得好，喝酒却不是我的对手，对于只划拳不喝酒的人，对饮起来太没有滋味了。老同志叫费维恭，我们后来称之“肺出恭”，他来自二轻海绵厂，听说其父很有学问，旧社会做过私塾先生，其弟兄五人的名字便是按“温、廉、恭、俭、让”之顺序排列的，颇有儒者韵味。可是老费却人和名不符，叫“维恭”不如叫“维俭”更为妥帖，可能是上天抑或其父搞错了吧。他有辆破得不能再破的自行车，可以说除了车铃不响之外，浑身都响，可老费却把它当作宝贝。用老费的话说，是“骑到哪儿放心，没人偷”。

他们在海绵厂时，没有象棋，谁也不愿意掏钱购买。老费想出一个妙招：用毛笔在碎海绵上写上“车、马、相、仕、将……”

“玩起来没什么两样。”

由此想到大学时，大家都想学围棋，可一副棋要十多元，将近一个月的生活费。于是分头装病，拿上学生证，花五分钱，在校医院挂过号，走到大夫面前，哼哼唧唧一番，形形色色的药丸、药片便领了出来，从中精选出两种颜色，代表黑、白，再找张纸画上棋盘，一副棋就现成了。我的棋艺就是从药丸练起的，所以对弈起来总有种痨哄哄的味道。

我们给老费算过一笔账，“社教”进行了四个多月，老费的花销最少，总共只有七分钱，还是工作组刚进村时，老费第一个来，晚上蚊虫太多，实在无法入眠。老费狠了狠心，买了一盒蚊香，计七角二分钱，用了一个晚上，第二天，我们陆续都来了，老费便收起了自己的蚊香。一盒蚊香十片，老费用过一片，计七分二厘钱，四舍五入，这笔账连小学生都会算。

“不赌钱，我玩。”老费说。老费喜欢麻将，在厂里也经常玩，县办企业，工人们收入低，是不挂彩头的。

打“素”麻将比下棋更没意思，工作组又不能与村民将麻将打成一片，所以，我们的牌局经常处在“三缺一”的状态。村干部与学校的老师知道了我们的窘境，便时不时地给我们补缺。有时人溢出来了，便在那儿候补，织毛衣、聊天，等待“踢死”者下场。有时实在凑不齐人，也与老费下下棋，气氛自然而温馨。

老费下棋很有意思，他喜欢用“车”，把“车”死死地攥在手里，在棋盘上来回地试，“这儿不行，这儿还不行。对，就这儿。好，把你的‘马’吃了”。这样，老费的“车”拐了一个大弯吃掉了别人的“马”，然后老费小孩子似的拍着手，笑得前仰后合。别人也不与他计较，不赢房子不赢地的，粗脖子涨脸有啥意思?

牌局是激烈而吸引人的，有时分不出胜负就会通宵达旦。好在白天的事并不多，照例可以睡到日上三竿，然后晃晃悠悠地过个白天。

宣传动员、调查走访阶段结束以后，“社教”工作进入民主选举、清理财务阶段。相对于前一时期，这个阶段的工作明显多了起来。由于学校收假，我们也从教工宿舍搬到了村民家中。

按照原来的商定，我只负责最后的总结材料，其他诸事我可撒手不管。可是搬到村民家中之后，他们出去工作，剩下我一人独自看家，备感无聊。吃了睡，睡了吃，直睡得没日没夜，昏昏沉沉，腰杆子像散了架。为了解闷，便与他们一道，自动承担了工作。

该村有一户村办造纸厂，生产中低档卫生纸，厂长由村长兼任。企业事多，厂长三天两头出差，村子里的事不能兼顾，别人又不便插手。镇上曾多次做其工作，让其村长、厂长任选其一，都没有办到，成为老大难问题。我们换了个角度，与其约了牌局，不谈工作，专门打麻将。斗至正酣，老费非拉着他下棋不行。村长无奈，边打牌边下棋，结果兴牌打成了背牌，输掉了好几百元，棋也未占得便宜，让老费给杀得人仰马翻。后来，他主动放弃了村长之位，专心经营他的企业去了。

还有一位副书记，干了十多年村官，年龄大了，可官当上了瘾，死活不肯让位，我们也没有办法。一日看央视《新闻联播》，其中提到“中顾委”，从中受到了启发，破例给他封了个“顾问”的头衔，退到了二线——中央还设有顾问委员会呢，而且中央出台的重大决策，还得请示中顾委的老同志。老头当了太上皇，非常满意，高高兴兴地交出了权力。

结合村“两委会”改选，我们在“国务院领导同志”的领导下，组织召开了村民大会，民主选举产生了“清财”小组，集中到村办公室，对村里多年来的债权、债务进行了审计、清理，最后公布上墙，群众基本满意。

改选后的“两委会”领导班子，年龄结构合理，工作配合默契，很快就解决了村上的其他遗留问题。我们没费多大力气，各项工作却走到了整个“社教”工作队的前列。与我们相反，相邻的村子，因工作方法欠妥，发生了部分群众驱赶、殴打工作组成员的恶性事件，最后不得不动用公安机关，弄得狼狈万分。

工作组刚进村时，村上送我们每人两件宝——手电筒与雨靴。别看不值钱，可非常实用，因村里的道路实在太差劲了，晴天尘土飞扬，下雨泥泞难行，是名副其实的“水泥路”。在村子工作了一段时间，切身感受到了行路之不易，对村子也有了感情。于是我们商定，借“社教”之东风，为村民办点实实在在的事：其一，将野外的低压电线改为地埋线，既保证安全用电又防止小偷盗割，保证了天旱时水利设施的正常运转；其二，鼓励、支持部分感兴趣的村民种植大棚蔬菜，增加农民收入；其三，对村子建设重新规划，拓宽主要街道、道路，表面硬化，美化村容村貌。但由于农民只顾眼前利益，缺乏长远目光，有的农民没有经济力量，拆迁阻力太大，加之工作组时间仓促，只是绘制了蓝图，未能付诸实施。

几年之后，在街道上遇见当年的村支书，如今已是马王镇经委主任了。他兴奋地告诉我：当年的蓝图已经实现，并邀我抽空回村看看。可惜的是，这些年来，一直为生活奔波，几次去户县大王镇屠宰场，路过该村口，都没有进村看看，终成一桩憾事。

分流下海

1992年，邓小平同志南巡讲话发表以后，机关就开始酝酿分流。在我下乡“社教”期间，领导就指示我拟订经济实体的章程及管理细则，默默做着前期准备工作。“社教”结束，我回机关不久，一名即将退休的副局长就带领着十多名老、弱、病、残者迫不及待地“下海”了。

这倒有点像赶着鸭子上架，或者公鸡穿上泳装下水学鸭子。首先是滑稽，其次担心会不会被淹死。

我是唯一一名心甘情愿下海者，倒不是为了淘金，捞一把，发笔洋财。我虽贫穷，对金钱却看得极淡，饿不着肚子就行。恼的是在单位最苦、最累，而得不到应有的尊重，宛如建筑工地上的民工，盖着高楼大厦，住着茅草窝棚，混到底也不过是个编外人士，打工一族，倒不如出去闯闯，说不定别有洞天。即使失败，个人损失亦不会太大——毕竟我是企业身份，泥饭碗，打碎了也没有什么可惜的。

不过，不用担心，工业局承诺：投资三百万，保证工资，原来一切待遇不变，直到企业成功产生效益。这倒如同穿着救生衣下水一般，保赚不赔，使得学鸭子游水的公鸡有惊无险；还有可能进化成鸭子，更有甚者，超过鸭子，取得游泳比赛的名次也是未知。

但这一切，从一开始就是一张空头支票，这个救生衣是用牛皮纸做的，见水受潮，用力一吹，便破了。当时工业局的资金已经相当困难，职工的工资不能按时发放，正常的办公经费难以为继，就连当年修建的办公楼工程款还尚未结清。十多年过去了，时至今日，几间办公室依然被建筑队占领着，与建筑队合署办公，搞得机关不像机关，工程队不是工程队，不伦不类的，不知坐着高级轿车出出进进的领导们脸红不红。

在一没有资金、二没有项目的情况下，我连同一帮老头老太们开始兴办实业了。这才是真正意义上的“老当益壮”“白手起家”。《后汉书·马援传》：“丈夫为志，穷当益坚，老当益壮。”北大中文系如果能把课堂移置于此，保证学生们一辈子也忘不了教过的知识。

首先发动职工们集资，名义上是集资，实则硬性摊派，工资里扣除。将计经委南院邻街的门房与废弃的车库拆除，改建成两间两层门面房，计划开设新特医药店。信息时代，时间就是金钱，效率就是生命。这不，尚在基建之中，生意就来了。

据可靠情报，外地某药材市场猪苓紧缺，价格一路飙升，而周至县药材公司就有大量存货。为此，专门在县外贸公司与药材公司请了两名专家，我陪同着前往周至考察验货。

“货真价实！”我回来如实向领导汇报。经过研究，领导们亦认为生意可做。但七八万元的周转资金却难煞了领导。职工集资已不再现实，因为账面无钱，工资还没着落。到企业去借？企业也在等米下锅，哪有隔夜之炊！生意终于未能做成，事后自我解嘲：

“货运过去，说不定已货满为患，价就跌了，未必赚钱，赔钱的可能也有。”

“也可能如《江湖八大门》中的循门，周至人为卖滞销猪苓而特意摆设‘请君入瓮’的圈套。”

吃不到葡萄，葡萄也就变了味。

第一笔生意还未开始，就宣告流产。出师不利，按迷信的说法，是不祥的前兆。这时，倘若就此打住，及早回头，也不至于后来越陷越深，难以自拔。当时，我已有灰心之意，然而副局长势单力薄，诚挚地希望我能助他一臂之力。看在同是天涯沦落人的份上，我也考虑到自己参加工作已三年有余，调入机关希望渺茫，企业又面临倒闭，与其两头吊着，倒不如破釜沉舟，与副局长一起打拼。成功了，皆大欢喜；万一失败，权当人生旅途的经验教训。

虽然一起下海的人数不少，可大都是老头老太太，坐在办公室，看看门户，接听电话，抄抄写写还勉强凑合。而兴办经济实体仅仅依靠接听电话、写写画画显然太过离谱。因此，真正鞍前马后，跑腿办事的仅我一人而已。

经过一个多月的奔波，跑工商，找银行，办税务，总算完成了实体的一些手续，其名称为“长安通达实业总公司”，期望公司既“通”且“达”，四通八达；副局长任总经理、法人代表。

这位副局长，20世纪50年代毕业于中等专业学校，是位高级电气工程师。为了照顾家庭，叶落归根，80年代，从铁路电力系统调入地方，曾在长安工业系统技术改造中做出过突出贡献。然而，长安作为十三朝古都，风水宝地，贤能辈出，一个小小的高工只能算作沧海一粟，在其同班同学早已是地市级高官，权倾一方时，县上才照顾情绪似的，在他临近退休之时，安排了县工业局副局长，副科级，也算是荣归故里，对家乡父老有所交代。

但无论如何，副局长与我，在长期的艰苦奋斗中，结下了非凡的战斗友谊，可谓情同父子。遇事，我爱请教他；工作中，他也总差遣我——这也是不得已而为之，因为当时年轻力壮，手脚勤快，可供他调遣的也仅我一人。

不久，长安通达实业总公司先后办起了色纸厂和复合肥厂。色纸厂依托县造纸厂，将造纸厂的凸版纸赊来，在泾阳县购买了一台简陋的小设备，雇用了两名工人，利用一间废弃的车库，染上颜料，变成花花绿绿的有色纸，再赊销出去，就完成了工艺流程。复合肥厂则更简单，厂址干脆就设在县氮肥厂，连厂房都不用租借，多么省事、省钱，又省力。

工业局的一把手是位化工高级工程师，对化工行业情有独钟。按照领导的旨意，接着我们筹建化工厂。鉴于前两户企业只是一个概念，没有实质性的内容与任何科技含量，这次，领导们下定决心，要在科技含量、产品附加值上下大力气，设想要将未来的化工厂建成公司的龙头企业。为此，专门在西安轴承厂抽调了一名懂技术的同志秦××，协助我们工作。我们轻信了领导们的信誓旦旦，在一无所有的条件下，艰难地开始了化工厂的筹备工作。

20世纪90年代，报刊、电视都大肆渲染：这是一个信息的时代，谁拥有了信息，谁就掌握了主动权。那段时间无论读报还是看电视，我都一改以往浏览新闻的习惯，而把最烦人的广告作为每天的必修课。领导也常常告诫我们：要勤走走，多看看，时刻掌握市场动态，注意捕捉有价值的信息。

一日，我与秦××漫无目的地在西安街头溜达。走到小寨，看见一群人聚集在军人服务社前，好奇心促使我们前去探个究竟。原来，相邻的宁陕县武装部，开发出了“具有世界领先水平”的仿瓷涂料，在军人服务社前大肆宣传，并橱窗展出。我们如获至宝，欣喜若狂，向工业局领导汇报后，副局长、我、秦××连夜奔赴宁陕县，唯恐别人捷足先登，抢占了先机。

我们以消费者的身份来到了宁陕县人武部。厂长不在，工作人员很热情，带我们参观了展室，看了产品说明。我们提出进厂参观，工作人员一口回绝。看来没有商量的可能，只有见到了厂长，另想办法。于是我们以价格太高为由，留下电话，告辞而出。

回到招待所，我们设计了几套方案，又都一一否定。正饥肠辘辘，拿不定主意之际，电话过来，厂长回来了。我等灵机一动，何不发挥我的专业所长，在酒桌子上想办法，说不定厂长会不胜酒力而酒后吐真言。

我们与厂长在一家饭店见了面，寒暄了一番，酒菜便上来了。副局长放下领导的架子，充当了一回“酒司令”的角色，使劲地给厂长斟酒、劝酒，同时令我作陪，希望借着酒力，能从厂长口中套出有用的情报。岂料这位厂长十分笃信，酒量也非同凡响，两瓶汾酒下肚，一边作陪的我已经开始语无伦次，胡说八道了，厂长却身醉心不醉，仍然守口如瓶，顾左右而言他，颇具外交家的风范。

实在套不出有价值的东西，副局长孤注一掷，据实以告，提出要购买此项技术，而且出价不菲。厂长此时已吐字不清，但还未被酒精冲昏头脑，摆手摇头，绝无回旋的余地。总之，盘桓数日，白白扔掉了几百元宝贵的资金，无功而返。

愈神秘的东西，愈刺激人们的欲望。宁陕之行，给仿瓷涂料蒙上了一层神秘的面纱，使我们牵肠挂肚，欲罢不能，最终成为我等创业道路上挫折的开端。

世界有时真他妈的小。

说起来很凑巧，活该我在仿瓷涂料上栽跟头。宁陕之行的影子还萦绕于脑际，我还在苦苦思索着能使该厂长改变主意的良策，细心的局长又从《科技日报》上得到消息：北京通县博大化工厂已开发出同类技术。鉴于我对北京情况比较熟悉，领导们一商量，当即决定，委派我前去探路。因经费紧张，领导的小车都无钱购油而停放在车库，非常时期，勒紧裤腰带过紧巴日子，差旅费先由个人筹措。临行，副局长硬塞给我两条“红梅”香烟，以备急用，愧疚之情，溢于言表。

目睹领导们的神情，我还能再说什么。匆匆到银行取出几年的积蓄，共计五千元，怀着激动而复杂的心情，踏上了赴京的征程。

在人们的经验中，出公差应该是轻松、愉快的，而我的北京之行却是另一番情景。

为了节省经费，我选购了硬座车票。当时列车还没有提速，从西安到北京要乘二十多个小时的火车。入夜，灯光昏黄，列车晃晃悠悠地开着，我不知不觉中迷糊过去。梦中，又回到阔别已久的母校，与在京同学相聚一堂……一觉醒来，口干舌燥，想喝水，一摸口袋，惊出一身冷汗——糟了，钱包不翼而飞，赶紧摸摸腰间，鼓鼓囊囊地还在，提到嗓子眼的心方才又落进肚子里，谢天谢地，小偷只窃去了我上衣口袋里的零钱。临行，亏我多长了一个心眼，钱分两处存放，顺手处只装了几十元零钱以备路途上零用，把整钱则做了一个布袋，缝在腰际，这是《江湖八大门》中教我的一招“钱财不能露帛”。整钱幸免，误不了大事，也算不幸之中的万幸，至于那区区几十元，权当手气不佳，打麻将输了；或者摸了福利彩票，为残疾人做点贡献也是应该的。如此想着，心里坦然了许多。

因列车晚点，本该下午四点五十分抵达的列车到达北京站时已是晚上六点。招待所极不易找，宾馆酒店价格惊人，非我等寻常百姓所敢问津，当晚就借宿于北大，与读博士的同学挤了一宿。

与同学吃饭时了解到，北京通县博大化工厂的仿瓷涂料，采用的是清华大学一个下属公司的技术。因北大与清华仅一墙之隔，次日早晨，我直奔清华，与清华大学有关部门几经交涉，终因技术转让价格太过离谱而无法接受。当时，清华方面索价十万，不开发票最低也不能少于八万。在洽谈中，多次提到通县博大化工厂效益如何云云。待问到“博大”具体地址，他们又讳莫如深，不肯多言。

清华方面，转让无望，我赶紧乘车，赶往通县。

原以为博大化工厂非常驰名，应该很容易就能找到，岂知所谓“博大”，既不“博”，更不“大”，并且也不在通县县城，几经询问，竟无人能道其详。我费尽周折，在通县工商局、工业局、乡镇企业局查找打听，均没有登记注册。没法子，当晚在通县县城住过一宿，第二天起了个大早，又去寻找，我的牛劲上来——反正通县就这么大，我挨个村子去找，相信准能找到。

鼻子底下就是路。我边走边问，夜幕降临时，终于在通县的最南端，靠近河北省的一个村子里——小务镇德仁务村找到了“博大”。

厂长姓张，一个俗不可耐的名字——张本福，四十开外，中等身材，显得凝重而干练。我简单地说明来意，张厂长则显出十二分的热情。也许是天意如此，“博大”靠近燕京啤酒厂，我大学时就习惯了燕京啤酒的苦涩味儿和二锅头的干冽，几年未曾沾唇，听见名字就馋得慌。嗜酒的我与张厂长臭味相投，白酒、啤酒放开肚皮，开怀畅饮，一时相见恨晚。那场酒直喝得天昏地暗，不辨东西与南北，真恨不得将燕京啤酒厂抬来，淹死在啤酒缸里。

次日，张厂长破例没有进城，陪着我参观了他的“博大”。车间是保密的，这一点我很知趣，没有提出非分要求，免得张厂长为难。其办公室就设在住宅里，那是一栋五间两层小楼，铝合金全封闭，外墙瓷砖到顶，室内手工全毛地毯、真皮沙发、家用电器一应俱全，显得极其富丽。张厂长腰上别着当时还很奢侈的“BP机”“大哥大”，开着一辆重庆长安私家车，一副大款模样，显得气度非凡。

张厂长告诉我，他们厂的仿瓷涂料技术，是引进清华大学最新研制的、具有世界领先水平的高科技科研成果，是内外墙瓷砖的换代产品，具有很大的市场潜力；目前主要供应亚运村等国家重点工程项目，全部由清华大学包销，全国各地订单很多，产品供不应求……

由于先入为主的成见，稀里糊涂的我对这些自然深信不疑，很快与张厂长达成了用两万元购买仿瓷涂料技术的意向。

“不过我只是一个小小的办事员，拿不住事的，一切必须回去向领导汇报之后才能定夺。”我最后补充。

很会来事的张厂长立即承诺，一旦事成，将付给我一千元的辛苦费。

一千元，对于那时的我，的确是个不小的诱惑。

在此以前，无职无权的我，从来没有接受过任何不义之财，也似乎没有一个傻瓜想着去贿赂一个企业借调人员，我敢拍着胸脯保证：我所花的每一分钱都是光明正大、干干净净的。我当初也并不想要这一千元，怕这不明不白的钞票玷污了我的清白，助长了个人的贪欲，在以后的工作中越陷越深，难以自拔。我还年轻，今后的路还很长。现在，我跟随副局长出来创业，也并非都是为了钱，主要是在赌一口气。

可转眼一想，这些年来，自己总是吃亏，倒霉的事全让自己赶上，好事总是有权有势的人的专利，嘴上不说，心里很不平衡。况且眼下经济就很拮据，当时，我的工资加补贴总共不到两百元，一千元相当于我半年的全部收入。我在机关食堂吃饭，起初单位还马马虎虎，每月给灶上煤电补贴，伙食还不错，后来单位情形每况愈下，遂压缩开支，取消了补助，灶上入不敷出，于是也大刀阔斧地进行改革。一次，我与伙食管理员开玩笑：

“赵师傅，我在灶上吃饭，工资你全领，咱们扯平。”

“那不行，你每月再给我五十块钱。”

一月的工资不够吃饭！说起来有些悲哀，却是实情。家中有含辛茹苦、养育我成人的老父需要照顾，还有两个未成年自立的弟弟需要提携，更有几千元债务需要归还……为供我读书，两个弟弟初中都未念完，纷纷辍学回家，挑起了生活的重担。我完成了学业，工作了，挣钱了，再不帮帮他们，寝食难安呀！

但是，单位效益不佳，自己收入微薄，为了筹集此次赴京的路费，我倾其所有，这可是以后成家立业的基金啊！再说这儿只有我与张厂长两人，只要我们自己不说，只有天知、地知、神知、鬼知了。

想到此，我没有拒绝。张厂长见事已谈妥，就一再询问什么时候签订合同。我一再解释我做不了主，得回去请示汇报。但这个项目是领导授意的，估计问题不大。

张厂长便留我在北京多玩几天，逛逛名胜，会会同学。而我事已办妥，归心似箭，况且北京又不是第一次来，生意成了，以后来的机会还很多，遂谢绝张厂长的好意。

张厂长驾车送我到北京站，替我购买了火车票，分手时说他很忙，还要给清华送货，一再叮嘱我务必抓紧。

我回到长安，顾不得休息，连夜晋见领导，汇报了情况。副局长果然十分高兴，夸我此事办得快，办得好。但局里没钱，又担心拖久了会节外生枝。于是，征得局长同意，副局长以个人的名义，在县印刷厂借款两万元，准备亲自出马，与我一道赴京购买技术。

为了缓解下海的人员多，能办事的人员少的矛盾，经过一段时间实际考察，经领导同意，将秦××由临时抽调正式借调到机关，协助创办实体。“抽调”与“借调”概念不同，抽调是临时性的，工资仍在企业，机关只管用人不解决福利待遇；借调则不同，是机关急于用人但缺乏编制或指标的过渡性手段。这样，秦××与我一样，成为工业局机关正式借调人员。领导承诺，一旦实体办成，产生效益，便委以重任。

西安轴承厂原属西安市冶金局，厂址在沣峪口。为了管理方便，1989年整建制移交给长安县计经委，即后来的长安县工业局。计经委接管后，借鉴许多军工企业从山区搬至平原的经验，尊重职工愿望，顺应时代潮流，将西安轴承厂整体搬迁至县城韦曲，兼并了业已停产的原长安县缝纫机架厂。搬迁后的西安轴承厂，企业负担沉重，经济效益下滑。

秦××1988年毕业于四川建材学院机械工程专业，分配至大山里的长安县白水泥厂。为了照顾家庭，1991年调入西安轴承厂。他学有专长，年富力强，为创办实体曾立下汗马功劳。后来不幸实体倒闭，因其在西安轴承厂有一定的根基，又回到了西安轴承厂。厂子破产以后，曾去兰州做生意，生意不景气，现在西安某建筑工地给人打工，管理工地。

临出发时，领导们又得到消息，石家庄某研究所也面向社会公开转让仿瓷涂料技术。好在要去北京，石家庄也是顺道，就临时改道石家庄，顺便考察考察，多走走，多看看，比较比较，也不会有什么坏处。

我们一行三人，由副局长带队，依然购买硬座车票，踏上了北上的行程。

临行，我们考虑到副局长年龄大了，又有一定的级别，要给他买卧铺车票，哪怕硬卧也行；我与秦××两个人年轻，身体好，硬座票就蛮好。而副局长死活不肯，说他睡觉“择铺”，在火车上“咣里咣当”睡不着，买卧铺也是浪费，不如三个人坐在一起，有说有笑，互相也有个照应。我们知道困难时期，他想节省经费，我们拗不过他。由此联想到某些人因公出差，软卧都不愿意坐，嫌浪费时间，而要乘大飞机，安全、迅捷而又舒服，便愈感到副局长的可亲可敬了。

上次单独赴京，阳春三月，乍暖还寒时。而这次时间抓得挺紧，紧赶慢赶已到了鲜花盛开的五月，如杨志卖刀、秦琼卖马，一文钱难倒英雄汉！由此可见，在一个穷单位，要干一件事是多么艰难！

我们一行三人，一对半的烟民酒鬼。坐在硬座车厢，掀开窗户，一边欣赏窗外胜景，一边抽烟喝酒。阵风袭来，凉意飒飒，神情振奋，谈笑之间已抵达石家庄。近二十个小时的车程，也不觉得过分劳顿与沉闷。

直到现在，我还纳闷儿，石家庄距离北京如此之近，而与北京之物价水平真乃天壤之别，饭菜如此价廉物美。我们三个人饱餐一顿，酒足饭饱，花了不过区区三十几元，是老板算账有误，无意之中让我等外乡之人拣得便宜，还是石家庄市场物价走低，作为吸引外地人投资、旅游的手段？因为人们往往注意的是自己所熟悉的商品价格，而饭菜是人们再熟悉不过的了。

找到那家研究所，产品似乎没有多大的区别，只是名称不同，叫作“瓷漆”。可转让费却丝毫不含糊，至少也要四万元。副局长把手一挥：

“走，上北京！”

石家庄到北京，不足四小时的车程。长途跋涉，我们已经厌倦了火车，于是改乘长途班车，心想一边感受京石高速的舒坦，一边观赏沿途风景，了解风土人情，权当假公济私，到此一游。

但在长途班车上，所见所闻，大煞风景。

中巴车为了逃避收费，放着宽阔平坦的高速公路不走，专走早已废弃的老路。汽车一路颠簸一路险权且不论，强占座位的、泼妇骂街的、玩三页牌行骗的、明抢暗偷的，与首都北京的称号大相径庭。我们印象尤深的是，某国家级运动员，为了抢占门口座位，依仗五大三粗的身材，将另一乘客老鹰抓小鸡似的拎将起来，抛在一旁，自己理直气壮地坐下。被拎者不满，白了他一眼，嘟囔几句，便招来一顿拳脚。满车的乘客，无一人挺身而出，见义勇为。虽然心中愤愤不平，却唯恐惹火烧身，敢怒而不敢言。

人常言：“十年修得同船渡。”大家出门在外，谁都不容易，理应互相理解，互相关怀，而不应仇人似的，尔虞我诈，恃强凌弱，使本来愉快的旅行充满担心与敌意，弄得大家都不舒服。

我等自作自受，活受了几个小时的洋罪，傍晚时分，终于抵达北京。

那时的京城，旅馆不像现在这么多，又值旅游旺季，各旅店、招待所人满为患，连澡堂子都挤满了客人。星级酒店住不起，又找不着便宜的住处，倘只有我一个人，到学校与任何一同学挤一宿，即使找不着同学，天又不冷，路边、檐下、地铁站，流浪汉似的，天当房子地当床，哪儿都能凑合一晚，还省却了住宿费。可这次不同，副局长跟着，他上了年龄，干了一辈子革命工作，又是有身份的人，不能太过委屈。于是，大街找不着，就钻小胡同，从城南到城北，跑得腰酸腿疼，最后来到海淀，终于找着一家私人小旅馆，只有两张床位，每人五元，而且没有发票，我们不满意，还要继续找，副局长照例把手一摆：

“算了，累了一天，早点歇息吧！”

于是副局长睡一张床，我与秦××“脚打蹬”同挤一张单人床。在阴暗潮湿的个体小旅店度过了难忘的一夜。

早上起来，在路边的小摊儿吃了煎饼果子、馄饨，胡乱糊弄了肚子，便直奔清华大学。清华方面，见我去而复返，以为我等的银子成了囊中之物，口气更硬：“八万元转让费，一个子儿都少不了。”“看来只有和通县做生意了。”副局长如此对我们说。

途经天安门，秦××未到过北京，免不了要游历一番。不想内急，急寻方便之处。那时，收费公厕刚刚兴起，天安门广场的公厕如同大栅栏的食堂一般，必须排队等候。公厕前，四个男女在忙不迭地点钞票，旁边竖着一块木牌，上书：

如厕贰角，不找零钱。

副局长从厕所出来，望着长长的如厕大军，不禁感叹：

“宰相门前七品官。在天安门当一个厕所所长，比在长安县当财政局局长收的钱都多。”

走累了，三人找一阴凉处席地而坐，点上烟，美滋滋地吸着，谈论着来京的感受。也许是口渴的缘故，烟刚抽到一半，秦××随手一弹，半截香烟在空中划过一道美丽的弧线，跌落在不远处。一位老者径直走到了秦××面前，从兜里掏出红袖章，在他眼前一晃：

“你扔的烟头？捡起来！”然后飞快地撕下一张票，塞给秦××：“罚款五元，下次注意。”

秦××还没弄明白是咋回事，一张罚款单已经到了手里。

老者从走向我们，掏出红袖章，到撕下罚款单塞给秦××，动作一气呵成，再配以台词，一切恰到好处，表演到了极致。

秦××刚想争辩几句，引来一群人的围观，纷纷指责他。气得他半天说不出话来，脸涨得像猪肝，扔下五元钱，匆匆地走了。

“什么态度，真是的！”老者嘟囔着，弯腰捡起钞票，寻找下一个目标去了。

事后，副局长开玩笑：“首都人真是素质高，连罚款都美妙至极。”

抵达通县小务镇时，已是万家灯火时分。安排他们两人住下，叮嘱店老板准备饭菜，我借了店老板的破自行车，直奔德仁务村。

近两个月不见，张厂长已经鸟枪换炮，米黄色的重庆长安面包车已经变成了色泽血红的天津夏利。贵客来临，他惊喜交加，顾不得心疼新车，二话没说，径直掀开小汽车的后盖，将破自行车塞在里面，驾车直奔小务镇。包赔过旅店老板的经济损失，我们三人被他接到了家里，稍作安顿，自然免不了一番款待。几个酒鬼遇到了一起，转眼间两瓶二锅头揭了个底朝天，张厂长又整来两箱子燕京啤酒，白酒、啤酒交替着喝，好不畅快淋漓。第二天上午，酒劲还没有散尽，副局长带着微微的醉意与张厂长签订了技术转让合同。

技术挺简单，核心是一纸配方。关中话叫“一窍不得，少挣几百”。关中人心轻，将区区几百元都升华为俗语。为了这一纸配方，我们耗时三个月，辗转数千里，花费几万元，终于括入囊中。三人喜不自禁，谁知而后竟成为我们创业道路上沉重的负担，这才叫“鬼迷心窍”。

秦××绘制了机械图纸，盘桓数日，我们向厂长告辞。张厂长挽留了几句，免不了又要做东，在小务镇订下酒宴，为我们饯行。席间，张厂长偷偷地塞给我一千元，我霎时两颊绯红。副局长以为我连续舟车劳顿，身体虚弱，不胜酒力，还一个劲儿地表扬我劳苦功高，要注意身体云云。

副局长一席话，使我羞愧难当，简直无地自容。当初张厂长许诺给我回扣时，我以为只是说说而已，一眨眼就会忘掉。如今诺言兑现了，我却有些不适应，当时就想站起来，将它交给副局长，然后说声：“对不起，我辜负了领导的期望。”一是怕张厂长就在当面，脸上挂不住；二是担心即使把这一千元拿出来，别人还以为我拿的不止这些，假装廉洁，虚晃一枪，以掩人耳目。如果真的是那样，我浑身是嘴，跳进黄河也难以洗清了。

我很卑鄙，终于没有勇敢站起来，悄悄地装好一千元，这成为我一生中唯一的一次腐败记录。这次腐败，使我早已失衡的心理平衡了许多，但也成为日后久久的心理负担。尤其是发觉所选项目上当受骗，实体经营举步维艰的时候，这种感觉尤甚。有一则顺口溜，在老百姓中广泛流传，虽然极端，然可见一斑：“××广场朝北看，个个都是贪污犯；全部拉出去法办，保险没有冤假案。”但自己受教育多年，传统的伦理观念根深蒂固，每每想起此事，夜不能寝，良心备受煎熬。由此想见，共和国的蛀虫们虽然表面华衣美食，风光无限；晚上脱衣上床，夜深人静，突闻警笛之声，亦会惊恐不安，难睡安稳之觉。

北京归来，局长破例礼贤下士，亲自到火车站迎接，请我们到市内一家颇有名气的重庆火锅城狠涮了一顿，算为我们接风洗尘，也是对我们这一段时间工作的肯定与鼓励。

技术已经到手，寻找厂房，添置设备，购买原材料，投入试生产成为当务之急。而通达实业总公司账面上仍然没有分文。印刷厂的借款已经到期，曾上门多次催要，倘若工业局不是其主管上级机关，有厂长、书记的任免权，早就拍桌子掀板凳地翻脸了。工业局机关亦自顾不暇，已经好几个月未发工资了。依靠局里投资看来没有任何希望，我们心急如焚，不能眼睁睁看着辛辛苦苦好几万元购买的技术，一天天变成揩屁股的废纸。于是，我们分头联系了几家银行。银行的工作人员把眼镜擦得一尘不染，听说工业局也办实体，先乐了：

“银行也是企业，并非慈善机构，拿响当当的现大洋打水漂漂？”

工业局作为县办工业的管理部门，经常为企业贷款提供担保。企业日子不好过，借贷的款项常常无法按时偿还，工业局也失去了信誉。如今自己伸手向银行借贷，银行的人嘴里不说，心里却想：先把企业的贷款还清了再说。贷款便打了折扣，要么声称没有信贷规模，一推六二五；要么要求质押，押一贷一——总不能再让企业为你的贷款提供担保吧！

工业局盖起新居之后，就搬迁到了北院，南院成为闲置资产。兴办实体时，把南院作为固定资产，投资给通达公司，成为实体办公的所在。我们曾经设想以南院办公楼作抵押，向银行申请贷款，可南院的房地产产权不全归属工业局，工业局只占其中的七分之一。南院原为工交政治部办公楼，后来工业、交通分家，成立大经委与交通局，办公楼也以楼梯为界，劈为两半；再后来大经委又分出计经委、乡镇企业局、二轻工业局、计经委只占楼产的四分之一；交通局又设立了交通运输管理站、公路管理站、交通派出所、筑路工程队等。所以在长安县，除了县政府大院，南院的招牌最多，是真正的大杂院。办公楼是国有资产，当初还没有房产意识，未办理过房产登记手续。即使要办，房产局也不可能给上无天下无地的四分之一国有资产办理产权，必须协调其他六家单位，而且费用不菲。长安人杰地灵，缺少土特产，却盛产能人，人们一个比一个能行，一个比一个伟大，互不服气，又唯恐别人胜过自己。于是办事互相推诿扯皮，设卡子，使绊子，窝里斗。如今临时抱佛脚，显然是一厢情愿的。

毫无办法。副局长说："'千里之行，始于足下。'不要着急，'一镢头挖个井是敞口子。'事情得一步一步来，我们先解决厂房问题。"

前文说过，计经委的前身是长安县工交政治部，在申店，与第二造纸厂相邻，有所工交技术学校，早已停办多年。学校的大部分校舍被第二造纸厂职工占用，当成了家属院和职工宿舍，尚有几间空余的房子，年久失修，已残破不堪。经请示局长，便把这几间破败的教室作为厂房。

仿瓷涂料属化工产品，会散发刺激气味儿，且有毒、易燃、易爆。为了安全、规范，防患于未然，我们在对房屋进行了简单的修缮之后，需要砌起围墙将厂区与家属区分割开来。围墙刚刚砌起，第二造纸厂便出面阻拦，一言不合，便以大欺小，以众凌寡。动用保卫科的二杆子，这些不要命的主儿掀倒了围墙，声言计经委领导当初看他们亲肠，是牛牛娃，长得心疼，把工交技校白白地送给了他们。

我们提出要看文件，他们不能出具，蛮不讲理，耍起了无赖：

"你算老几，凭什么看？"一句话顶了回来。

此事闹到了工业局，局领导几经易人，哪个还说得清。翻阅当初的档案，找不到相关文件，事情僵持不下。后来，多亏副局长从中斡旋，工业局党委为此专门召开扩大会议，形成会议纪要，确认：当初工交技校公产是托付给第二造纸厂代管，第二造纸厂经营困难，用作职工宿舍也在情理之中，但产权仍归工业局所有。第二造纸厂、通达实业总公司都是工业局的下属集体单位，手心手背都是肉，不能厚此薄彼，两家企业应该互相尊重，互相支持，共谋发展。

讨得“尚方宝剑”，厂房的改造，围墙的圈建才得以继续。第二造纸厂对此很不舒服，敌意颇大。为了避免矛盾，接动力电时，我们舍弃了较近的第二造纸厂，而是穿过另一单位，选择了比较远的海红轴承厂西安分厂，免得第二造纸厂某些人要小心眼儿，在关键时候停水断电。

按照与“博大”的合同，对方有义务帮助我们购置设备，每套价格为两万六千元。当初我们担心挨宰，多长了一个心眼，让秦××绘制了图纸。据初步估算：倘机械加工部分在当地解决，运费不用计算，每套设备配置起来约需一万五千元，我们计划购置两套设备，仅此一项节约资金两万余元。于是我们决定，凡能在当地添置的设备，宁可多花些工夫，尽量就近解决；实在没有办法解决的配件，再请“博大”帮忙。

情况似乎有了转机。

先是中国银行长安县支行同意贷款五万，但银行方面信不过工业局，于是副局长以自己个人的房产证作了抵押。因为县印刷厂多次催要借款无果，言辞已愈来愈不堪入耳了。

“为了公家的事，个人受气划不来。”副局长说。

归还了印刷厂的借款，报销了我们几个人的差旅费，全部是实报实销，我们很自觉，无发票的不报账，困难时期，大家都没有出差补贴。交付了前期费用，五万元剩下不足两万，要启动企业还差一大截子。

经多方奔走，县财政局终于同意借款十万给通达公司，条件是，第一，副局长以个人的名义担保，工业局不能作数；第二，以银行同期贷款利率付息；第三，企业产生的利润与他们均分。条件尽管苛刻，但我们急需资金，副局长说：

“管他呢，钱到手再说。”

十万元到账，先归还了银行贷款及利息，将个人的手抽利落，剩下了六万多。利用这仅有的资金，秦××负责机械设备的加工、安装、调试，我又出了一趟差，采购回原材料。依照“博大”提供的技术，夜以继日，生产出两吨多产品。

投身装饰业

与大自然相比，人类是渺小的。如东南亚的地震与海啸，在强大的自然灾害面前，十多个国家亦无能为力，只能任凭海水吞噬鲜活的生命。同样，在经济大潮中，个人的力量是微不足道的，人往往不能把握自己的命运，如茫茫大海中的一叶孤舟，随风飘摇。

俗话说："骑着骡子，才能赶马。"毕业分配时的一次错位，使我在人生的道路上一步踏绽脚，步步赶不上，最终为生活所迫，逼上梁山。这个"逼"字，在我的身上，得到了充分的体现。

根据中国以往的体验，政策就是一阵风。刮"分流"风时，我们十几个人被工业局机关分流了。可过了一段时间，风平浪静之后，又陆续回流了。上面的政策也是如此，1992年邓小平南巡之后，党政机关一窝蜂，全民动手，大办企业，"经理""老板"成为最时髦的称谓。传说某地发生车祸，十人受伤，其中有九位是经理，一位是老板。到1993年，忽然急刹车，又实行政企分开，党政机关不允许再办企业；已经办的，要求脱钩。好像拔河比赛，一方拼命使劲，另一方猛一松手，使劲的一方用力过猛，收手不住，摔了一个大跟头。

折腾了一阵子，一无所有的我们，在创业中举步维艰。这时，副局长退居二线，成为调研员，当初一道下海的，有的到了年龄，功成名就，光荣退休，领上了养老金；有的淘金不成，又重新返回机关捧金饭碗去了。最后，商海中仅剩下我与另一位上了年纪却未到退休年龄，最主要是缺乏根基的妇女。那位妇女曾三番五次找工业局领导，要求重回机关，甚至搬动了时任副县长的老上级说情，但均被以各种理由推托。至于我面皮很薄，很清楚自己姓甚名谁，排行老儿，也没有后台可以挪用，从未屁颠儿屁颠儿地找过领导，免得癞蛤蟆跳门槛——伤脸蹲尻子，自讨没趣，划不来。

“开弓没有回头箭。”兵法云：置之死地而后生。既然已经下海，就一定要在商品经济的海洋中学会游泳，绝不能被海浪所吞噬；或者稍遇挫折就如丧家之犬，摇尾乞怜。我经常这般勉励自己。

试生产成功后，马上面临在市级以上技术监督部门进行产品质量检验、取得产品合格证、注册商标、打开销路、投入批量生产等一系列问题。而这些环节哪一个不需要钱？我们仅有的资金也已经弹尽粮绝。副局长在领导岗位上时已经很难弄到资金，何况成为调研员，只剩下了调查研究的权力。我与秦××两人都是农家子弟，学校毕业不久，社会交往有限，对于资金，更是无能为力。权宜之计，只能先不搞产品质量认证，私下里跑跑销路，待资金回笼，再作进一步打算。这也是没办法的办法。

但包装桶上光秃秃的一片，既没有商标，又没有合格证，还没有厂名厂址，典型的“三无”产品，进不了商店柜台，进不了超市货架，要打开销路，谈何容易。

开始，我们依托熟人、朋友关系，打听哪儿搞建筑，哪辆汽车需要喷漆，哪儿门窗桌椅需要翻新，便逐一上门推销。对方不懂施工工艺，就亲自示范，帮人家施工。一个夏日的晚上，为了解决白天施工中遇到的技术问题，我关掉风扇，门窗紧闭，把自己一个人关在实验室里，反复实验，一干就是一个通宵。第二天，人们发现我晕倒在实验室里，急送医院，结果是摄入过量有害气体而中毒。

那时，装饰装潢刚刚兴起。由于施工的需要，我们组建了装潢工程队。从单一的油漆涂料施工向装饰装潢一体化发展。可惜的是，刚开始我们半路出家，不懂装饰技术，边干边学，技术上过分依赖他人，没有形成自己的专业技术队伍。活儿又少，留不住人，职工队伍很不稳定。往往联系到一部分活路，招一帮人，待活儿干完，便又得解散。我一个人单枪匹马，既要组织，又要管技术，有时还得顶人干活，首尾难以兼顾，在施工质量上也存在一些偏差。因此，没有迅速发展起来。

我们曾给某饭店翻新浴盆，效果不错。其副总经理后来调任省某管理局招待所任所长，他千方百计找到我们，让我们将招待所几百个浴盆全部翻新，还有后续工程。我们很兴奋，遂夜以继日，抓紧施工。无奈干活工人较多，技术良莠不齐，我一个人又不能逐个手把手地指导。活干到一半，检查时发现，有的浴盆质量不错，有的却有些粗糙，便赶紧返工，可还是耽误了一次会议接待。国有单位的人和事很复杂，一路神仙孝敬不到，就要找你的麻烦。有人借此控告所长，说所长收受了我们的贿赂，与我们同穿一条裤子，一个鼻孔出气。所长刚到招待所，根基不稳，有口难辩，与我等又非沾亲带故。为避免没吃羊肉反惹一身膻，自然，后续工程也就泡了汤。

涉足装潢于我而言是一个全新的领域，学校所学与之一点边都沾不上，我得从零开始，一点一滴地去学习、积累。于是我就常找刘××，即在西安某建筑设计研究院工作的那位同学。他从事建筑设计，与装饰装潢比较接近，我常请教于他。他曾给我们出主意，产品必须取得省、部级以上技术监督部门认证，最好能想些办法，做点工作，使产品能够获奖。这样，通过设计院，像医药代表在医院推销药品一样，把产品直接设计到施工图纸之中。这样，不费吹灰之力，不愁没销路。的确，设计院的图纸对于施工单位而言，如同医生的处方对于病人一样别无选择。我们也认为这是一个一劳永逸的好办法，但苦于没有资金付诸实施。

十个指头伸出都有长有短，何况手工作业。再完美的工程都存在瑕疵和美中不足。遇到懂道理的甲方，一切倒还罢了；倘若遇见难缠之人，本来就没打算给你钱，完工之后，吹毛求疵，借此想白米二斗半。可悲的是，经济愈发展，人民币愈难挣，这种人不是在减少，而是在逐年增加。党和政府下大力气，不断加强清欠民工工资的力度便是明证。

1994年夏，一位大老板在西安市未央区张家堡一带西（安）—铜（川）一级公路旁，投资百万修建加油站。放着西安那么多的装潢公司不找，偏偏舍近求远，南辕北辙地找到了我们。合同签订后，我组织了八人施工。韦曲与张家堡在西安市的南郊与北郊，相距十五公里，我不可能放下家里的一大摊子事情，整日守在工地，就指派了临时负责人，管理工地，与老板沟通。十多天工期，非常顺利，未起任何摩擦。完工后我去结算，老板却笑里藏刀，从旮旯拐角找出一点小毛病，要求全部返工，否则工程款拒付，一副无赖的架势暴露无遗。本想与之理论，必要时诉诸法律。然而一打听才知道老板是当地赫赫有名的人物，派出所都让他三分，他建设加油站时根本就没有预算工资，连搞建筑的几十个四川民工都担心挨揍不敢讨要工钱，更何况势单力薄的我们呢？

与之类似的还有长安县一家建筑公司。在建设某温泉大厦时，我们作为协作单位，负责装修工程，与建筑单位交叉施工。工程干干停停，我们要求做完一段验收一段；他们则坚持工程完结一次验收，还要宴请甲方及质量检验部门。在狼多肉少的年代，我们不敢过于坚持自己的主张，于是为了防止损坏，采取折中的办法，完成一间房子便锁住一间房门，单锁子就用了几十把。工程断断续续，拖了一年有余，后来我们惊奇地发现，我们锁住的房门大都被撬开，房间里住满了民工，生火做饭，洗澡取暖，烟熏水泡，损坏了不少。建筑公司要求我们予以修复，却不追加费用。双方争执不下，工程款便被扣了下来。

后来，建筑公司经理找到了我，说城里有一位省政府副秘书长，刚从领导岗位退下来，很有活动能力，想拉拉关系，让我们免费予以装修房子，装修完结一次性结清工程款。

我挺讨厌这个凭借手中职权吃拿卡要、作威作福的陕北佬。但是看在工程款在人家手里攥着的份上，强按怒火，勉为其难，糊弄了某副秘书长。再去建筑公司结算，账是算了，可钱却没有，催要紧了，“要钱没有，要命一条”。建筑公司老板如此说。

如此一拖便是几年，后来亏人太多，建筑公司终于资不抵债，难以为继，宣布解散了。工程款也过了诉讼时效，成为无头债，呆账、死账。

秦××有一定的知识与能力，年富力强，正是干事业的时候，但瑕不掩瑜，缺点与毛病也不少，尤其懒散。那时，他租住在农民家里，又没有电话，几次有事，找他不着，待我骑着自行车找上门去，他却躺在家里呼呼大睡。渐渐地，副局长与我对他都失去了信心。

1992年，长安宾馆改为县委、县政府的招待所。修缮时，我们承揽了部分工程。适时，我刚好要到新疆出差，将财务交于副局长代管。我的意思是，副局长老成持重，处事公道正派，又是我等的上级，交与他不无不妥。而事实上，账面上根本无钱，就是公章与票据。可秦××不这么看，他嘴上不好意思说，心里可犯了嘀咕：

“当初许诺委以重任，现在一个破账目都不让插手，再努力工作还有什么意义？”

遂打起了肚皮官司，采取消极对抗的态度。

长期与人打交道，谁的屁股一撅，就知道要拉什么屎。他的那点小九九我还看不出来？我当时要与他谈心，被副局长拦住：

“甭管他，看他还能怎么样？”

秦××负责企业经营与装饰工程，借口工作忙，很长时间不报账，也不来单位上班，副局长连他的人影都见不着，致使我们在新疆联系的业务，长安方面的后续工作迟迟跟不上，多次贻误战机，成为水中月、镜中花，被人看作不讲信义之辈，最后无功而返。长安宾馆是很有利润空间的工程，也弄得很不理想，几乎没有利润。

有一位朋友姓李，比我年长，其妻哥为某大学教授，教给他一个化工配方，他与人合作开办了一家公司，专搞锅炉除垢清洗，挂靠在劳动局职工培训学校。不知何时，他又从何处购买了一套化学合成地板砖的新技术，当时在全国到处跑，进行倒卖技术的“投机倒把”活动。

征得副局长的同意，我将仿瓷涂料的相关资料也交给了他。1993年八九月间，他去新疆，通过亲戚介绍，结识了新疆一家企业老板，该老板对仿瓷涂料很感兴趣。于是，我与姓李的朋友，于当年10月份，远赴新疆巴音郭楞蒙古自治州，经过艰苦谈判，成功地转让了一家技术。因为朋友介绍，转让费压得很低，并保证售后服务。然而，天下乌鸦一般黑，全国企业都一样，新疆的厂家也很困难，转让费迟迟拿不到手，我与老李无奈只得在新疆盘桓多日。

新疆的秋季很短，刚进入10月中旬，正是瓜果飘香的季节，一股寒流过来，竟然飘起了纷纷扬扬的雪花，如人生一般，最灿烂、快乐的日子往往又是非常短暂的，来不及享受，在不经意间就会从指间偷偷溜走，悄无声息。接下来便是漫长而寒冷的冬季了。

幼时听人讲故事，在极北荒蛮之地，天冷时撒尿，尿液会冻成晶莹的抛物线，因此必须一边撒尿一边用木棍儿不停地敲打，否则抛物线不断延长，会将撒尿者顶个四仰八叉；人要开口说话，上下唇冻在一起，口不能言，急用手去抠，不料手也立即冻在嘴上，成为罗丹刀下“沉思者”的雕塑。

新疆的气候当然没有如此玄乎，但零下三四十度的低温却很常见，而且，风大得出奇。前段时间，电视还报道某地小学生，为防止上学途中被狂风卷走，不得不在书包里放置十多公斤的石头，以增加体重。在阿拉山口，通常在大树上拴起钢丝绳，人们为了安全起见缘绳通过。

讨不来转让费，回家无法交代，我就在厂办公室支起一张简易的小床，作为临时寓所，准备打持久战了。当地人烤火炉，烧火墙，可铺盖单薄，外乡人很不习惯。我不会生炉子，炉火老灭，半夜便被冻醒，于是晚上常常和衣而眠。记得有一次，从库尔勒到乌鲁木齐，怕冷，专门买了空调车票。也许是天气太冷的缘故，在空旷的戈壁滩上，汽车跑得飞快，可空调怎么也热不起来，只得中途下车，购买几个一次性打火机烤手取暖。不料，傍晚时分，车行至天山，却出了故障，停在了半山腰。寒风透过窗缝，拼命地往里挤，车厢如同冰窖一般。亏得司乘人员也冻得受不了，联系到一家脏兮兮的小旅店，几十个人挤到一起方可御寒。

在新疆，我等外乡之人一律被称之为“盲流”。如同大都市里的农民工，干着城里人不愿干的既脏且累的力气活，创造着大都市的物质文明，反过来又被城里人瞧不起，冠之以“乡巴佬”“农二哥”的称号。有位陕西宝鸡来新疆的务工人员——“盲流”小何，他承揽油漆、涂料活，在那里已经七八年了，手艺精湛，为人厚道，小有名气。新疆的厂家生产出仿瓷涂料后，即有人要求施工，工人们担心做不好，不敢应承。厂长说：

“去找小何吧。”

“那个盲流？”工人问。

在新疆等待转让费期间，我与老李冒着严寒，多次往返于焉耆、库尔勒、乌鲁木齐、石河子之间，陆续联系到几家乐意接受我们技术的单位与个人。遗憾的是，我身在外地，千里迢迢，对长安方面鞭长莫及，后续工作跟不上，签订的合同不能按时实施，说话如同放屁，引起对方不满，最后只能作罢。

“蓝田靠祖先，临潼靠陵园，高陵靠鸡蛋，户县靠床板，周至靠猪圈，长安靠大谝。”大西北闭塞、落后，人们如井底之蛙，妄自尊大，以为“老子天下第一”。当东南沿海的经济已经如丸走坂，步入高速发展的快车道时，具有强大科技优势的陕西，一边炫耀祖上如何辉煌，一边蜗行牛步，老牛破车，迈着“八”字步，四平八稳地不紧不慢向前走着。

最初我们涉足装潢业，相当一部分人不知装饰装潢为何物，活儿基本集中在一些宾馆、饭店等高档休闲娱乐场所，僧多粥少，竞争激烈，因而投入的前期费用较多。许多单位的领导、经办人员明目张胆索要回扣、好处，而且一个比一个胃口大。工程队往往还未拿到一分钱，更未赚到一文钱，便先要给建设单位的头目上贡。工程完结之后，工程款却迟迟不能到位，又得烧香拜佛，令人头痛不已。

1996年，某局装修办公楼，合同是与办公室主任签的。工程开始不久，局长暗示我们，他家里有一点活儿，让我们帮忙给收拾一下。因办公楼还在办公，工期很紧，我们当时实在抽不出人手，因而晚去了几天。局长很不悦，说不必了，活儿他另外请人干。待结账时，局长一支笔管财务，总结不了，催得紧了，竟说他没让干活，与谁签合同找谁去，无赖的嘴脸暴露无遗，把人的嘴都能气歪，肺都能气炸。此事拖了一年有余，后来办公室主任给我们点窍过招，说堂堂一局之长喜爱小便宜。于是那年春节，我们便备下礼品，登门拜访，局长方签了字，答应付款，但账面却没有钱。长安地区人穷讲究大，讲究好事成双，送礼要送双份。就这一次礼，花了近八百元，工程款还未结到手里。后来该局长亏人多了，触犯了众怒，被免了官职，临近退休调到某委办当了跑腿的小干事，官丢得一点影子都没有了，也算是苍天有眼。来了新领导，看我们也不容易，起了怜悯之心，才分期分批，逐渐付清。

相对于单位，家庭装修反倒容易一些，这是个奇怪的现象。依照常理，私人积攒几个银钱不容易，工作大半辈子购了房，再搞装修，应该比单位的活难干，但私人重视价格与质量，不索要回扣，不必考虑国有单位复杂的人际关系，一心一意将活干好就行。这可能也算中国特色之一吧。

1996年，形势突变，中央提倡艰苦朴素的优良作风，禁建楼堂馆所。表现在地方，不再允许装饰豪华办公场所，因而，单位的活少了许多。如鸡鸭一样，没有尿路，总有排泄的地方，活人不能被尿憋死，人们旺盛的精力无处宣泄，于是，歌舞厅、夜总会又如雨后春笋般悄然兴起。1998年下半年，色情陪侍活动受到明令禁止，“三陪”小姐又转入酒楼、美容美发、桑拿、浴足堂等更加隐秘的所在。所有这些恰恰为装饰装潢业提供了不少商机。

社会主义中国，胆敢从事卖笑行业的老板均非泛泛之辈，没有一个是省油的灯，他们大多与黑恶势力、治安部门有千丝万缕的联系。对于他们，我们惹不起还躲得起，一般采取敬而远之的态度。所以，我们将更多的精力投入到家庭装饰行业中来，挣钱不挣钱，图个消停安宁。

有位木工叫张亚民，大山旮旯里的大能人，早年读过“五七”大学，戏谑为大学文化程度，把文字差不多忘光了，木匠的手艺却很不赖，号称“赛鲁班”。他与我在某工地认识，我们取长补短，惺惺相惜，为了各自的利益，走到了一起。从此，我们共同联系活儿，我搞设计，预、决算，他在工地领工，利益均分，精诚合作几年，取得了较好的经济效益。

在西安装潢市场，应该说我的起步是比较早的。但为什么始终是小打小闹，最终没有发展起来，我想大致有如下几方面的原因：

第一，我从小死读书，读死书，不会活学活用，触类旁通，对工程知识知之甚少。本来从未打算涉猎，无奈下海办实业，仿瓷涂料销售困难，硬逼到这一步，边干边学，技术基础薄弱，栽的跟头多。

第二，建筑装潢市场弱肉强食，欺行霸市情况严重。我一个文弱书生，无法与一些地痞流氓较一日之短长。一次承包一家单位的工程，签订合同，刚进入工地，却被当地一个无赖阻挡，硬说工程占了他们村的地，按照惯例，应由他们承包以作补偿。我们只能二包或给他们交纳保护费，否则不能开工。如今，建筑装潢业许多大老板均与黑恶势力联系密切就是明证。

第三，下海之初，玩的便是空手道。以空手套白狼，势单力薄，背后缺少有力的支持。倘若如工业局起初承诺的那样，给予一定的投资，当时就具有一定的经济基础，一开始就高薪聘用贤能，向正规化发展，可能到今天，也是另一番景象。

第四，我出身农家，从小过惯了勒紧裤腰带的苦日子，小农意识强，书生意气浓，自命清高，不会来事，对于社会上请客送礼、阿谀奉承、行贿受贿之事深恶痛绝，不适应市场经济的要求。

基于以上原因，我们的工程队最终没有形成气候。但有一点可以肯定，在我的老家鸣犊镇高寨村，有许多农民工就是从我这儿学到了一点点装潢技能，至今依然活跃在西安各劳务市场，成为装修游击队，挣得一些苦累钱以贴补家用，也成为市容、城管等部门取缔、处罚的对象。今后若有机会，我想写一写他们的生活，其中有许多逗人的东西，令人捧腹叫绝。

随着对仿瓷涂料的深入了解，我逐渐发现了其中的许多弊端，譬如原料分散，不易集中采购；造价昂贵，非一般家庭、单位乐意接受；气味刺鼻，对人体有害，且施工工艺复杂，不易推广；属于小化工，对环境有一定污染，是国家明令关、停、并、转的对象。

大凡一个成熟的产品，必须经得起市场的考验。

当时，全国生产仿瓷涂料的厂家少说也有几十家，可过不了多久，就纷纷关门停产，销声匿迹了，几年之后，甚至连“仿瓷涂料”这个名称似乎也在人间蒸发了。后来听说，所谓的“清华技术”“国内首创”“世界领先”等，其实只不过是某些人从安徽某个体户手中买来，挂靠在清华某下属公司的名下，借着“清华大学”这块金字招牌招摇撞骗。就如同当初的牛蛙养殖、肉蝎繁殖、杜仲种植、玉米制糖一样，一度曾席卷神州大地，创造出无数的神话，演绎出种种传奇。然而，再绚丽多彩的泡沫毕竟是用肥皂水吹出来的，转瞬就要消失，甚至在阳光的照射下，连一滴水珠也不曾留下。不错，有些人的腰包是鼓了起来，造就了些许款爷，达到了小康水平，可给国家和许多善良的人们平添了几多损失。

回头再来看看张厂长，几年未见，我不知道他如今在干什么。“博大”是否依然“博大”，夏利又该换作“宝马”“奔驰”了吧！我猜想，换成桑塔纳的可能性最大，因为前一段时间我去北京，发现京城街头的出租车已经历了由面的、夏利到桑塔纳的变迁了。但愿只是瞎猜，张厂长是款爷，不是的哥。

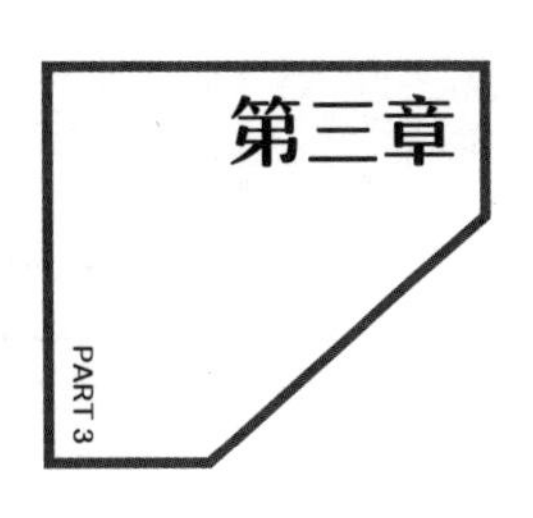

贫贱夫妻百事哀

俗话说："福无双至，祸不单行。"爱情之花要常开不谢，就必须用金钱的雨露不断浇灌。一位哲人说过："幸福的家庭基本相同，而不幸的家庭各有各的不幸。"事业上的挫折与婚姻的不幸总是相伴相随的，这几乎是一条规律。

爱情、婚姻、家庭

俗话说：“福无双至，祸不单行。”爱情之花要常开不谢，就必须用金钱的雨露不断浇灌。一位哲人说过：“幸福的家庭基本相同，而不幸的家庭各有各的不幸。”事业上的挫折与婚姻的不幸总是相伴相随的，这几乎是一条规律。这年头，笑贫不笑娼，人人都想过舒服日子，各有各的门路。有人靠老子升官发财，软玉温香抱满怀；有人靠一副漂亮的脸蛋嫁老外，做二奶；下贱点儿的去歌厅酒楼为婊子，当妓女。说穿了，还不都一样，为了钞票。纯真的爱情只能到言情小说中去寻找——人世间毕竟同富贵者多如牛毛，而能共患难者却凤毛麟角。

在爱情方面，我属于那种起了个大早、赶了个晚集的人，至今我已年届四十，而孩子却刚刚七岁。

中学时代，内心就萌发过朦朦胧胧的憧憬。那时，我学习好，一俊遮百丑，是学校里的佼佼者，女同学时不时地投来羡慕抑或爱慕的目光，也曾怦然心动，但由于家境贫寒，连肚子也填不饱，急于跳出农门，哪里还敢有什么奢想。于是，我强按住青春的躁动，一门心思放在学习上，不敢越雷池一步。进入大学，起初看见城市青年在大街之上公然勾肩搭背，搂搂抱抱，卿卿我我，我竟面红耳赤，仿佛自己干了什么苟且之事，心中惴惴不安。

同村的一位女孩与我青梅竹马。她出身不好，父亲曾加入“一贯道”，哥哥参加“反革命纠合集团”，典型的“地富反坏”“牛鬼蛇神”。阶级斗争年代，一次在学校召开批斗大会，将她父亲、哥哥拉上主席台，弯腰奓手，老实交代。贫协主席鼻涕一把、眼泪一把地血泪控诉。末了，五花大绑，宣布逮捕。人群落井下石，“打倒×××”的呼声震天动地。她的眼泪就如同断线的珠子滚落下来。那时我年幼，心软，又坐在她的旁边，看她可怜，虽然也高举拳头，却只是装模作样，呼不出来口号。她遂对我产生好感，有事无事总喜欢和我在一起。后来，她父兄的“冤假错案”得以昭雪平反，她成为贫下中农子女，我们的来往愈加密切。升入初中时，我考取了重点中学，跑到十几里之外读书，礼拜天回家取干粮，她总借口向我请教问题，老爱往我家跑。高中时我们又在同一所学校，经常见面。那时以学业为重，虽然早已是心有灵犀，但中间的那道窗户纸，谁都始终未曾捅破。高中毕业，我考入北大，她上了我们当地一所师范学校的师训班。在村民的眼里，我俩是天设的一对、地造的一双。

那年，我赴京读书，她背过熟人，偷偷地送我到火车站，“执手相看泪眼”，几次欲言又止。火车徐徐启动，加速，她跟在后面奔跑、追赶，直到在天际变成一个黑点。到了大学，我们经常通信，谈理想、谈抱负，设想以后的美丽人生。后来，一位屡试不第的老范进，如《天龙八部》中的马夫人，怀着自己得不到宁可毁掉的心态从中作梗，使我们之间产生误会，渐渐疏远，终于中断了来往。我大学尚未毕业，她为了得到一份像样的工作，勉为其难地嫁作他人妇。回乡之后，我们经常谋面，事隔多年，都已有家有室，为人父、人母了。“曾经沧海难为水，除却巫山不是云。”偶尔触及我们当初的情感，彼此仍然唏嘘不已。

还有一位同学，后来考入兰州大学英语系。她与我同窗六年，对我心仪已久。进入大学后，鸿雁传书，交流思想，联络感情，探讨人生，慢慢地从友情发展为爱情。那段时日，我正在山西吕梁进行方言调查，每日期盼着远方的来信，倾诉相思之情，相爱之苦，沉浸在爱的幸福之中，尽享柏拉图式的爱情。但后来终于因为家庭变故，劳燕分飞，未能走到一起。

在长安这个小地方，传统观念根深蒂固，门户之见非常盛行，人们很讲究实际。记得在我年幼的时候，订婚时女方要“三转一响”，即自行车、缝纫机、手表和收音机。我的一位堂兄，旧社会时其父为保长，有钱有势，妻妾成群，良田百顷，家财万贯，是难得的殷实人家。然而谁能料到，“穷不过三代，富亦不过三代”，人生在世，充满了风险与变数。新中国成立后，消灭了剥削，没收了家产，从此家道中落。堂兄“回搭”时，答应女方的“三转一响”就是因为没钱无法兑现，只能眼睁睁看着娶到家门口的媳妇嫁作他人的婆娘。以后他的年龄愈拖愈大，终于成为老大难问题。时至今日，年过半百仍然是孤家寡人，光棍一条。“不孝有三，无后为大。”看来这一辈子命中注定没有儿子，连孙子也耽搁了，这一门从此就要断子绝孙，提根拔苗了，你看危险不危险？到了我们这一代，生活水平提高了，“三转一响”变成了“四子”，即车子、房子、位子和票子。这几个条件，对于我这个出身农家，刚跨出校门的“第一代商品粮”来说，不是逼良为娼，非得去偷金库、抢银行不成吗？

长安是个农业大县，农民多，居民少。一般居民家庭嫁女不嫁“第一代商品粮”，意思是农村贫穷落后，刚从农村出来，与农村有着千丝万缕的联系，农村的亲戚、朋友多，花钱多，麻烦事亦多。而作为我，由于城乡差别，好不容易跳出农门，又不愿意再与农村扯上新的亲戚关系，以免贻祸子孙，遭后代埋怨唾骂。

刚回长安时，我的去向是城建局，油花花单位，旱涝保收。还未上班，村长就将在某局机关工作的一位中专毕业生介绍给我。双方接触了几次，很谈得来，愿意继续交往。后来我的工作发生变故，分到了计经委，中专生就不高兴，认为单位不怎么样。再后来得悉，我还是计经委的借调人员，关系在企业，就断了来往。以后热心人还介绍过几位，均因同样的原因，都不了了之。就连计经委下属企业的一个工人也照样瞧不起企业，见我的关系久调不到机关，担心两人都在企业，朝不保夕，以后企业垮台生活没有着落，宁可嫁给一位机关的工勤人员，也不愿嫁给我这个关系在企业的正式国家干部。

然而，认识她，纯属偶然，也是个例外。

1992年初，我还在计经委党委办公室上班，兼管企业政工人员职称评定。海红轴承厂西安分厂的一位女工，曾经管理过该厂的计划生育工作，当时已经调到了单身宿舍楼当管理员，其条件在模棱两可之间，为了职称评定，她多次找我通融。我以为，政工职称不像经济、技术序列，须得具备一定的专业知识、技能与资历，况且不与工资挂钩，本来就是党和政府为了稳定企业而采取的一种平衡措施，就本着与人为善的思想，评定了其初级职称。其人感恩图报，将该厂子弟介绍给我，不想竟成为一段孽缘。

我们认识时，她刚高中勉强毕业，升学无望，待业在家。她高挑的身材，白皙的脸蛋，梳着一对羊角辫，一副清纯可人的模样，不嫌弃我这个“第一代商品粮”，我便有了好感。那时，企业效益下滑，就业形势严峻，其父母是普通工人，没有别的门路。海红轴承厂为了照顾职工子弟，内部招工，她便进了厂劳动服务公司，做了一名集体所有制工人。

我们见了一面，彼此感觉不错，就延续了来往。我本性诚实，不忍心蒙人骗人，在正式确立恋爱关系之前，告诉她我自己的企业身份。此后很长一段时间，她未主动找我，我去找她，也以种种理由推托，如此这般，渐渐地中断了来往。

不久，我随副局长下海办实体，工作繁忙，无暇顾及个人小事，此事就慢慢淡忘了，热心人也开始给我物色别的对象。忽一日，她来找我借书，我惊愕：

“以往看见书本就头疼的人，是不是晚上失眠，怎么突然想起了读书？”

惊愕归惊愕，书还是求之不得地借了，如此多次。叔本华、尼采、弗洛伊德、刘再复……两三天一本，凡是能够瞧得上眼的都被她逐个翻了个遍。

我问她有什么心得，她回答说有的地方读不懂。

后来，她说感到自己知识很贫乏，想利用业余时间去西安某夜大学习《英语》《公共关系学》，晚上独自一个人骑自行车害怕遇见坏人，希望我能陪伴她。我暗自高兴，却想吊吊胃口，装作很为难的样子。因为企业里确实很忙，但最后还是勉为其难地答应了。

这样一来二往便加深了感情，确立了恋爱关系，见过双方父母亲属，很快就到了谈婚论嫁的时候。恰在这时，我去新疆出差，原以为很快就回来，没想到一走就是好几个月，婚事就搁置起来。

我从新疆归来，已逼近年关。过完年，其父邀请副局长保媒，从老家请来了我的父亲，在饭店预定了酒席，双方的父母第一次坐到了一起，婚事正式提到议事日程。正要确定吉日，新疆的厂家来陕回访，不得已，又延误了不少时日。

到了五月，天气渐渐也热了起来，转眼即到五黄六月，确实不能再耽搁了。我觉得自己“车子、房子、位子和票子”一样都不具备而能得此淑女，已经心满意足，不能太过委屈了她。于是由着她的性子，大操大办，金银首饰一样不少，进口家电一应俱全。其时，我手头仅有一万余元，家里也帮不上忙，一时间打躬作揖，求神告庙，债台高筑。《周易·系辞上》有“二人同心，其利断金；同心之言，其臭如兰”，心想，一辈子就这么一次，谁都有个虚荣心，且由着她，只要两人幸福美满，努力工作，一切都会好起来的。

1994年是她的本命年。按照习俗，本命年勒红腰带辟邪，不论婚嫁。但我已二十八周岁，一眨眼就到了而立之年，确实不能再耽搁了。为此，一向不信神不信鬼的她的父亲，破例前往西安八仙庵求签问卦，祈求破解之法，选择黄道吉日。

其间我们发生了一点小摩擦。那天去西安购物，已经大包小包买了六千多块钱的衣物，我实在提不动了，要不是怕人笑话，差点儿雇个挑夫帮我扛行李。最后她又相中一件旗袍，商家眼睛有水，一看就知道是个冤大头、挨宰的主儿，索价一千八百元。当时我每月的工资才二百六十元，况且当时腰包只剩下不足一千元，就劝她别买，反正到时候只穿一天，结婚时租赁一件礼服也是一样的。可她死活不肯，眼泪在眼眶里打转，终于拗不过她，掏完了身上仅有的九百五十元，商家才照顾情绪似的优惠给我们。那件旗袍就结婚当日穿过一天，以后再没有沾过身，太鲜艳了，扎眼，花大姐似的，谁穿？

依照阴阳大师的推算，农历五月二十八是我们大喜的日子。那天副局长亲自主婚，全局职工过来操持，所有亲朋都来道贺，好不风光，好不排场！婚宴上局长勉励我们：

“干好国家的事，过好自己的日子。”

也许局长口中有毒，日后竟一语成谶：国家的事干得丢掉了饭碗，自己的日子过成了孤家寡人，极具讽刺意味。

我白白把书念了许多，思想一点也不开化。在骨子里，我的封建意识很浓。新婚之夜，我发觉她已不是处女，嘴上傻瓜似的装作不知，心里便起了鸡皮疙瘩。此前，我有多次偷尝禁果的机会，如儿时吃葡萄，先拣最绿的、最小的吃，把最红的、最鲜的留到最后，这样，越吃越甜，越吃越有希望。总想将最神秘最宝贵最美好的留给洞房花烛夜，未曾想却拱手让与他人，心中有种被贼偷、被人欺骗的感觉，别提有多么难受。

一夜未眠。

我是个伪君子，第二天回门，打起精神，强作欢颜，极力掩饰内心的委屈与不满，努力装出幸福美满的样子，口是心非地接受众人的恭贺与祝福，其实哑巴吃黄连——有苦难言，满肚子的委屈无处倾诉。一天提不起精神，浑浑噩噩，心不在焉。临告辞，岳父取出一千元，交给他女儿：

“你们刚组建新家，花费很大，这些钱拿着补贴家用。”

好男不挣家当，好女不要嫁妆，君子不食嗟来之食。以我的个性，从不无功受禄，轻易接受他人的怜悯与馈赠。但这次例外，不推托，便是默许。

亲朋好友都说了些祝贺我们幸福美满、白头偕老的废话，包括岳父岳母。我想自己偌大年龄，娶妻不易，传将出去，惹人笑话。反正事已至此，无可挽回，也就不再多言。

“还是以大局为重，多往好处想，一切都将成为过去。”我自我安慰。

没有蜜月的如胶似漆，日子宁静而平淡。

完婚后三天，我去工地。倘在国家单位，像我这么大年龄成家，至少能休两星期的婚假，工资照发，奖金照拿。不是我的事业心强，我也并非傻子、工作狂人，也知道待在家里，风吹不着，雨淋不着，坐着躺着，何等舒服。可是创业之初，事情千头万绪，都需要一一打理，前一段时间筹备婚礼，已耽误了不少时间，如果再不抓紧弥补，于心何忍？

几天未去，工地上杂乱无章，半天理不出头绪，一会儿就头昏脑涨了。若是在以往，街上随便吃点东西，点一支烟，冷静下来，慢慢打理。如今，心中有了牵挂，于是急急往回赶。待赶回家一看，冰锅冷灶！房间还如我早上走时一样，横七竖八，凌乱不堪。电视里响着烦人的声音，妻子侧依在床上，说她不舒服。我要送她去医院，她又说不必了，不要紧。我安慰了几句，就自己下厨，匆匆吃了，又赶往工地。晚上回来，黑灯瞎火，楼道中我喊了几嗓子，应了，原来在隔壁打麻将。我累了一天，也不想做饭，于是去食堂端了两碗水饺，胡乱吃下。

一连几天，都是如此，我的心凉了半截儿。

单身时，伙食搭在街道，“食堂即我家，厨师是娃他妈”。花钱多权且不论，不滋润，腻味了。渴望小锅小灶，哪怕是粗米淡饭、缺盐少醋，两个人的世界，彼此对面而坐，边吃边聊，吃得干净卫生，吃得心情舒畅。这种小日子不知在梦中萦绕过多少次。万万没想到，费尽九牛二虎之力成家，竟连这点要求都达不到。

然而，这仅仅是个开始，令人痛心的还在后面。

政企分开之后，机关停发了我等兴办实体人员的工资。这样，在没有一分钱资金投入的情况下，我们被一脚踢开，与机关脱了钩。不久，色纸厂、复合肥厂相继停办，相关人员又回到了机关。秦××擦亮眼睛，看到实体举步艰难，前途渺茫，也一拍屁股，回了西安轴承厂。实体仅靠我与退居二线的调研员副局长勉力支撑。至此，工业局下海十余位人员之中，只有我一人还在海水中苦苦挣扎，其他人都陆续爬上了岸。

海红轴承厂直属机械工业部，是国有大型企业，"深挖洞，广积粮，不称霸"时代，害怕超级大国的炸弹，钻进了大山深处，位于陕西勉县。20世纪80年代，苏联瓦解，世界呈现多元化趋势。为了迁出大山，海红轴承厂兼并了长安县农机修造厂，建立了海红轴承厂西安分厂，接受总厂与长安县计经委双重领导，以总厂为主，因管理正规，经济效益不错。工厂实行计件工资，上不封顶，下不保底。有位姓孟的工人努力工作，月工资可领一千多元，这在当时是个了不起的数字。

妻子是磨工，精磨工序，实则磨洋工。婚假期满，她勉强去上班，可出工不出力，出勤不出劳，有一个月竟然只领到七角二分钱工资。她未找工厂，工厂方面倒找上门来，话说得很不中听：

"占着机器不干活等于占着茅坑不拉屎！"

于是调整了她的工作岗位，让她拔除厂区的杂草，当闲杂人员看待。她从此长期不上班，待在家里，以麻将为伴。她的父亲得悉此事，好言相劝，并借机讨回了结婚时赠予的一千元现金。

孔圣人说过："唯女子与小人难养也。"忠言逆耳，良药苦口，好话当作耳旁风，好心看为驴肝肺，我也毫无办法，就只能揣着明白装糊涂，睁一只眼闭一只眼，得过且过，装作大人大量，不与妇道人家一般见识。

日子稀里糊涂地向前混着。一日归来，我意外地发现，太阳竟然从西边出来了，社会主义进入中级阶段，步入小康社会了。饭已做好，挺丰盛，还摆了酒。她坐在一旁，脸上荡漾着久违的满足与幸福。我以为她今天手气好，打牌"三归一"，大获全胜，心情不错，因此没有太在意。她却悄然告诉我，有了身孕，医生说要加强营养，多活动锻炼，以后"金盆洗手"，不打麻将了，要学习日本女人相夫教子。我且惊且喜，摔了个跟头拣得一锭金元宝似的一蹦老高，真想奔走相告，把这个特大喜讯告诉全世界，让世界上受苦受难的同胞分享我的快乐与幸福。继而买了一大堆营养品，叮嘱她劳逸结合，注意休息，以愉悦的心情孕育小生命。

然而，绳子总从细微处断，愈金贵的东西愈容易损坏。不幸发生在两个月之后，那天是农历八月十四，中秋节的前一天。我从外面归来，买了一大包东西，准备与未来的小生命，连同他的母亲，一家三口共庆中秋佳节。刚走进院子，邻居告诉我：

"你媳妇病了，在县医院。"

我二话没说，扔下东西，直奔医院。在住院部病房里，妻子挂着吊瓶，躺在床上，岳母已然在座。从断断续续的叙述中，我大致明白了原委：那天她破例起了个大早，端着衣服，下楼洗衣。连日的妊娠反应已使身体相当虚弱，一不小心，踩空楼梯，滚落下来，腹痛不止，造成先兆性流产。已清过宫，现正在输液。

"显示勤谨，打碎盆盆"，这是造化。就这样，一个仅有七十天的小生命，匆匆地来了，又匆匆地走了，甚至还没有成型，还没有胎音，一次偶然的意外迫使他不得不过早地面对这个世界，然后又悄然离去。

事已至此，多说也是枉然，"留得青山在，不怕没柴烧"。只要大人没事，就算苍天保佑。我自己给自己宽心，同时也安慰妻子与岳母。

留院观察了几天，已无大碍，必须回家慢慢静养将息。鉴于我早出晚归，无日无夜，又缺乏照顾病人的经验，岳母将她接回娘家悉心照料。

"早产甚于坐月子，女人月子里落下的毛病，一辈子也难以治愈。"岳母如是说。我不懂这些，就一切都依了她。

妻子病愈归来，性情大变，如鲁迅先生笔下的祥林嫂，神神道道，喜怒无常，饭不做，衣不洗，又恢复了从前的模样。她或上街闲逛、购物，乱买一气，或沉溺于牌局。稍不如意，就摔碟子拌碗，弄得我惶惶不可终日。原以为时间是世间最好的医生，岁月会抹平这一切，失子之痛会渐渐淡忘，情绪就会稳定，就会和好如初。不料，这种情形愈演愈烈，竟一发不可收拾。

结婚时，为了满足一时的虚荣心，我抹下脸皮子，求神告庙，债台高筑，其中借了她表哥五千元。“男人是耙耙，女人是匣匣。”婚后，耙耙没齿，匣匣更没底，实体经营步履艰难，我又被机关停发了工资，一直未能还上。那年入冬的一天晚上，家里没有暖气，我刚架好蜂窝煤炉子，她表嫂打来电话，催要借款。她接的电话，我答应明天想办法，她却命令：

“你现在就去！”

我解释说天色已晚，谁手头存放大量现金，不怕贼偷，还怕强盗抢呢！即使借，也得等到明天银行上班。

“跟着你把我的脸面都丢尽了！”她骂骂咧咧，不依不饶。

我天不怕，地不怕，最怕女人掉眼泪；千不烦，万不烦，最烦女人胡搅蛮缠。我不便发作，于是强按怒火，径直走到沙发跟前，点燃一支香烟，悠闲地坐下，不再理她。

她见我未接圣旨似的言听计从，竟敢把她的命令当成过眼云、耳旁风，顿时火冒三丈，顺手提起一壶冷水，劈头盖脸向我浇来。

我长她几岁，相识以来，一直小心呵护，疼爱有加，可谓“捧在手里怕捏着，含在嘴里怕化了”，遑论大小事，总是忍着、让着，万想不到一时的绥靖政策，纵容到如此地步，竟蹬着鼻子上脸——无法无天了。这一壶冷水，浇灭了我对她的爱怜之情，我的心凉到冰点，多日来的屈辱、委屈瞬间迸发，再也无法控制自己的情绪，顺手一掌向她挥去。

其实我只是想吓吓她，让她知难而退，不再胡搅蛮缠，并没有真正打她的意思。没想到这一巴掌捅了马蜂窝，她哭着、喊着、叫着、骂着，锅碗瓢盆一起向我砸来。

“打倒的媳妇揉到的面。”农村人讲话还是实在。我怒火中烧，哪里顾得了许多，一个箭步飞扑过去，将她摁倒在地，一顿胖揍。

就这样打打停停，停停打打，持续了一个多小时。最后，还是她招架不住，败下阵来，给她父亲打了电话。其父赶来，将她领回娘家，一场世纪大战才宣告结束。

人这一辈子，什么都可以没有，就是不能没有钱；什么都可以有，就是不可以有病。我活了大半辈子，庸庸碌碌，低三下四，没有什么值得骄傲的，唯一值得自豪的就是自己的身体，看似瘦削，病秧子，其实“倍儿”棒。多少年来，从未跨过医院大门一步，从未有过头疼脑热感冒发烧拉肚子之类的病痛。即使去冬泳，或者吃一碗肥肉，再喝一肚子凉水也不例外。真正的生冷不忌，百毒不侵，牲口一样的人物。

因为健康，所以很忙，事儿就多，就很累。因为累，就渴望什么时候能让我在床上躺上三天三夜，即使不吃不喝、不拉不撒也心甘情愿。一次，我到医院看望朋友，眼瞅着那些吞云吐雾、嗑着瓜子、吃着香蕉、谝着闲传的病人们神仙一般的日子，我非常羡慕。他们什么事也不用干，什么心也不用操，对伺候他们的亲人颐指气使、指手画脚、要这要那。亲人们则像忠实的奴仆，唯唯诺诺小心伺候，毫不厌烦。我觉得他们如同生活在天堂一般幸福无比，心想自己啥时候也能够躺在这儿，享几天清福，那该多么美好！也不枉来人世间一遭。

这一次终于如愿以偿了。工作上受挫，事业上失意，家庭的不幸，人生的无奈全聚拢在了一起。再加上这猝不及防、迎头浇下的冷水，我终于顶不住病倒了——面部神经麻痹，口眼歪斜。我的心情糟糕透顶，也懒得去医院，反正死不了，即使死掉也是一种解脱。于是，我不分昼夜地在床上躺了好几天。在这几天里，我想了许多许多。

不知口眼歪斜的我当时是如何面目狰狞，神经末梢好像消失了一样，半边脸浑然无觉，不听使唤。吃流质食物或者喝水会从半边嘴中漏出；说话吐字不清，如小孩子一样把“放屁”说成“放气”；就连睡觉也睁一只眼闭一只眼，好像睡着了却比别人醒着都清醒。

父亲严厉，一骂二打。在这样的家庭氛围中长大，我生性腼腆，言辞木讷。同大多数关中汉子一样，不习惯问候“你早”“你好”之类的文明语，又觉得问“你吃了吗？”之类太俗，似乎人家经常受虐待，饿着肚子，于是遇见熟人莞尔一笑，便是最好的招呼。而那时的一笑，脸部的肌肉就会被斜斜地拉向一边，本意友好热情的笑颜忽然变成讽刺挖苦的鬼脸，比四川绝技“变脸”更绝。听说这种病要看中医，喝毒蛇、蝎子、蜈蚣等毒物煎成的中药，以毒攻毒，再配合针灸，方能见效。可人们常说吃啥补啥，我担心自己喝了毒药，真的变得“心如蛇蝎”，治好了脸，医坏了心，岂不更糟。再者我虽为中国人，对祖国医学却不怎么感冒。一是中医疗程长，见效慢，不如西医刀子、剪子，快刀斩乱麻来得干净利落；二是没有精密仪器，仅凭大夫望闻问切，倘大夫手感不好，视力欠佳，失之毫厘，差之千里，谬之大焉！我有一位同学刘英博士，在北京中医学院取得中医学硕士学位，却又改行到北大攻读古汉语博士，我曾问他对中医的感受，他笑而不答，显然怕露出马脚不敢面对。基于对中医的成见，我未看医生，自己揉着、捏着，竟然不治而愈，看来再过几年我自己也可以改行开个专科门诊了。

常言道：“夫妻无隔夜之仇。”童谣也唱：“天上下雨地下流，小两口打架不记仇；白天共吃一锅饭，晚上同枕一个枕头。”而我们却记仇了，而且是敌我矛盾，不共戴天。

在众人的劝说下，过了几天，我接她回家。在外人眼里，一切都成为昨天，风平浪静，和好如初了。事实上冷战时期刚刚开始，白天互不搭理，夜晚分床而眠，中间划定“三八线”，各自坚守自己的阵地。这样过了一个多月，进入数九寒天，天寒地冻，工地相继停工，我在家里的时日越来越多，四目相对，鼻子不是鼻子，眼睛不是眼睛的，常常默默无言，尴尬万分。

一日，她的朋友来，说在西安找到了工作，帮别人站柜台卖衣服，邀她同去。征询我的意见时，我未置可否，算作默许，心想出去走动走动，换换环境，岔岔心情，也未必就是坏事。

然而，果真成了坏事。

她妹妹在市保险公司当接线员，离她站柜台的地方不远，有时晚上回不来，就宿在那里，我也很放心。但是后来，回家的时日越来越少，甚至过春节亦未见，而我放在家里的现金往往不翼而飞。我以为她拿去还了其表哥的账。欠账还钱，天经地义，我不以为意。

开春后的一天，我收到甲方一万元现金准备购料，刚放在家里两天，第三天去取却不见了踪影。因数额巨大，我不敢懈怠，急忙去找她表嫂。她表嫂说已经很长时间没见她了，账是分文未还。我又打电话给她妹妹，她妹妹说几天都未上她那儿去了，听说与人合伙做服装生意去了广州。可半月后她回来，生意未做成，钱却花得精光，气得我当时更换了门锁。

我使出浑身解数，拉了一屁股烂账，好不容易成家立业。我想珍惜，并非不想和好，感情这东西勉强不得，强扭的瓜不甜，我也别无良策。在许多人，包括她的父母、弟弟、妹妹多次做工作无果的情况下，我对她发出最后通牒，要么回家好好过日子，既往不咎；要么好聚好散，干脆分手，你走你的阳关道，我过我的独木桥，当我的孤家寡人——这种有老婆与光棍汉一样的日子我早就过够了。

她未置可否，依然我行我素，事情就一直拖着。然而，事不过三，我的忍耐也有极限，拖过将近一年，这样耗着，损人而不利己。1996年4月，在财产归她、债务归我的条件下协议离婚。我又成为自由身，快乐的单身汉，哈哈！嗨嗨！啊哈哈哈哈……

麻将人生

写下这个题目时，我刚打完麻将，而且输得精光。

今天上午，我刚到单位，屁股还未把椅子暖热，妻子打来电话，我姐来了，带着外甥，想在韦曲配副眼镜，让我帮忙选购。

外甥自幼体弱多病，姐姐担惊受怕，东奔西颠，求医问药，没过过一天安生日子。如今菩萨保佑，总算长成大小伙子，大学还未考，却又不慎成了近视眼，难道也要步舅舅之后尘，开家“眼镜肉店”？冲这，也得回去瞧瞧。

天雨路滑，出版社催稿子紧，中午本不打算回家，灶上随便吃点，打个盹儿，晚上好开夜车赶稿子。可人算不如天算，计划不如变化，这不，全打乱了。

单位事不多。我们区志办公室主任老谭是个好人，脾性随和，乐善好施，小事看得开，有事无事，一帮人总喜欢来区志办，一边吸着老谭的“祝尔慷”香烟，一边海阔天空地神侃，给沉闷的气氛平添了许多热闹。而想安静一会儿，读读书、写点文字可就着实不易了。

下午，雨下得更大，几位领导都不在，区志办又聚集了不少人。

多年不读书、不看报，更不写东西，脑子笨拙了，手也生疏了。为了省出时间读书学习，把这些年的损失夺回来，这段时间我给自己定下规矩，一律拒绝了老朋友——麻将，而不打麻将最好的办法就是不带钱——与老费一样“不赌钱我就玩”，铁公鸡一毛不拔，谁吃饱了撑的，邀你上场，只赚不赔的主儿？

今天恰好带着给外甥配眼镜余下的一百六十块钱。麻将桌子交往人，长期不打麻将，与同志们的关系都生疏了不少。

麻将曾是我最亲密的伙伴，形影不离的好朋友。

这桩不幸的婚姻持续了两年。正是在这两年间，我经历了太多的变故，从一个企业借调人员到创办实体而“分流”；政企脱钩，在绝大部分分流人员纷纷“回流”的时候，我又因创办实体表现突出而成为实体的骨干，最终被留在了实体；项目的失误与资金的匮乏又使实体陷入困顿，甚至连生活也失去了着落，加之家庭变故，婚姻不幸，前途茫茫，看不到希望，日子失去了奔头。我的心绪很坏，常常自暴自弃，破罐子破摔，日常起居亦失去规律。尤其因为面部神经麻痹，面目狰狞，我羞于见人，一段时间躲在家里，大门不出，二门不迈，每天只吃一顿饭，整日偎在床上，打开电视，有一搭没一搭地看着，心不在焉，全然不管电视的内容。脑子胡思乱想，浑浑噩噩之际，就迷糊过去。一觉醒来，电视还开着，接着继续看，忘却了昼和夜。

当时是无线电视，接收的频道很少。时至午夜，电视节目便纷纷“再见”了，屏幕变成雪花点，声音变成烦人的噪音。不得已关掉电视，上床睡觉，失眠却不期而至。躺在床上，翻来覆去，覆去翻来，怎么也无法入睡。刚开始还不当回事，以为睡得过多，将瞌睡透支了的缘故。时日久了，开始影响身体，整天头晕目眩，眼冒金星，食量大减，坐卧不宁。曾经梦寐以求不吃不喝、不拉不撒睡上三天三夜的愿望也成为毒虫猛兽，避之唯恐不及。

也曾尝试过多种方法企图改变这种情况，比如熄灯后躺在床上，心里开始默默数数，从“一”数到“一百”，再从“一百”数到“一千”；拣一本枯燥无味的哲学著作阅读；听一些缥缥缈缈的音乐等，均无济于事。本想使用安眠药，一是怕产生对药物的依赖性，有损记忆力；二是自己多年来未吃过一粒药，看看能否把不用药的纪录保持五十年。如果能够进入吉尼斯世界纪录大全，那么付出一点代价也是值得的。

一日夜深人静，照例辗转难眠。正在心猿意马之际，偶然听到不远处的洗牌搓牌之声，心想反正睡不着，躺着也是白躺，心慌意乱，活受罪，干脆不睡了。于是穿衣下床，循声而去。站在旁边看了一会儿，有人输光了老本，“三缺一”，就候补进去，上了牌局。牛刀小试，运气出奇的好，要风得风，要雨得雨，不一会儿，门前就摞起厚厚的一沓钞票了。

毕业以后常打麻将。自从下海创办实体，工作忙碌，夜以继日，无暇再玩牌。这次与老朋友久别重逢，赌运奇佳，遂又重新上道。以后几年，心灰意懒，以赌为业，失眠症也不治而愈。这才真的体会到老朋友的可亲可敬可爱了。

将快乐赢于自己，把痛苦输给别人。每日睡到日上三竿，填饱肚子，就上了牌局。战至午夜，上床睡觉，养精蓄锐，以利再战。

打麻将要有“三得”，即舍得、饿得、受得。

首先是“舍得”。麻将桌上的人民币不是金钱，是游戏的筹码，是废纸，花花绿绿的废纸，擦屁股都太硬，一点用处都没有，不必太在意、太认真。所谓胜不喜、败不馁：赢了，不要沾沾自喜，是在为别人存储，可能随时还给人家；输了，也不必垂头丧气，是暂时寄存在别人腰包，像存入中国人民银行一样，也许还有利息，驴打滚儿的利，比央行调息后的利率高多了。人常说“牌打三十年，各拿各的钱”，大致说的就是这个道理。

只有食堂的小老板最实惠。他平时给牌局送饭，哪怕量少一些，质差一点，众人一门心思放在麻将上，很难发觉。万一发现了，“你赢钱，我搞后勤服务还要怎么的，要不要报告公安局？”偶尔有人大胜，在牌友的怂恿下，就会做东，几个人来到食堂，叫几个凉菜，来几瓶啤酒，狠撮一顿，谁都不用领东家的人情。吃着喝着，议论着谁输了多少，谁又赢了多少，输的数目与赢的总数老也对不上账，最终食堂是总的赢家。

其次是饿得。脾胃虚弱者上不得场子，倘若上了牌局，顾不得吃喝是常有的事。赢家怕一碗饭错过手气，兴牌打成背牌；输者则担心借口吃饭，牌局散了摊子，失去了翻本的机会。

一位咸阳轻工业学院的教授，拥有几项发明专利，手头宽绰，大学课程也少，而他的牌瘾却极大。每个礼拜上完课，他就从咸阳匆匆赶来长安，饱餐一顿，备两条烟，掮一箱子矿泉水便上了“战场”。可能苍天有眼，劫富济贫；也可能教书育人是教授，打麻将只是“助理”。教授的手气欠佳，总是输多赢少，我们都喜欢与他玩，接受他的馈赠。当然也有例外的时候，记得有一次，我们的赌注是五块、十块，教授一反常态，如有神助，手气异常之顺，打了三天三夜，赢过三千余元。我的眼睛疲劳，都分不清“条子”“筒子”了，建议散伙。教授得了甜头，死活不肯。恰好楼下有一个五十、一百的大场合，遂把教授领去拣银子。可万万没想到，教授上场之后，风水大变，瓷得和砖头一样，一和不开，不到三个小时，输掉了五千余元。下场之后，连呼：“有鬼，有鬼！”

再次，便是受得。这里有两方面的含义。一是把银钱看淡，生不带来、死不带去的劳什子，太多了倒是累赘。报纸、电视上常有哪个富豪遭人绑架，舍命不舍财被绑匪撕票，从来没有听说过哪个沿街乞讨的被人敲诈勒索。打牌要沉得住气，输赢不显山露水，相信久旱必有久雨，大背必有大兴；不要输几个臭钱就摔麻将拌桌子，嘟嘟囔囔，怨这个怪那个的，惹人生厌。要知道凡是上场子的都是想赢钱的，大家的心情都一样，没有几个人想送钱，故意瞎打乱出一气。当然，与领导打牌或求人办事者另当别论。二是受得家人的白眼，倘若惧内，最好提前编好谎言，必要时瞒天过海，蒙混过关。有位老牌迷姓张，五十多岁，在某事业单位当工程师，老婆开了一家私人诊所，生意挺忙，所以老张承包家务。一次打完牌，匆匆去买鸡蛋，菜市场仅剩下了一家。瞧着个儿还挺大，一元钱五个，就没还价买了十块钱的。拿回家老婆说这么小的鸡蛋，还一元钱五个，买贵了！老张摘下老花镜仔细一瞧，果如所言。乖乖地被老婆数落一顿，很没面子。

老张打麻将着了迷，看见麻将，便走不动了，磨磨蹭蹭不想回家，常常借口单位加班，一头扎进牌场子。老婆很奇怪：“偌大的单位，就忙老张你一人，整天加班？”然而又抓不住把柄，老张理直气壮。于是老婆决定扮演一次侦察员的角色，明察暗访，前去探个究竟。

卖玻璃的喜欢老天下冰雹，卖棺材的希望来场瘟疫，世界就是这个样子，几家欢乐几家愁。那天天气突变，我们猜想诊所生意一定好，就劝老张早点回家，免得吃不着饭，还得挨顶头上司的批评，弄不好还可能睡沙发、跪搓板。可老张壳子“倍儿”硬：

“没事儿，回去晚了，你嫂子给我打荷包蛋吃。”

刚上牌场子，就听见老婆在楼下嚷嚷。老张急忙躲藏，慌不择路，钻到了床底下：

“千万别说我在这儿！”

老婆喊不应，径直找上楼来，东瞅瞅西瞧瞧，最后从床下一把将他拽出。我们忍俊不禁，开他玩笑：

“听老张说他打牌回家晚了你给打荷包蛋吃。”

“吃个屎！”

“啪”的一个大嘴巴，老张的脸上顿时落下五个红手指头印。

从此老张便落下“荷包蛋”的雅号。

我是一人吃饱全家不饿，天不收、地不管的主儿，口袋里装着全部家当，名副其实的“踢不死”“铁腿子”，而且禀性耿直，不喜欢拖泥带水、挂账赖账，在牌场子上很受欢迎。

有的人则不然，某单位老会计吕某，把精打细算的财会功夫运用到麻将场子上，艺高人胆大，信奉“多带手气少带把”，常常欠账、贷款打牌。赢了，今天买水泥，明天买砖头，后天又买钢材。单位领导说老吕的新房是大家伙儿集资修建的。于是过年的时候，老吕的宿舍就出现了这样一副对联：遇炸弹驴脸拉长欲挂账，扣四楼笑逐颜开忙收款。横批：集资建房。

有人把麻将上升到理论高度，总结：情场失意，赌场得意，反之亦然。

某单位党委办公室李副主任，年届四十，眼看副科级待遇已定，提拔高升希望渺茫，转而苦心钻研麻将，深得其中奥妙，十赌九赢，被大家评聘为“高级麻将师”专业技术职称。他把麻将当作创收的第二职业，常常挑灯夜战，夜不归宿。其妻子难耐空房之孤寂，渐与人有了瓜葛，最后竟闹到离婚的地步。

亦有志同道合者。

某局局长，烟酒不沾，独嗜麻将。与某委副主任在牌桌上不期而遇，几场麻将下来，惺惺相惜，相见恨晚。于是各自冲破自己的藩篱，喜结连理。

无独有偶，某执法队长在家常设牌局，赌注很大。某商场女营业员经常光顾，一日该女手气不顺，输得精光，队长说：

“没钱了，下去。”

“没钱了，有人！”该女回答。

双方突破围城，结为伉俪。夫妻一合计，干脆在家里设起了赌场，将老岳母接来，递烟倒水，收取炸弹费。

麻将如同人生，很邪乎，分背、兴，即时运。运气好时，要风得风，要雨得雨，比在锅里拾牌还便当，眼看一把乱糟子，左上一张，右上一张，三下五除二，一会儿便和了；而背运时，起手牌很整齐，揭一张不要，打掉，再摸一张还是没用，最后发现打掉的竟然比手上的牌要好，尤其到一进张听牌时，特别艰难，勉强上来了，不是听在了别人的坎子上，就是埋在了黄牌里，最终还是和不了。

麻将与人生也有区别。

麻将面前，轮流坐庄，机会均等。人生则没有那么幸运，呱呱坠地，就有了高低贵贱之分，男女城乡之别。倘生于帝王将相之门，老子英雄儿好汉，受的是优良教育，就职于要害部门，稍有才能，就能得到叔伯婶姨的提携，便能平步青云，扶摇直上；倘不幸降生于寻常百姓之家，老子贩葱儿卖蒜，纵然学富五车，才高八斗，有经天纬地之能，而无展示之舞台，想要闻达于诸侯，难于上青天。悲夫，呜呼！

麻将则不同，机会均等权且不论，即使背运的时候，也可以运用策略和方法改变时运，扭转乾坤：一曰“掷风”，麻将四圈一局，一局完结便可掷“风”一次，通过更换座位与颠倒上下家之关系扭转时运；二曰“倒手”，人常言“换人如换刀”，每个人都有自己的思路，出牌的路子也不尽相同，通过颠倒出牌的先后顺序扭转时运；三曰“玩骰子”，也叫“驯猴”，通过加减点数把本该兴家抓的牌捯到自己手中；四曰“当相公”，若上家牌兴，故意少抓一张牌，叫“小相公”；若下家牌兴，则故意多抓一张，或少出一张牌，叫“大相公”。若想要对家的牌，要么少抓两张，要么多摸两张牌，叫“小小相公”或“大大相公”。灵活运用这些方法捯牌，就有可能转变运势，克敌制胜。

我对打麻将的方法知道不少，而且能够运用自如。但对人生的策略却一窍不通，既不会阿谀奉承，趋炎附势，也不屑于请客送礼，行贿纳贡，脸不够厚，心不够黑，书生意气太浓，以致沦落街头，卖肉为生，这也是偶然之中的必然。

寻常百姓打麻将可得隐蔽点，公安、治安等部门会不时干预，轻者没收赌资，批评教育；重者扣押滞留，处以罚款。一般来说，他们不没收赌具。那些敲骨吸髓、杀鸡取卵、竭泽而渔的办法不足取，只有放线钓鱼、蓄池养鱼，才能细水长流，取之不尽，用之不竭。

一次，我与几位牌友正斗得不可开交，一位自称解放前曾与国民党专员打过麻将的老赌徒，抠得一张夹张子二筒，使劲往桌面上一摔：

“四棱子！”

不料心情激动，用力过猛，将“二筒”摔为两半，旁边一位年龄相仿者与他开玩笑：“你抠的是一筒，哪有二筒，是诈和。”

引得哄堂大笑。

这一笑可不得了，引来了治安联防队。我们几个人被勒令站成一排，搜身、笔录、签字画押，末了，批评教育一番，扬长而去。

金庸先生的作品脍炙人口，妇孺皆知。长安地界有四大恶人，人称“东邪、西毒 、南帝、北丐”。曾几何时，横行乡里，称霸一方。忽一日，浪子回头，涉足业界，横征暴敛，巧取豪夺，如今都是建筑装饰业的大老板，连执法机关也得让他们三分。

1995年冬，我流年不利，牌运欠佳，不到一个月送掉了近万元，输得连年都过不去。

一万元，这可是一笔不小的数目，若靠双手劳作，几时才能挣得？于是终日闷闷不乐。猛然想起“从哪儿跌倒，就从哪儿爬起来”的古训，我像斗红了眼的公鸡，决定孤注一掷，四处寻找翻本的机会。当得知东寨老李家有一个大场子，便筹款四千元，沐浴斋戒三日，准备前去碰碰运气，一展身手。

东寨村距离韦曲镇很近，那几年刚开始卖地，农民手头宽绰，来得容易去得快，这一点从赌场上很容易看出来。

天刚麻檫黑，老李家已经聚集了三四十人，打麻将的、推牌九的、飘三页牌的、挖坑的、掷色子赶猴的好不热闹。我信奉业精一行，除了麻将，对于其他十八般武艺，自己只略知一二，不甚精通，也不肯轻易上场，免得将白花花的银子打了水漂，输冤枉钱。

其时，麻将场子插不上手，我一边观察风水，一边耐心等待。晚九时左右，终于将一人“踢”出局外，我得以候补。

赌场不欺命穷人。我一上场，手气挺顺乎，几小时就赢了五六千元。正暗自庆幸间，不知哪个王八蛋出去时忘记关门，公安派出所四个干警破门而入，大喝一声：

“别动，都站起来！”

在这千钧系于一发之际，同桌的赵某眼观六路，耳听八方，看来者不善，一脚踢翻桌子，顺手拾起一块半截子砖头，大喝一声：

“老子今天豁出去了，谁不生整日他妈！”

其时隔壁正在盖房，砖头、铁锨、镢头、棍棒遍地都是。有人带头，众人都是舍命不舍财的主儿，大家一哄而起，纷纷操起家伙，发出了吼声。公安干警眼睛雪亮，他们见形势不妙，众怒难犯，弄不好会两败俱伤，得不偿失。反正跑了和尚跑不了庙，男子汉大丈夫，能屈能伸，收拾你的日子还在后头，便一声不吭地夹着尾巴，灰溜溜地溜之大吉。

第二天一大早，派出所出动了好几辆警车，二十多人全副武装，浩浩荡荡地前来抓人。我们知道闯下大祸，早作鸟兽散，逃之夭夭了。老李的老婆被戴上“银镯子”，带到了派出所。别看这妇道人家平时的嘴像刀子一样，蛮厉害，你说一句，她能说八句，驳得你哑口无言。一旦到了派出所，吓得屁都不敢放一个。惊恐之下，王连举、甫志高似的把我们一个一个全部招供出来，全然没有一点共产党员宁死不屈的英雄气概。

我们一帮赌徒聚在一起商议应对之策，想办法营救老李的老婆。正手足无措间，有人想起了“西毒”，他这几年财大气粗，手眼通天。于是我们每人集资五十元，搬动“西毒”的大驾，设宴为公安干警们压惊赔礼，方才摆平了此事。若非“西毒”的脸面，每人处罚一千、两千元还是手下留情，网开一面，弄不好，扣你个“暴力袭警，聚众抗法”的帽子，看守所蹲个十天半月，忍冻挨饿、担惊受怕不说，到时还得用银子去赎。

县城韦曲街头，常有三四名“职业棋手”摆设象棋残局。通常由一名身患残疾者设局坐庄，即使执法机关检查，残疾人自食其力，不向国家伸手，你能奈我何？上午，在繁华的所在，展开棋盘，摆几颗棋子，便有闲杂人等围拢过来瞧热闹，片刻，里三层外三层围得水泄不通。一些自命不凡者就会指指点点，说三道四。守候在一旁的“托儿”趁机添盐加醋，故意误导，引鱼上钩。双方争执不下，就会挂足彩头，一决高下。

我曾经问其中一名职业棋手，“可曾否失手？”对曰：“十数年来，仅有一次。”真乃高人也。

麻将不同于棋类，有人说它是“三分技艺，七分手气”，一点都不假，不见得谁的水平高就能过五关、斩六将，也不一定谁的牌艺差就必走麦城。往往生手揭疙瘩，初学者手兴，让你赢几场，尝点甜头，待你上道，自以为技艺纯熟，就到了输钱的时候，所谓“牌艺日精，牌运日臭”。对于个中缘由，曾百思不得其解。后来偶尔看到一篇报道，原载何处，我已经记不清了。讲的是改革开放之初，北京地区最先富裕起来的是那些早年作奸犯科，被注销城市户口，遣送到新疆、青海等边远地区劳动改造的人。他们后来回城，失去了户口，找不着工作，为了生计，就在前门、大栅栏一带率先卖盒饭、大碗茶，后来开起旅店、食堂，当个体户、倒爷！于是幡然大悟，麻将亦同此理。初涉赌场，技艺生疏，自顾不暇，哪有余力顾及别人要这张不要那张牌，只要自己不用，就随手打掉。待技艺成熟，学会了盯人看庄，出牌就有了顾忌。而麻将很邪乎，拆搭子定输赢，一张牌出错，可能就背了。但无论如何，较之生手，熟手优势明显，熟手出错牌的几率极小，背牌有时能够慢慢打兴；生手容易出错，兴牌往往就打背了。这就是输赢的辩证法。

打麻将如此，人生何尝不是这样。只是牌出错了，可以推倒重来；而人生一旦走上岔路，常常必须付出一生的代价。

后继有人

时光在浑浑噩噩之中消磨着生命，日子枯燥而乏味。

对于仿瓷涂料，我已经失去信心与耐心，实体也仅剩下我一名孤家寡人，名存实亡。副局长早已退休，连调研员也不能当了，他唯一能做的，就是不厌其烦地时不时来看看我，安慰几句，叹息几声，仅此而已。

装饰活儿断断续续，在尔虞我诈、弱肉强食的年代，市场缺乏有序竞争。对此，我也不抱太大的希望，只作为维系温饱的手段，在手气不顺时，不至于太过亏待自己的肚子。

也曾想过回到不远处的老家，待上一年半载，什么都不想，什么都不干，从而调整失衡的心态，从过去的阴影中走出，开始全新的生活。可又怎么能忍心让中年丧偶、含辛茹苦、辛劳一生的老父，陪伴曾经引以为豪的儿子，如今落魄到这般模样，而叹息落泪，平添许多烦恼与忧愁呢？于是，像一切都未曾发生似的，我强作欢颜，哄着自己，欺骗着亲戚和朋友。

然而，纸毕竟包不住火。如同雪里不能埋人一样，时间久了，一些细心的人逐渐从我的形单影只、独来独往之中瞧出端倪。姐姐开始托人在老家为我重新物色对象。起先我还蒙在鼓里，直至有一天姐姐贸然领来一位姑娘，我以为他们一起来县城办事，并没有在意。闲谈中，姐姐神神道道，故意将话题往姑娘身上引，说姑娘在一所乡村小学当民办教师，家中姊妹几个云云。我还嗔怪姐姐说话牛头不对马嘴，弄得人家姑娘挺难为情的。姐姐见我榆木脑袋不开窍，干脆不再遮遮掩掩，背过姑娘，说明来意，问我感觉如何。当此之时，我的婚姻实虽亡，名犹存，谈别的对象为时尚早。我哪儿都想逛逛，就是不想逛看守所，蹲大狱，重婚的罪名我可担当不起。我实事求是，据实以告，事情就拖了下来。中途姑娘还来过两次，可我的“绿卡”一直未拿到手，一拖再拖。后来姑娘等待不住，不了了之了。

父亲曾告诫我：“居家过日子要实实在在，花里胡哨的靠不住。”正与古人“红颜祸水”的训诫相吻合，总以为是危言耸听，故弄玄虚。亲身体验了不幸的婚姻，我才真正明白了父亲平实语言之中所蕴含的深刻哲理。

记得在计经委时，某厂厂长、书记为争夺第一把金交椅而脸红脖子粗。官司打到了计经委，由此引出了在企业实行厂长（经理）负责制后，厂长与书记谁大、谁领导谁的话题。党办主任见多识广，言出惊人：

“谁大？谁歪谁就大！”一语道破天机。

企业如此，家庭亦然。也许我的观念陈腐，男子沙文主义思想严重，是个老顽固，为女权运动者所不齿。然而这是我的切身体会与真实想法，我不想隐瞒自己的观点——笑里藏刀，口是心非。我宁做小人，不当伪君子。

我以为，“天”字出头“夫”为主。丈夫要承担更多的责任，婚前尽可以将恋人宠着、捧着，尽情享受爱情的浪漫；可一旦组成家庭，居家过日子成为第一要务，必须完成从浪漫主义到现实主义的过渡。我所期望的家庭如同一盆燃烧的炉火，不跳跃，不闪烁，通过不断地添加燃料，一直温暖到垂暮之年。因为那种天长地久的亲情，浓缩在菜市场、厨房、洗衣间这些很琐碎、很庸俗的地方。

有些事情的转机是毫无征兆的。

那天，“荷包蛋”来叫，“三缺一”。我正要上牌局，前妻突然冒出来，说她菩萨心肠，慈悲为怀，决定放我一马。让我起草离婚协议书，她准备签字画押。此前，她曾发誓，她好面子丢不起人，即使“拖”也要把我“拖”个半死。

我不是个过河拆桥，说话、做事不讲情面的人。我成家不易，懂得珍惜，也曾经抹下脸面，委曲求全、卑躬屈膝地给过她不少下台阶的机会；也曾扯下男子汉的尊严，暗示、提醒她，爱是一根绣花针，看上去似乎很坚硬，其实非常脆弱，极容易折断。但她不知天高地厚，自视极高，骄傲得像个公主。我是个堂堂正正的汉子，人穷志气大，当然无法承受。大丈夫何患无妻？既然已经恩断义绝，留下金灿灿的空壳还有什么意义？如此耗着，损人而不利己，提出最后通牒，终于走到这一步我也是被逼无奈。

从民政局出来，她装模作样，眼睛里噙满泪花。我没有通常的失落感，反而觉得一身轻松，真想面对大街上熙熙攘攘的人群大喊一声：

“解放啦，我自由啦！”——如果不担心人们误以为某精神病院跑了病人的话。临分手，她又说：

“也许过一段时间，咱们还能复婚。”柔声曼语，温柔得像个天使。

我一阵反胃恶心，差点把隔夜的陈年老米饭呕吐出来，“破镜难圆，覆水难收”“曾经沧海难为水，除却巫山不是云”“好马不吃回头草，好男不走回头路”，纵有千般好处，残羹剩饭、拾人牙慧的东西我也断然难以下咽。心中如此想着，冷笑一声，径直走了，头亦未回。

拿到“绿卡”，成为自由之身的第二日，便认识了我现在的妻子——陈晓英。

真是无巧不成书。那时的婚姻自然少不了热心人的撮合。那一日，我心情不错，去了久违的工地，孙师傅无话找话，问起前妻的情况。鉴于孙师傅并非外人，我毫不隐瞒，据实以告。

“那我给你介绍个对象。”孙师傅与我一样，拙口笨舌，言辞木讷，想不到居然还会说媒，真是“士别三日，当刮目相看”。于是好奇心驱使，听他简单地介绍了情况。

“哪有如此机缘，简直如同天方夜谭！”听罢，我心里嘀咕，昨日刚刚走出围城，还没来得及喘口气，呼吸呼吸新鲜空气，感受感受单身汉的快乐，今日又想进去。八辈子没见过女人似的，猴急猴急的，传将出去，岂不授人以柄，惹人笑话。

还真凑巧，孙师傅是海红轴承厂西安分厂的模具工，我前任老丈人的同事。孙师傅跟我干装修活还是前任丈人的引见。权且听孙师傅一言，一来不辜负他的一番美意，二来有孙师傅作证，我并非薄情寡义之人，外面找到了相好的，竟闹起了离婚，以免造成误解——毕竟一见钟情的爱情在言情小说之中俯拾皆是，而在现实生活中却寥若晨星。

她是韦曲四大恶人之首“东邪”的表妹，一位朴实而端庄的农村姑娘。初中毕业，不甘于关中农村传统的生活模式，年龄很小就外出打工。现代都市多姿多彩的生活与闭塞落后的农村形成了强烈的反差。她高不成，低不就，以至于二十八岁，依然待字闺中。而二十四岁的妹妹紧随其后，眼看就要步入大龄青年的行列，成为老大难问题。

依照农村的习俗，妹妹不能先于姐姐出嫁，否则乡党们会笑话“大麦还没黄，小麦倒黄了”？她挡在妹妹的前面，承受着社会与家庭的双重压力。事后我故意逗她：

“大麦要是瞎了，小麦还不收了？”

她给我一巴掌，手扬得老高，落在身上却不疼。幸亏没让女儿看见，否则她会用“打情骂俏”来逗老爹、老娘。女儿七岁，上小学二年级，正在背《成语小词典》，喜欢活学活用。

我把此归结为前世因缘，机缘巧合。她很普通，是“老大难”；我很潦倒，是“二锅头”，我们天造地设，互不嫌弃。况且大树底下好乘凉，如今社会，人们欺软怕硬，攀上“东邪”的高枝，以后再也不用为讨债要账而熬煎了。

我们老大不小，也小青年似的赶了一次时髦，参加“集体婚礼”——婚礼与其妹妹、妹夫同时举行。经过几年的穷折腾，我除了一屁股三角债务，已经没有任何积蓄了。我是过来人，已经无所谓了；她可是大姑娘上轿——第一遭。为了掩人耳目，不致过于寒酸，被乡党嗤笑，她用自己的私房钱购置了“三金”。有人说金项链、金戒指、金耳环是男人为了套住女人而埋设的灿烂的圈套，像孙猴子额上的紧箍咒。我穷光蛋一个，英雄气短，没有那么多穷讲究。我请人将旧家具重新刷过一道油漆；好在电视机太小，功能又少，前妻看不上，没有搬走；重新买了一台电冰箱、一台录像机便算齐备了。至于家庭影院、组合音响，我俩都是音乐盲人，欣赏不了高雅音乐，对嗲声嗲气的流行歌曲又提不起兴趣，倒节省了好几千元资金。婚礼简朴而隆重，婚后温馨而甜蜜，恰应了《芙蓉镇》里的一副对联：

一套旧家具
两个新夫妻

激情过后，日子渐渐趋于平常。为了调剂生活，给平淡无奇的生活增添一点色彩，我们觉得该有个孩子了。这时，女儿也不失时机地来到她母亲的腹中。

对于孕育新生命，我们忐忑不安，喜忧参半。喜的是年届三十，终于看到了希望的曙光，产生了初为人父、初为人母的感觉；忧的是我烟酒不忌，暴食暴饮，生活极无规律，胎儿的发育是否正常？十月怀胎的旅途能否一帆风顺？一个小生灵将要与我们同忧、同喜、同悲，休戚与共了，是男是女？是美是丑？而这一切都在未知之中，未来的几个月注定了要在惶恐不安之中度过了。

我从未当过科长、处长、局长，不知道为官的滋味。为了过把官瘾，结婚以来，我牢牢地抓住家政大权不放。在家里，我是家长，绝对的权威，家里的事我说了算。她只有建议权，没有决策权。即使打麻将，她也会拉把椅子，拿上毛衣，坐在后面静静地看，不能胡言乱语。无论输赢，端茶递水，添衣送饭，没有半句怨言。

可妊娠三月，反应强烈。她头昏眼花，恶心呕吐，她一天一天不太进食，脾气也变得古里古怪起来。以往温顺贤淑的她，早上起床就开始不停地唠叨：

“要添丁纳口啦，这样下去，怎么养活得过……”

我谨遵医嘱，克勤克俭，尽量努力工作，少惹妻子生气，但孕中的妻子性情与平时大异，稍微分辩几句，她就得理不饶人，中东局势似的，唠叨立即升级为争吵。为了避免爆发战争，我惹不起，就只好东躲西藏。

一个星期天，单位都放假，连值班的人都没有来。失去了牌局，我实在无处可藏，她又开始唠叨。我眉头一皱，计上心来，悄悄地找了两只棉球，将耳朵偷偷地严严实实堵住，装聋作哑，顿时整个世界都安静了下来。

耳边听不见妻子喋喋不休的唠叨，脑际一片空明，神清气爽，这才仔细观察，意外地发现妻子拖着日益粗笨的身子，跑前跑后，忙里忙外，承担了许多家务，把房间收拾得井井有条。以前光听她唠叨了，竟没有注意到她一天也干了不少活，也不容易，挺辛苦的。堵住耳朵，听不到她的指责，就无从辩解，不辩解就是默认，等于承认了错误，就有改正的希望。这是作为一家之长从未有过的屈服，她很得意，以为自己当了家长的家长，这样矛盾化解了，自然吵不起来，如此多日。

忽然有一天，我忘记了堵耳朵，竟意外地发现妻子没有以前那么爱唠叨了，又恢复了最初的温柔贤淑。

眼看着腰身一天天隆起，从外形上看，是个女儿。我把这个判断告诉妻子，她死活不信，说她喜欢吃酸的，“酸儿辣女”，几辈子传下来的话，还会有错？一定是个儿子。

我说她犯了经验主义错误，她反说我“教条”，双方争执不下，我便与她打赌：若是儿子，我将家长之位禅让给她，我心甘情愿当牛做马，任劳任怨，服从她的领导；否则一辈子她得听我的，休想篡党夺权，谋我家长之位。

从身材体型上判断生男生女，并非王扶汉老先生所传授。王先生只讲“周易”“八卦”，不屑于算命看相、奇门遁甲之术。而我等却对科学预测学挺感兴趣，思量日后如果失业，街头摆个小摊，打出“半仙”的旗号，“测流年运势，卜生死未来”。老先生不授，遂自学成才：若肚皮高高地向前凸起，就是男孩；倘若向四周发展，铁桶一般长粗了，则是女婴无疑。起初我也不太相信，以为是江湖郎中的伎俩，骗吃骗喝更骗取人民币而已，然几经验证，屡试不爽，比医学院几百万进口的B超机还精确几分，不由得由衷感叹中华文化的博大精深。对于这次打赌，洒家有十足的把握，不然也不敢妄自尊大，以家政大权作赌注，万一赌输了这一辈子可就惨喽。

临盆的日期一天天逼近，妻子也加强了体育锻炼。早晨天还未亮，就将我一脚踹醒，陪她一起到皇子坡爬塬。如此反复，累得腰酸腿疼。到后来，她的腿、脚全水肿了，手指一按，一个一个深坑，半天不得复原。

看过医生，小孩是臀位，而且大龄初产，是脐绕颈，相当危险。大夫建议剖腹产，可三千多元的住院费，还没有着落。父亲从乡下赶来，让住院，说钱的事不要担心，一切还有他这把老骨头呢！

我鼻子一酸，差点落下泪来。犬子无能，三十好几不能赡养尽孝，反过来倒要拖累老父……正六神无主间，丈母娘提着一篮子鸡蛋、白糖、小儿衣物……什么乱七八糟的物什颠颠地来啦。

丈母娘判断，医院为了银子，危言耸听，吓唬老百姓。她自己生了七八个孩子，几时上过医院。邻村有位接生婆，包了一辈子娃娃，手艺高着呢！不妨找她瞧瞧。

妻子是农村姑娘，大龄出嫁，结婚后国家取消了商品粮户口的粮油供应，不买面不买米的，要不要户口无所谓，因而户口一直放在娘家，村子里已经找过好几次：

"又非入赘上门，这种情况没有先例。"

倘若将户口迁回我的老家，孩子随母，又成了农村娃娃。好不容易跳出农门，根子又扎在了农村，遭乡党嗤笑，况且我自己汉小力薄，又不擅长稼穑。左难右难难煞人，遂一气之下，花费八千余元，交纳城市建设配套费，为妻子购买了城镇户口。于是妻子与我一样，既无工作又无地，成为真正意义上的无产阶级、无业游民、社会闲散人员了。到孩子出生时，刚凑钱买完户口，经济状况捉襟见肘，委屈了尚在娘胎里的孩子。

我与妻、丈母娘三人一道，嗅着五月小麦即将成熟的芬芳，来到了距离县城两公里之外的水寨村。接生员是婆媳俩，一人温柔得赛过老妈妈，一人慈祥得像活菩萨。稍作检查，婆婆拍着胸口，信誓旦旦：

"别人以为难，放在我手里，包准没事！"

我在心里默默祈祷：

"上帝啊，我们在天上的父，愿人们都尊你的名，愿你的旨意行在地上，如同行在天上，免了我们的债，如同我们免了别人的债，不叫我们遇见试探，救我们脱离罪恶。我们都是你的子民，保佑可怜的孩子，让他平安地降临世上，免除他的一切灾难，直到永远。阿门。"

预产期是5月16日。早上起来，妻子洗头洗脚，丈母娘将屋里屋外齐齐清扫了一遍，我则买回卫生纸、尿垫子等必需品。一切准备停当，可左等右盼，直等到日头偏西，太阳落山，月亮爬上枝头，却仍不见动静，寻思莫非可怜的孩子也知道世态炎凉，想在温暖的母腹中多待一时半刻？

我们在惴惴中等待，如坐针毡，度日如年，直到5月24日。

那天，妻子感觉异样，我急急地雇车，去请接生员，不料，车子在半路却抛了锚。"就这破烂，还想赚钱。"心里不满，嘟囔了一句，又不敢与他较真。风风火火地跑到水寨，只有婆婆一人在家，媳妇下地干活未归。我们不敢懈怠，留下便条急往回赶。妻子已经破水，躺在床上，腹痛一阵紧似一阵，丈母娘早已烧好一大盆热水，在一旁小心伺候着。

接生婆不紧不慢，仔细检查一遍：

“再等一支烟的工夫。”便坐在一旁，吃着瓜子、糖果，唠着家常，不再多看一眼。一会儿另一个接生员——媳妇也到了。

接生婆说一支烟工夫，可我看着妻子疼痛难忍，大汗淋漓，在床上滚来滚去的样子，心中不忍，感觉这根香烟也太长了，最起码有四五尺抑或一两丈长，不然怎么这么长时间还抽不完呢。见妻子痛苦异常，我分担不得，不由走上前去，紧紧攥住她的双手。

“可以啦。”不知过了多长时间，我的双手都汗涔涔、湿漉漉的，接生婆方才发了话。然后她洗过手，消过毒，一针催生素注射进妻子的手腕。片刻，妻发出撕心裂肺的惨叫声，将我的双手使劲抓住。接生员取过一双筷子，随手塞进妻子嘴里：

“咬紧，一二使劲，再来，一二使劲……”

如此反复，孩子慢慢地露出小脚，接着一条晶莹的小腿，然后是屁股蛋子。接生婆抻着：

“再使劲！”小孩的屁股“嗤嗤”地冒出了脐屎，黑漆漆、黏糊糊的，抹了接生婆一手。

“小兔崽子！”接生婆有意无意，在小屁股上轻拍一下，气氛紧张而和谐。

待到下来一半，妻子已经精疲力竭。孩子卡在半腰，上不去，下不来，情况十分危险。丈母娘吓得直打转转。接生员急红了眼，一人抻着孩子，一人使劲挤压妻子的肚皮，终于慢慢地又下了。待到只剩下脑袋，接生婆稍微一用力，出来啦。

急忙擦干身上的黏液，再看孩子时，两只眼睛圆溜溜地睁着，不哭不笑，没有任何表情。接生婆抓住孩子的两只小脚，倒提起来，照着屁股“啪”的就是一巴掌：

“哭，快哭，孩子，哭！”

孩子浑然无觉，依然不哭不笑。几经反复，毫无效果，连“包了一辈子娃娃”、久经考验的接生婆婆也吓傻了眼：“这可怎么办？我咋办下这种事？”

我们一时呆在当地，手足无措。

听老人讲，孩子呱呱坠地，这“呱呱”之声极其重要，标志着孩子从母体分离，来到世间，呼吸顺畅，成功地完成了从母体供氧到自由呼吸的转接，新生命宣告诞生。孩子不哭，说明有东西堵在嗓子眼，未完全清醒，是非常危险的。

“拿酒来！”接生婆命令。

“烟解乏气酒壮胆。”我们愣在那里，不明所以，以为接生婆方寸大乱，在这个节骨眼儿上借酒浇愁、喝酒壮胆。我平时喜好几口，哪怕家里缺衣少食，白酒、啤酒总是不断。随手打开一瓶白酒，递给接生婆。在我的印象里，农村老太太一般不喜欢啤酒，说“难喝死了，有一股子马尿味道”。

只见接生婆“咕嘟嘟”地含了一大口白酒，“噗”的一声喷在小孩的前胸上，接着又将一口白酒喷在后背上，然后一手托住小孩的脖子，一手攥住双腿，忽张忽合，反复十余次，放下孩子，试试鼻息，有了微弱的气息。接生婆不敢大意，又口对口地做人工呼吸，孩子的气息渐渐加强。接生婆方才长舒了一口气，露出笑容，我们提到嗓子眼的心才落回肚子里。

这时才来得及端详孩子，白白净净，眉清目秀。如我所断言，果然是个千金，这就注定了我一辈子非做家长不行。

女儿与她母亲一样，反对我抽烟、喝酒，说我把家里弄得乌烟瘴气，难闻死了。每每调皮淘气，将我的烟酒藏匿起来，我板下面孔便教训：

“是我的酒救了你臭女子的命。”

她便乖乖地把烟酒给我取来。

孩子的屁股已经被打得又红又肿，可就是性子硬，不哭不叫。丈母娘心里不踏实，接生员婆媳也没办法，她们收拾家什，准备告辞。我想阻拦，话到唇边，又不知如何开口，事后挨了丈母娘好一顿埋怨。

夜已深，妻子沉沉地睡去。丈母娘冲少许白糖水，抱起小外孙女，用勺子慢慢地喂小孩喝下。不一会儿，孩子动了动，撒了几滴尿，脸上有了笑容。丈母娘搂着小孩，嘴里哼唱着，轻轻地摇晃着，手在锦缎般的身子上抚摩着……不知过了多久，忽然掰开小屁股，在内侧一掐，小孩子疼痛，“哇”的一声，哭出声来。

这一哭不打紧，整整一天一夜，吵得四邻不安。在这“嗷嗷”哭声之中，丈母娘露出欣慰的笑容，我也完成了从儿子到父亲的蜕变。

后来有人问，初为人父，是什么感觉？

我觉得这是个非常大的话题，非只言片语所能说清道明，似打翻的五味瓶，酸、甜、苦、辣、咸五味俱全，又混合在一起，难以分辨，几乎包含了人生的全部况味，这也许就是人们常说的“天伦之乐”吧。

珍爱生命。常言道“人生人，吓死人”。我开始并无切身的体会，总以为那不过是女人们为了邀功而编造的危言耸听、骇人听闻的说辞。

女儿算是难产。经历过那惊心动魄的一幕，看到女儿天真可爱的模样，事后想起来不免有些后怕。为了节省区区几千元，铤而走险，将生命当成儿戏，万一遭遇不测，我必将后悔终生。值得庆幸的是，虽然历经艰险，总算有惊无险，平安挺过。我因此欠孩子一笔债，在女儿成长的岁月里，必将倾其所有，精心呵护，以弥补出生时的缺憾与愧疚。

记得那年冬季，女儿受凉咳嗽，我们最初在药店买药，然后在小诊所、大医院诊治。每天吃药、打吊瓶都不见起色。那时，女儿的额头上已经针眼密布。我们心疼女儿，对医院失去了信心。我们忧心忡忡，担心发展成肺炎。偶然听说西安北郊有一家小儿专科，用家传秘方，专治小儿拉肚子、咳嗽等病症，疗效神奇，人称“医咳圣手”，河南、山西患者也不远千里，慕名而来。临近春节，我与妻抱着女儿，几次往返于南郊、北郊之间。大年三十晚上，家家户户张灯结彩，欢度佳节，而我们却在煎药熬汤，全然没有一点儿过节的气息。

每年春季，孩子身上都要长出红疹，奇痒无比。跑过多家医院，看过西医看中医，多方诊治，全无效果，甚至连病的名称都说不清，不禁感叹广告上那么多专家名医都跑到了何处。听有经验者讲，那可能是花粉过敏，每年冰雪融化、鲜花盛开的季节都会出现，可能与孩子接种疫苗，体内毒素不能顺畅排出有关，没有特效药。眼看着孩子奇痒难耐，夜不能寐，夫妻两人看在眼里，急在心头，只能交替搂着孩子，抚着、拍着，度过多少不眠之夜，恨不能代替孩子承受苦难。

“老吾老以及人之老，幼吾幼以及人之幼。”对待自己的孩子如此，就慢慢懂得为别人考虑。大街上看见老人、儿童摔倒，不由自主地前去搀扶，甚至以前不太注意的动物、植物也渐入眼帘，懂得去关心、去爱护，在一个以“杀生害命”为职业的屠夫身上增添了几多爱心。

然而世风日下，人心不古，好心有时却使不得。一次骑车路过，见一老头被车撞倒，撞人者扬长而去，老人躺在地上，呻吟不止。心中不忍，遂搀扶起老头，想不到老头却反咬一口，恩将仇报，诬陷我撞了他，非得带他去治病疗伤不可，理由似乎很充分：

“你没撞我干吗扶我？”

我当时语塞。

由此想到一则《伊索寓言》：一头毛驴正在草地上吃草，猛然发现一匹恶狼冲将过来，逃跑已经来不及。毛驴将计就计，就立刻装出病快快、瘸腿的样子。狼也多事，要吃便吃，却废话连篇，询问毛驴怎么了？腿是如何瘸的？毛驴很狡猾，说它过篱笆的时候，一不小心脚上扎了一根尖刺，奉劝恶狼帮助它把刺儿拔出来，以免在吃毛驴肉时不小心被刺儿卡住喉咙。狼信以为真，抓起驴腿，仔细寻找那根尖刺。毛驴乘机用脚对准狼嘴，狠狠一踢，踢掉了狼的牙齿，然后飞也似的跑开。恶狼吃足了苦头，无奈叹道：

“这叫自作自受，非天与人。老爸教育我当屠夫，我为什么偏偏要改行当大夫行医呢？”

懂得牵挂，心有所系。过惯了单身汉孤家寡人的生活，一向天马行空，独来独往，早晨起床，一脚迈出门去，头也不回，走上十天半月，抑或更长的时间，了无牵挂。自从成家有了孩子，这一切从此改变。每每寻找借口，在家里多待一些时间，迫不得已出门，办完事就赶快回家。即使万一回不去，也要打个电话，或者带话回去，报一声平安。无论家中妻小，还是高堂老父，人到中年，携家带口，再也不是一个人的世界，再也玩不起一个人的潇洒。一个人的成败安危，牵动着一家老小的心扉，与一群人的荣辱息息相关，休戚与共。不由变得胆子小起来，做事有所顾忌，瞻前顾后，思虑周详。少了年轻时的敢说敢干，雷厉风行；多了中年人的老成持重，四平八稳，于是便成熟起来。

孝敬父母。不养儿不知父母恩，成长之路太过漫长，儿时的记忆在脑海中已经渐渐隐去，淡忘了父母曾经在自己身上受的苦、流的泪，甚至以为“不是冤家不聚首，冤家聚头几时休”。父母在自己身上的付出是应尽的义务，是前世的因缘。我有个堂侄，三十多岁，不思进取，游手好闲，稍不如意，对父母动辄打骂：

“这辈子我给你当娃，说不定下辈子你还给我当娃哩。咱家坟头就是那几个鬼魂，来回捯着呢。”

母亲终于上吊自尽，到另一个世界倾诉冤屈去了。

于是便有了“树大分杈，人大分家”，演绎《墙头记》：有一农夫，中年丧妻，膝下两子。农夫含辛茹苦，将两个儿子哺育成人，分别娶妻生子，分家另过。农夫却年老体衰，成为累赘。两个儿子约定，一月三十天，各管十五天，可是到了大月是三十一天，两个儿子都不管。这一天农夫无处可去，只有爬在墙头上。

自己做了父母，才从一把屎、一把尿，一把鼻涕、一把眼泪中真切体会到父母当初养活自己的不易，才真正感受到父母的恩情。我自幼丧母，老父既当爹又当娘，着实艰难。我毕业以后，诸事不遂，心情烦闷，一年到头，难得回几次老家。即使偶尔回去，父子相对无言，十分尴尬，又匆匆告辞。回想起来，老父的心情会好吗？那年春节晚会上，陈红一首《常回家看看》，牵动了多少游子的心扉！

走出户外。我是个好静不好动的懒汉，闲暇无事，常常把自己关在屋子里，看电视、睡觉、打麻将。自从孩子稍微懂事，这一切不再可能。我说外边的世界很无奈，有狼，有狗，还有老狐狸；她偏说外面的世界很精彩，有山，有水，更有大红花。年幼的她，哭着，闹着，非要看看五彩缤纷的世界。于是，在风和日丽的日子，我们便会带上她，穿过钢筋水泥的丛林，置身于青山绿水之间，与大自然融为一体。看着孩子奔跑嬉戏，体味难得的幽静与安闲，心灵也得到进一步的涤荡与净化，这才猛然意识到，自己虽然生于农村长于农村，可这几年确实离自然与绿色太遥远了。

找回童心。孩子缺少同伴，老是一个人，玩不出新奇，玩不出新花样，很快就有玩腻的时候。当我第一次听见“没意思”三个字时很惊讶，完全没有料到如此高深、充满哲学意味的词汇，竟会从一个小女孩的口中吐出。从此以后，我就有意识地和孩子玩耍，互相追逐，捉迷藏，打闹，甚至给她当马骑，当猴耍……我完全忘记了自己的年龄，尽情与她一起疯，仿佛又回到了无忧无虑的孩提时代。

女儿一天天长大，从她的孤独中，我渐渐地发现，独生子女的氛围并不是孩子成长、发育的最佳环境。生活上的极度呵护，社会交往的极度保护，反而剥夺了孩子成长拓展的自由空间，使独生子女自幼生活在一片情感单调的世界里，造成许多性格上的先天不足，如自私、狭隘、封闭、唯我独尊等。

由此可见，计划生育宣传中“降低人口数量，提高人口素质”要有一个度，独生子女大都娇生惯养，刁钻、任性、自私、孤僻等劣根性不可避免地存在于大多数独生子女的性格之中。而在政策方面，国家更多地把眼光放在如何控制人口数量上，计划生育成为基本国策，因为这后面有巨大的人口基数，任何一点松动，都将产生巨大的影响。岂不知，有关资料早就显示，中国妇女的总生育力已经降到了人口更替的水平之下。

为什么要生孩子？传宗接代？养儿防老？生一个还是生两个等一系列的问题摆在人们面前，其中的徘徊、犹豫、困惑和焦虑，我感触至深。尽管每个人的经历、情况不尽相同，但至少有一点是相同的，就是面对选择，大家都会感到一种压力。因为一旦选择了，就意味着一种完全不同的生活，意味着为自己的选择负责。

在大都市，受过良好教育，高薪者、引领社会潮流者生育意愿降低，崇尚单身贵族的生活，玩两人世界的潇洒，与西欧一些发达国家的生育理念很接近。而在广大农村，这种理念是不可想象的。

在西欧一些国家，为了鼓励人们生育，像中国鼓励人们生产一样，想出了很多办法，如有的国家提供免费教育，有的给予优厚的补贴，有的提供免费的牛奶直至孩子成人等。尽管如此，还是调动不起人们生育的积极性。这些国家认为，如果对生育后代都缺乏热情和冲动，那么对于这个国家、民族乃至社会都不是一件好事。毕竟在这个世界上，人还是最主要的。

中国刚好与此相反，农村人为了生一个男孩传宗接代，不惜东躲西藏，倾家荡产，逃避计划生育的追踪。不过最近似乎有些松动，改“超生重罚”为“少生奖励”，不知是否是一个过渡性政策的前奏。

就我而言，这么多年来，城市里面没有单位，农村里面没有土地，活生生的黑人黑户，社会闲杂人员。目前自己还年轻，多少有点力气，笔杆子用不着，刀把子还能拿得起，所以生活勉强无忧。可是若干年后，自己老了，再也拿不动屠刀，笔杆子又锈迹斑斑，而社会也进入一个老龄化非常严重的阶段。到了那时，两个孩子要承担起赡养四位老人的重任，你不觉得他们的负担过于沉重吗？

2000年10月，当我萌生这种想法的时候，送子观音又不失时机地给我送来一个儿子。从此，“一儿一女活神仙”，成为上班一族羡慕的对象。

有了第一个孩子的经验，加之顺产，为了省钱，我们照例请了接生婆，在家里生产，好在一切顺利。那天我少进了一些肉，待打理完毕肉店的一切，匆匆赶回家，孩子已经在抱。丈母娘兴冲冲地让我猜是儿是女。不用猜，我不会相面，还不能从体型上看出来吗？

两个孩子与姥姥都很投缘。开店做生意之后，我与妻子都很繁忙，女儿开始与姥姥住在乡下，稍大上幼儿园，为了让她得到良好的教育，才从农村搬来与我们同住。但女儿还是离不开姥姥，尤其是晚上睡觉。自从儿子来到世间，女儿一反常态，居然撒娇占起怀来，晚上非跟妈妈在一起不行。无奈喂过母乳后，儿子就成了姥姥的孩子，即使已经四岁，上幼儿园了，还是一刻都离不开姥姥。倘问起儿子：

“你家有几口人？”

聪明的儿子会掰着手指头计算：“有爸爸、妈妈、姐姐、我，还有姥姥，一共五个。”

曾经看过一篇文章《无价保姆》，故事是这样的：两口子都上班，无人照看小孩，遂登报聘请保姆。小阿姨、老阿姨、下岗女工条件都太高，无法满足。后一农村老太太打电话来愿做保姆，条件是一分钱不要，管吃管住就行。主人惊诧，到车站去迎接时，竟发现保姆是自己的亲娘。

我自幼没有了母亲，就把丈母娘当成我的亲娘。

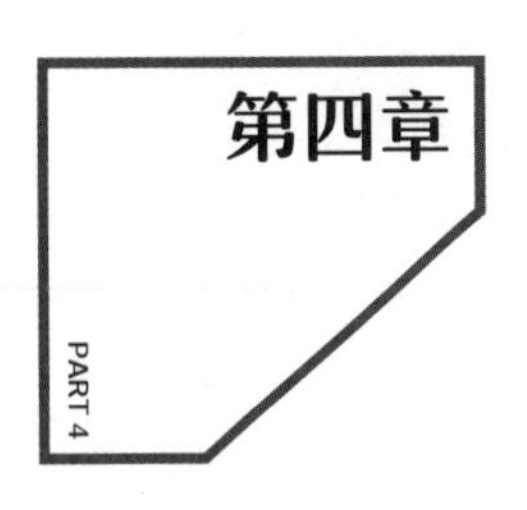

昔日北大生，今日卖肉郎

人算不如天算，计划赶不上变化，人世间有太多的不如意。每个人的境遇不同，各人有各人的活法。譬如茶杯与水缸，茶杯虽小，能够盛水解除干渴；水缸很大，却难以滋润天下之干旱。所以，小，可以纳天；大，不足以容心。

沦为屠夫

20世纪末期，中国进入全新的变革时期，高等院校大规模扩大招生，国家不再统一分配，大学生自主择业，国有企业职工下岗，农村剩余劳动力进城务工，这几股人流交织在一起，使本来已经十分严峻的就业形势陡然加剧。

不知从什么时候起，韦曲街头悄然出现了一种新兴的职业——人力三轮车，在县城之内拉脚载人，无论远近，遑论胖瘦，一律收费一元，当地人戏称“板的”，即人力出租车。“板的”的司机，有国企下岗工人，有附近的农民，还有外来务工人员。据业内人士讲，如今和尚多而馒头少，钱不值钱，又不好挣。即便去建筑工地搬砖、卖苦力，一年下来，三扣两扣的所剩无几，还不一定能按时拿到手，不如花几百块钱，买辆三轮，在大街小巷溜达转悠，挣多挣少，落个现成，不用看哪个人的脸色。

交警们看见人力三轮车渐成气候，便着手整顿交通秩序，规范三轮车营运市场。他们首先登记造册，将三轮车按顺序编号；其次统一车篷车体的形式，给车身喷上淡蓝色的油漆，定制蓝白相间的防雨布车篷；最后再给车夫穿上黄马甲。从此，人力三轮车像机动车辆一样，定期审验，纳入正规化管理的轨道。韦曲街头又增添了一道亮丽的风景线。

长安县总工会心系下岗职工，与县劳动就业局合作，在交警队联系到部分人力三轮车指标，凭下岗证和单位介绍信交费办理，每人限定一辆。有关系门路的却一下子办理了七八辆，甚至更多，自己又不屑蹬，租赁给没有门路的，每辆车每月收取二百元的租金，开起了人力车行。

装修活路时断时续。在妻子的撺掇下，我通过麻友（一起打麻将的朋友），也弄到两辆人力三轮车指标，但自己又抹不下颜面，走街串巷“三轮，三轮，谁坐三轮”地招徕生意，就闲置在院子里。这样，有活儿的时候，大家跟我干活；无活可干时，轮流拉脚。如此，对于稳定装饰工人队伍，保证工程质量起到了一定的作用。

没资格集资建房，又买不起商品楼，我临时借住在计经委南院。院内有一家事业单位，开始很不起眼，仅两间办公室，四五位职工而已。后来，国家加强基础设施建设，其队伍迅速壮大，很快发展成拥有资产几千万，职工几十个人，大小汽车近十辆的红火单位。

同一个厕所排粪便，低头不见抬头见。我渐渐地与其职工熟识，没事儿常开个玩笑，一起打打麻将，吹吹牛皮。该单位装修小会议室时，想到了我们。我觉得在生意场上，熟人好说话，生人才好办事，工程量太小，没多大意思，不想干，但人家是好心，又不能拒人于千里之外。于是，我就预算了很高的价格，意思让他们知难而退，另做打算，没想到居然能够顺利通过。工程完结，我取出一千元人民币，准备给领导一点小意思。可该领导死活不要，却提出其儿子面临初中毕业，看我戴着眼镜，可能读过几天书，还识得几个字，请我得暇指拨一二。人敬我一尺，我敬人一丈，我不好推托，只有答应。

多年不动书本，拿起来未免生疏。自己脸皮薄，又好面子，为避免丢人现眼，下不了台阶，便借了几本书，熟悉教材内容。没想到却是脱裤子放屁——多一番手续。该领导家庭条件好，儿子知道早点毕业，以其家庭的人脉关系，能安排称心如意的工作，根本不把读书学习当回事。一次，老师布置作文，题目是《我的爸爸》，居然将其父刻画成“腰挎BP机，手持大哥大，坐着东风标致”。共产党的优秀干部，全然一副大款、暴发户的派头。初中毕业，果然没有考取高中。其父望子成龙，认为孩子年龄太小，过早地走上社会，没知识没文化的，对以后的发展不利；万一结交不慎，与社会闲杂人等混在一起，后果不堪设想；有心送进兵营，百炼成钢，又担忧孩子娇生惯养，受不了约束，吃不惯部队的苦。最后免不了要寻情钻眼、花钱托人升入高中。

高中课程，对于我这个多年不吃文化饭的大老粗来讲，略嫌艰深。好在一回生二回熟，其父单位时不时地有些活儿，质量凑凑合合，利润马马虎虎，不必疲于奔命，不必送礼纳贡，我也乐于应付。况且这又不是一板一眼、正经八百地挣工钱做家教，监督检查、督促辅导又不太费力伤神。想不到三年之后，他竟考取了某政法干部管理学院，令我等吃惊不小。

装饰市场的猫腻逐渐被人们所熟识，由“包工包料扫地出门”到“包工不包料”，再到“既不包工又不包料”，装潢公司的利润锐减，于是有的装潢公司就与材料供应商互相串通。合同签订后，装潢公司派人与东家一道选购材料，这家的货不行，那家价格又不合适，最后领到串通好的商家，高价购得一般货。“买家不如卖家精”，赔本的生意谁都懒得去做。回过头，背过东家，装潢公司再与商家分成。

我是榆木脑袋，不谙此道，靠断断续续的装饰工程仅够养家活口，哪有隔夜陈粮？自己没有房子，寄人篱下，一旦形势有变，连个窝棚都没有，难道要让一家老小如当年的红军战士“天当房子地当床，野菜野果当干粮”？

一日，妻子与丈母娘忽然心血来潮，突发奇想，说孩子一天天长大，一家人要吃要穿要用，孩子还要上学读书，仅靠我一人之力，猴年马月才能买得起商品房？建议开一小商店，我只管进货，由她娘儿俩负责经营。我想想也是好事，就没有反对。

我的亲戚朋友，种庄稼修理地球是内行，对于经商做生意却都是门外汉，我想要请教也缺乏门径。门口有一家批发商店，开设已有些年头了，老板笑容可掬，宾客络绎不绝，逢年过节，尤其顾客盈门，遂认为其日进斗金，非常赚钱。我常在此买烟买酒，与老板熟识，待向老板一打听，老板头摇得像个拨浪鼓：

“当搬运工呢，能挣几个钱？”

便以为老板口紧，知道我一家无事可做，怕我参行、争抢客源而言不由衷，不讲实话。

主意打定，信心十足，劲头也出奇地大。我们说干就干，东挪西凑，很快筹集了三万元资金，然后在大街上寻找合适的门店。

说来奇怪，平日不找门店，街上的空房一间挨着一间，这个“转让”那个“出租”，简直把人都能绊死；一旦要找，这些门店仿佛故意与我为难作对似的，一夜之间消失得无影无踪。然而，伟大领袖毛主席教导我们：“世上无难事，只要肯登攀。”我们下定决心，排除万难，兵分三路，分头寻找。“功夫不负有心人”，三日之后，妻子一路终于在环南路什子附近发现一间停业、转让的食堂。

环南路什子，是南路乡民进出县城的必由之路，平日里车水马龙，热闹非凡。停业的食堂距离什子很近，一间一层，后面承接了半拉子石棉瓦房，属于临时建筑。尽管我钻研过《周易》《梅花易数》《烧饼歌》《推背图》等一大堆典籍，号称能未卜先知，但无论如何也预料不到，刚刚建起交付使用不足一年的一排崭新门店，很快就面临着被拆除的噩运。

按照门上留下的联系方式，我找到了房东。乍一见面，双方首先一怔，都有似曾相识的感觉。寒暄中想起，对方叫姚××，大我三五岁，高中毕业献身边防，参加了人民解放军，复员回乡之后又想起了考大学，以为上大学如同当兵一样容易，只要身体健壮、政审过关就行。他在我们班插班读过几天书，同学时日不多，所以印象不深。

据姚××讲，那年考大学，预选时他就名落孙山，未能进入正式考场。他觉得底子太薄，勉强补习也是瞎子点灯——白费蜡，干脆断了升学的念头，尝试经商。一直经营百货，生意稳定，收入不错，目前车房俱备，小日子过得有滋有味。无奈与妻子意见不合，“牛拽马不拽的”，冲动之下，租房给妻子办了家风味小吃店。后来又和好如初，商店、食堂两边拉扯，人手不够，自己分身乏术，所以想将食堂转让出去。

我们担心上当受骗，又转悠了几天，实在没有更合适的店面。我等赚银子心切，担心浪费了热情，错过了发财的机会，急忙回家商议。倾向认为环南路的食堂还行，况且房东虽不是很熟，但也勉强算得上同学，总比外人知己。正商议间，姚氏夫妻前来拜访：

“我说老同学，你到底要不要？”

“想要是想要，但转让费太高了，能不能……”我磨蹭着，想淡淡他的价格。

“别人出的价可比你高得多。咱们同学一场，熟人优先。这样吧，一万块钱，图个整数，我优惠给你，再一分也不能少咧！你看老同学够不够意思？”

“如果价格能再合适一些，八千八百元，既图个吉利，还更够意思了。”我嗫嚅着试图还价。

“确实再一分钱都不能少咧！”姚××说话斩钉截铁。

姚妻见我等犹豫，夫唱妇和地列举出了好几家出价的数目，有板有眼。果然都比我高出三五百块，不由得从内心感激老同学仗义疏财，关键时刻还为别人着想。

听说还有好几家买主在鸡屁股底下等蛋，我与妻子不敢再犹豫，就想定下来。姚××不失时机说道：

“咱们熟人归熟人，人熟礼不熟，是这样，你交一千元定金，我给你搬东西，腾房子！”

当时我手头仅有五百元现金，晚上又与人约好了牌局，于是给姚××抹了两张百元大钞，房子就算定了下来。临告辞，姚××还落落大方地说：

“相信老同学，若是换作别人，少了一千元定金是万万不行的。”

我得领老同学一个人情。

房、款两清当日，我与妻同去，双方签订了合同。一叠百元大钞递将过去，姚××认真清点过两遍，又不放心，交给姚妻，嘱咐取验钞机再仔细验过，唯恐老同学以假钞蒙骗于他，最后还皮笑肉不笑：

“先小人，后君子，当面点钱不为过，你说对吧！”嘴上说得一套一套的，我这个语言学学士自叹弗如。

时间就是钞票，浪费时间就是和人民币有仇。拿到钥匙，我们就紧锣密鼓地收拾门店，拆炉灶、刷墙体、搞卫生、做门匾、置柜台、购货架——我的手下有一帮难兄难弟、哥们弟兄，而且不乏建筑装潢的专门人才，这点活儿还不手到擒来？

刚开始做生意，要命的当属进货，姚××当初承诺，西安西门外就有大型批发市场，我不熟悉，初次进货时他可以看着老同学的情面，陪同我一起前往。可钱一到手，话就变了味：

“今天不巧，我很忙，你自己到西门一问，人人都知道。”

第一次进货，我抱着试试看的态度，只带了五千元，主要进购香烟、白酒、啤酒、日用品等我自以为价格熟悉的商品。

我回来与长安县的价格相比较，果真便宜了几毛钱，这就是商店的利润。不由得心中窃喜，姚××以为神秘，不过如此尔耳。

取得了经验，第二次进货，我胆子大了许多，带足仅剩的一万五千元，叫辆小货车，直奔西门批发市场。

七月的天气，像小孩子的脸，喜怒无常，说变就变。刚才还是红红的大太阳，把人热得喘不过气来，把鸡蛋都能蒸熟。一阵狂风袭来，顿时阴云密布，雷电交加，倾盆大雨瓢泼而下，街道一片汪洋。我牵挂着家里的老人孩子，顾不得太多地讨价还价、货比三家。匆匆进完货，急急往回赶。到了门店，雨还在下着，一家老小正守在门前翘首以盼。看到这情景，我的眼睛不禁湿润起来。

原以为开商店与打麻将一样，再简单不过了。既不需要任何技术，也不必身强力壮，只要头脑清醒，识得几个汉字，手脚勤快，会算账就行。殊不知各行各业都有学问，货物的摆放就很讲究。同样的物品，外行摆放得杂乱无章，丢三落四。经内行的手一捋抹，立刻井井有条，整齐又美观。

长安农村有“过会”的习俗。同一村寨长大的姊妹，嫁到了四面八方，一年到头难得相见。麦子上扬，农历六七月间，每个村寨都要约定一天，出嫁了的姊妹备上礼物，各回娘家，名义上看望父母，询问今年收成如何，更主要的则是天各一方的兄弟姐妹相聚一堂，叙旧、拉家常、追逐儿时的梦想，所以也叫“姊妹会”。

那时我们赚钱心切，兴致很高，仿佛不知道劳累为何物。连夜将商品摆上柜台、货架，根据进价，留出利润空间，想当然地标注价格，希望趁“姊妹会”之机，赢得开门红。

忽然想起一则掌故：南方人去西北边塞旅行，贪恋美景，错过了宿头，夜宿于一牧民之家。牧民家徒四壁，却非常好客，杀鸡宰羊，招待远方的宾客。南方人品尝过羊肉汤，以为是世间难得的美味佳肴，就问牧人：“你有如此好的手艺，却贫穷如斯，为何不尝试做生意呢？”牧人回答：“我没有本钱。”于是南方人借钱给牧人。牧人于第二天就炖好一大锅羊肉汤，拿到附近的集镇去叫卖。晚上归来，羊肉汤已完，钱却一分未赚到，还用光了本钱。南方人很诧异，问之，对曰：“我刚到集镇，碰见孩子他二舅，舀了一碗，他说声味道不错，喝完把嘴一抹，走了；接着又遇见了他叔、他伯、他婶、他姨……我见剩下的已经不多了，连忙自己也舀了一碗尝尝，就这样一锅羊肉汤卖完了，连本钱都没收回。”南方人觉得不可思议，遂向牧人开导：“当娃他二舅舀第一碗汤时，你就要对他说清，这是生意，三块钱一碗，他想喝就掏钱，不想喝就拉倒。你要把亲情、友情都转化为买卖关系。”牧人听从了南方人的忠告，每日早出晚归，后来富甲一方。

真是不当家不知柴米贵，不做生意不知做生意的门道。开业伊始，亲戚朋友、远近熟人都来捧场，还真热闹过一阵子。看在亲朋好友的份上，我不好意思赚他们的钱，啥价进，啥价出，倒贴了许多运费折损，花钱赚了声吆喝。可等这些人一走，生意冷清了许多。再过一段时日，愈发惨淡，简直可以用“门可罗雀”来形容。没钱可赚，我们茶不思饭不想，除了焦虑，就是一筹莫展。

一日，忽然拥进一屋子的人，足有十多个，问有多少烟，他们死了人，要“过事”，只要货真价实，全部都要。我们以为来了大主顾，敬财神似的一一递烟倒茶，小心伺候，然后将所有的香烟一一摆上柜台，喜滋滋地供他们选购。不料其中一位掏出证件，说他们是烟草专卖局稽查大队的，这些烟没有经过烟草局，怀疑是假冒伪劣产品，要全部没收。财神转眼之间变成了瘟神，我们措手不及，拼命解释，苦苦哀告。最后，见我们是初犯，他们动了恻隐之心，给香烟逐条粘贴上“中国烟草××专卖”字样的防伪标识，收取了几十元的手续费后，告诫我：

“以后香烟必须从县烟草公司进货，否则一律没收。”

我惊愕不已。

自己烟瘾虽大，每天吸两包香烟，却对国家的烟草政策一无所知。烟草公司与烟草专卖局两块招牌，一班人马，合署办公，实行烟草专营。他们从卷烟厂、上级公司抑或批发市场购进香烟，加贴防伪标志，再倒手批发给零售商、小摊小贩；同时组建了强大的烟草稽查队，严查重罚，切断其他进货渠道，牟取暴利。不知这种做法是否符合国家法令，是否符合社会主义市场经济原则。

据经营商店的业内人士讲，要办好商店，每次必须大宗进货，尽量减少中间环节，压低批发价。商品全，价位低，薄利多销，加快资金周转，才可能赢利。但这需要大笔资金，我们实在无能为力。

离我的店铺不远，有家×氏腊味店，我们背后称其“吃死腊味店”。我刚开业时招待朋友，在那儿买过一些熟肉制品，当天晚上全部的人闹肚子，连我这个生冷不忌、牲口一般的人物也不例外。腊味店一天卖不了几块钱，整日坐冷板凳，于是老头在门口摆了个烟摊，专售假冒伪劣产品，糊弄过路人。就连其孙子抽烟，也要到别的商店购买。

我有位亲戚，儿子初中毕业，想升入重点高中，分数不够，拜托熟人找到学校，学校表示要“研究研究”。亲戚脑子灵活，善于察言观色，问我最便宜的“好猫”香烟多少钱一条，我说至少得一百六十元。他没言语，在老头处用一百元买了两条“好猫”，又在别的批发商店花八十元买了两瓶“剑南春”酒，用亲戚的话说：

“抽名烟喝名酒的人不用花钱；花钱的抽不起名烟，也喝不起名酒。他们知道名烟名酒是什么味道？况且我又不会制造，即使买了假货，也属上当受骗，与我何干？”

也许我的书念痴了，不会脑筋急转弯，做不出挂羊头卖狗肉之事。那时街上流行BP机，五号电池是畅销货。记得有一次，因为不识货，出高价却进了一批假冒“南孚”电池，使用不到一星期，电池就瘪蔫了。我发觉之后，担心让人背后戳脊梁骨，辱骂祖宗，一点儿都未出售，全部留于自己“享用”。

心中有一股信念支撑着，诚实待人，诚信经商，坚持下来，总有感动上苍、生意转机的一天。大热天，撑一把遮阳伞，我与妻轮流守护着摊子，你灰心时我打气；我担心时你自信，相濡以沫，在这样的彼此鼓励中互相搀扶着艰难地往前行走。

也想过许多办法，尝试着把商店的生意拉起来。譬如门口摆设冷饮摊，购置几副象棋、围棋、麻将，晚上将电视机搬到门口，放映电视剧、录像、免费卡拉OK等，也吸引过不少人的眼球，但招来的大多是一些夜生活匮乏的民工，囊中羞涩，对生意帮助不大，渐渐地也失去了耐心。

一天，我去厕所，妻子独守店面，迎来了一个四十多岁的中年妇女，鬼追赶似的风风火火，要两箱矿泉水、三扎啤酒、五条香烟。妻子手忙脚乱地取货、包装、算账、收款，末了，叫辆三轮车，高高兴兴地将客人送走。我回来后，妻兴奋地告诉我，卖了几百元的东西。我接钱看时，发现其中夹着一张百元伪钞，再回过头找中年妇女时，早已跑得无影无踪。

商店每天都在亏损，三个月下来，竟亏了近万元。我们夫妻茶不思饭不想，人整整地消瘦了一圈。“怎么办？怎么办？”是另谋出路，还是继续坚持，期待奇迹的出现。

一个月光迷离的晚上，为了换换心境，我们早早打烊，信步来到不远处的小河边。望着潺潺流淌的河水，回想经商几个月以来曲折的路，无力地坐下，相对默默无言。思绪如这河中的流水，奔腾着、激荡着，碰到石块，稍作停顿，转过一个弯，又向前流去。

穷则思变，走投无路之际，我们为何不像这河中的流水，碰到石头，另辟蹊径呢？何必不到黄河心不死，一条道走到黑，非得在一棵树上吊死呢？

还是女人仔细，妻子发现附近没有肉食经营户，居民吃肉要跑很远的路，很不方便，建议将商店改作猪肉店。

有病乱投医，又是一个完全陌生的领域！可回头一想，我们又对哪一门行业熟悉呢？

汲取了开商店的教训，大目标确定以后，我们并不急于投资，首先进行市场调研。我在一个肉摊前一站就是几个小时，弄得人家不知内情，用怪怪的眼神打量我，还以为小偷瞄上了什么物品抑或是一个精神病病人；其次是请师傅，涉足一个自己不熟悉的行当，没有人领路无异于摸着石头过河，不小心会掉进河里，摔得鼻青脸肿，浑身湿透。不过这一点不用担心，妻子姊妹多，门路广，几乎没费什么力气就找到一位杀猪卖肉的师傅。

师傅姓美，可人长得一点儿都不“美”。五十多岁，皮肤黝黑，岁月的痕迹过早地雕刻在脸上，如大西北的黄土高坡，沟沟坎坎。美师傅中年丧妻，儿子已成家立业，分门另过，师傅守着两间破瓦房，风雨飘摇。此时，他正太阳底下晒得暖洋洋，打着瞌睡。索然寡味之际，有人来找，正是求之不得。师傅的条件是包吃包住，管烟管酒；至于工资嘛，五百不多，二百也不少，没啥样子。银钱看你怎么花，倘若买成辣椒面点眼睛，十块钱一辈子也用不完。反正他是一人吃饱，全家不饿，随便给。一看便知是实在人，我们也不能太委屈师傅，商定月工资三百元。待以后生意做起，取得经济效益，自不会亏待。

接着就是购置工具、设备。杀猪卖肉给人们的印象是脏兮兮、油腻腻的，尤其夏秋，讨厌的苍蝇赶之不尽，杀之不绝；走进肉铺，一股股腐尸的气味，令人闻之作呕。可这个行当投资小，周转快，当日进货，晚上就能收回成本，算出利润。我缺少本金，小本生意，就是看中这点，才下决心开肉店的。有师傅的帮忙，区区数千元的家什不几天就齐备了。

查看过老皇历，1999年农历八月初九，星期六，是黄道吉日。开张那天，通知亲戚朋友前来助兴。早晨八点，“噼里啪啦”的鞭炮声响过，硝烟还未散尽，早有买主聚拢过来：

“这家刚开张，肉新鲜！”你要一斤，我称两斤。师傅打肉，我加工，妻子收钱，一时间繁忙起来。将近十一点，一头半大肉销售殆尽。

第二天是星期天，依然如此。肉卖完后，我粗略地进行了估算，未计工资、房费、水费、电费、税收及其他花销，刚好卖回本钱，不赚不赔。我感觉奇怪，就问师傅：

“是不是肉价卖低了，没有利润？”

师傅回答：“今天不挣，明天不挣，待生买主变成熟主顾，后天就要赚他们的钱喽。”

师傅的一席话使我想起“欲取故予”的掌故：将欲取之，必先予之。姜还是老的辣，果然有一本生意经。

三天之后，销量大减。周六、周日除外，每天的一头半大肉锐减成了一片肉（半头猪），不仅没有丝毫利润，大肉本身还有点烧手，再加上各种费用，亏大发了。我终于沉不住气，又问师傅。

“性急吃不了热豆腐。”师傅是杜曲镇姜家坡人，杜曲镇的热豆腐远近驰名，师傅也善于以热豆腐做比喻。

虽然师傅的大道理一套一套的，可我将信将疑，自己在心里犯嘀咕：

“即使吃不了热豆腐，凉豆腐也不错，总比饿肚子强。”

于是，师傅说我嘴犟，不懂装懂，不可理喻。当日不欢而散。

一天，我多长了一个心眼，进货回来后，不急于出售，首先重新复秤，结果一百零一斤变成了一百斤。师傅说，过秤在一高一低之间，不算啥大问题。于是每售出一刀肉，我都一一记在账本上，最后相加，竟意外地发现，一百斤大肉只能卖到八十五斤强。又急找师傅，师傅也很诧异，急忙校对售肉秤，准准地无误，忙活半天也找不出症结的所在，最后只得自圆其说：

“风吹日晒，折耗了。”随后又补充，“如今卖肉就是不赚钱。”

居民吃香的喝辣的，让卖肉的给他们补贴，这个结论打死我也不相信。“分斤折两”“风吹日晒”，四五斤、五六斤的折秤还勉强说得过去，哪能百分之十五的折；再说倘若卖肉赔钱，谁还卖？又不是到了共产主义社会，人们闲得慌，无事找事。

但一时半刻又找不出问题的症结，我疑五疑六，师傅诚惶诚恐，给刚开业的肉店平添了几分阴沉。

一个偶然的机会，我们破解了其中的秘密。

我的一位朋友做牛羊肉与腊肉生意，摊子铺得挺大，使用两台电子磅。后来国家整治食品市场，生、熟食品不能混放，必须分开经营，遂关掉了牛羊肉生意，余下一台电子磅，闲置起来也是浪费，就想转让于我，在我面前使劲鼓吹电子磅的好处。其时我使用弹簧秤，终于禁不住他天花乱坠的广告，把他的电子磅搬来试用了两天。结果奇迹出现了，不管挣多挣少，肉店开始产生利润。

用电子磅、弹簧秤对照着卖，几天之后，心中豁然开朗。原来师傅是老把式，计划经济时代在杜曲公社食品站杀过猪，卖过架子肉。那时候要先开票交钱，然后才能打肉，师傅形成老习惯，案板上总要放几块碎肉补秤。比如一刀下去打了一斤半还多，报称一斤六两时又不够，弹簧秤又起不来，师傅就报称“一斤六两”，随手加一小块。岂不知加上这一小块，可能是一斤七两或者一斤八两。在过去统购统销、利润丰厚的年代，一小块觉察不出，一直没有在意；如今市场竞争激烈，同行之间竞相压价，利润本身就很薄，挣的就是那么一丁点儿，这就是利润！而电子磅五克分度，自动计算，互不吃亏。

1999年春，盛传家畜口蹄疫，人们性命要紧，猪肉少人问津，供过于求，养殖户跳楼价、大放血地抛售，许多农民因此折了老本，不再养猪。到我开肉店时，疫情已过，货源短缺，价格又一路攀升，最高时，长安县批发到四块四一市斤。肉贵了便摊钱，那么一丁点儿，就值七八毛钱，白白送给了人，人情都未落下。而就连这么丁点微不足道的利润，也叫师傅在不知不觉间“折耗了”。

为了彻底解决这个问题，尽管当时经济很紧张，我还是毅然下定决心，花一千余元购买了电子磅。

肉店不赚钱，师傅心里其实比我更急。听说西安肉价便宜，师傅不失时机地提出建议，到七八公里之外的西安朱雀路批发市场进货。那儿批发价三块八，较之长安县有六毛钱的差价。

“千万别小看这六毛钱，一百斤就差六十元，天长日久，你算算，何止六百、六千！”

由于我刚入此行，不识货，于是师傅与我一道，每天凌晨三点钟准时起床，骑上自行车，到批发市场以单车驮货，风雨无阻。

说起来赶紧捂住嘴巴，小心别笑掉了大门牙，猪肉咬不动，更不能啃了大骨头，白白浪费了口福。长安县有一百多万人口，是远近闻名的农业大县，盛产生猪的地方，大肉批发价反倒比消费城市——西安市高出许多。门外汉以为长安县杀猪卖肉的心重，想一镢头挖口井，一口吃成大胖子；业内人则将其归功于长安县食品公司和动物检验检疫站的管理有方。

在西安市所辖的十三个区县中，长安县拥有许多绚丽的光环。什么国内生产总值全市第一，社会固定资产投资全市第一，财政收入全市第一……不胜枚举，可是工资水平总也赶不上物价的涨幅，职工的收入较之市内要差一大截。我的学兄孔庆东教授在《刀下出美人》一文中，论及韩国的美女咋那么多，“拿刀子硬整呗”，与此却有异曲同工之妙，“刀把子”换成“笔杆子”就行。

长安县税费重，除正常的国税、地税、工商行政管理费、卫生防疫费、动物检验检疫各税费“一个都不能少”外，仅大肉行业而言，县食品公司加收每头八元的大肉批发管理费；倘若在县境外进货，动物检验检疫站加收每头六元的复检费；再加上西安到长安的运费每头五元，合计十九元，还不算每日风雨无阻，来回奔波的辛苦劳神费。同“羊毛出在羊身上”一样的道理，猪毛当然要出在猪身上，从而形成了长安肉价高于西安的奇怪现象。许多用肉大户，如宾馆饭店、餐厅食堂、职工大灶等，为了降低成本，不惜舍近求远，去西安买肉，这对长安肉食市场形成了不小的冲击，构成了不小的威胁。长安境内的屠宰场和肉食经营户对乱收费现象意见很大。

意见归意见，人家有红头文件，是政府行为，割你没商量。食品公司有大肉稽查队，动检站设检疫科，精兵强将，装备优良，每天早晨来回巡查，双休日照常加班，美其名曰：

“为了公众的食品安全，吃上放心肉。”

冠冕堂皇！事实上，有几个人真正懂得大肉，甚至看也不看，只顾盖戳收费。一旦逃费被捉，轻则补票罚款，重则没收大肉，再从重处罚。

对于乱收费，屠宰场、经营户叫苦连天：完费吧，为他人作嫁衣裳，无利可图；逃税吧，每日巡查，十回漏网，一朝被抓，得不偿失。于是一些销售大户“你有政策，我有对策”，与食品公司和动检站玩起捉迷藏的游戏。

一位杨姓同行，家住马王镇，离户县很近，在韦曲青年街开家“诚信大肉店”。一次，他在户县大王镇屠宰场进回三头肉，未到食品公司和动检站补办手续，被食品公司捉了个正着。因食品公司为企业建制，没有执法证，杨同行底气十足，搪塞着不想交罚款。当时食品公司去的人手少，不便来硬的，假装放他一马，借故出门，却打电话通报给动检站。动检站人多势众，杨同行无法阻拦，肉就被运到了动检站的复检门市部。杨同行是个慢性子，孩子掉到井里都不着急，以为补几张票，大不了再罚点款就能了事。于是磨磨蹭蹭不紧不慢地筹钱，晚去了半小时。三头大肉便被动检站没收并削价处理，还要罚他两千元，否则不得再营业。三头大肉价值一千七百元，再罚两千，即使一个月黑不当黑、明不当明地加班加点苦干也赚不回来。杨同行哑巴吃黄连，欲哭无泪。最后请客送礼，托人说情，才免受罚款，总算摆平此事。

经营户之间也有矛盾。你逃过费，肉价稍低，就会抢我的生意。我当然不服气，绝不能袖手旁观，听之任之，就会点炮，报告食品公司和动检站。他们得到可靠线报，尽管没有搜查证，也会如公安局侦破案件一样，翻箱倒柜地搜查。万一查不出，在你肩头上拍拍说：“不错，守法经营，好样的。”佯装离去，半路再杀个回马枪，杀你个措手不及。

一次我隐藏了一头大肉，未上批发管理费，被同行举报。食品公司大肉稽查队出动，人赃俱获。我担心在店里嘀嘀咕咕、拉拉扯扯、讨价还价影响不好，知情者知道因为逃费，不知情的还以为真的黑心，进了不合格大肉，于是任由他们将大肉拉到食品公司。他们不由分说要罚一百元。我问收费、罚款依据。他们拿出了长安县商业局几年前下发的一份文件，而拿不出物价局颁发的“收费许可证”。我以他们手续不全为由，拒绝受罚。他们说我胡搅蛮缠，要没收大肉。我问既然是政策，为什么偏吃另待，只在韦曲地区收费，其余地方不收。为首的一位，听说是刚从商业局副局长的领导岗位上退下来，被返聘到食品公司专管收费的调研员竟回答：

“因为韦曲人有钱，所以要收费！”

荒谬之极，我瞠目结舌，无言以对，也不知道究竟是谁在胡搅蛮缠，胡说八道。然而胳膊终究扭不过大腿，个人毕竟斗不过单位。权衡轻重，只有采取财去人安、息事宁人的态度，处以十倍罚款，交过八十元人民币了事。

某经营户给县境内几家大专院校供货，为了逃费，干脆买辆面包车，于东寨村租赁一院民房，办起地下加工厂。大量的白条肉不进肉店，直接拉进民宅中绞、切加工，其质量可想而知。而食品公司、动检站再厉害，总不至于“私闯民宅”吧！

《华商报》曾以《要卖肉，先交费，食品公司收的哪门子费？》为题予以曝光，西安电视台也曾经予以关注。舆论归舆论，说说而已，一阵风就会过去，无关痛痒。食品公司百十号人，要吃、要喝，还要发福利、盖大楼，不收费钱从何来？下岗职工上访、失地农民闹事，党委和政府已经够烦的了，如果食品公司再来静坐、动检站上街游行，岂不是乱上添乱，天下大乱？如今，发展虽然是硬道理，稳定才是大目标，平安是福，平平安安对大家都好。

师傅人好。开店之初，我们在西安进肉，师傅起早贪黑，出大力，流大汗，又手把手地教导我，将一个手无缚鸡之力的文弱书生，培养成切、割、剁、绞无所不能的专门人才，这一点我永远铭记于心，没齿不忘。他日倘若发家致富，饮水思源，吃水不忘掘井人，卖肉不忘领路人。逢年过节，必好酒好烟好点心去看望孝敬他老人家。即使师傅百年之后，也当立副牌位，供奉起来，早晚上几炷香，磕几个响头。

当然金无足赤，人无完人，师傅也不例外。师傅是杀猪的老把式，打架子肉很在行；但对于剔骨案板肉，师傅见过没卖过。用师傅的话说：“没吃过猪肉，还没见过猪走路？”说话粗鲁，言辞无忌。“这可不是哄人的话”“这肉好得跟×一样”是其口头禅，婆娘、女子不爱听。而且师傅年龄偏大，动作迟缓。如今已非物资匮乏的年月，时间就是金钱，效率就是生命，顾客是我们的衣食父母，当然就该尊为上帝。

当今眼下时兴公鸡下蛋，母鸡打鸣。这些人嘴像抹过蜜糖一样，“婶呀”“姨啊”地叫着，奉承得主顾喜上眉梢。嘴不停，手亦不停，打肉、称肉、收钱、找零，动作一气呵成，末了一句“你走好，欢迎下次再来”。顾客心里如同喝了蜂蜜一般，畅快无比，欢天喜地地去了，下次保准还来，说不定还能引来一大帮主顾呢。

师傅年纪一大把，不宜与大姑娘、小媳妇嘻嘻哈哈、打情骂俏很正常；但稍不如意，板一副面孔，黑旋风李逵、猛张飞似的，令人望而生畏、见而却步也是实情。

一口锅里搅勺把，难免有磕磕碰碰的时候。自从在西安进货，肉店见到利润，虽然暂时未增加师傅的工资，但伙食明显改善。清晨蛋羹、荷包蛋自不待言；卖肉的喜欢吃肉，大肉是现成的，不用掏钱购买，随手劙一刀就是；鸡、鸭、鱼肉，只要开口，从来没有驳过师傅的颜面。不久，师傅就吃得红光满面，精神焕发。

在批发市场进货挺辛苦，肉店产生了利润，师傅亦自觉功劳不小。每日早上忙活一阵子，午饭后生意清淡，小憩一会儿也无可厚非。但到后来，居然一觉睡到大天老黑，不叫吃饭不起来，把一摊子杂活全扔给我，自己做起了“甩手掌拒”，我倒变成了学本事的学徒娃娃。“一日为师，终身为父。”我面皮软，不好意思抹下脸把话挑明，曾暗示过几次，师傅净打马虎眼，装起了糊涂。

如今用人，宁给好心甭给好脸，否则做不了好东家。人要靠自觉，把别人的事当成自己的事干，兢兢业业、勤勤恳恳才能长久。这是我的经验之谈，也算是对打工者的苦口良言吧。

嘟囔得多了，师傅嘴上不说，心里便吃了气，打起了肚皮官司。幸好人心隔着一层厚厚的肚皮，要不然，彼此的心思一眼就能看穿，人们活在这个世界上，会是多么尴尬、难堪和不可思议啊！师傅产生了抵触情绪，表现在言谈举止上，对待顾客冷言冷语，对待我家人阴阳怪气，甚至恶言相向，动辄撂挑子不干啦。因为师傅心里很清楚，我还未学会卖肉，肉店里暂时还离不开他。

注意，我说的是“暂时”。俗语说：“磨子天天转，伙计月月换。”花无百日红，月无三日圆，天下也没有不散的宴席，如今不是提倡自由择业、双向选择吗？我是个两面三刀的家伙，尽管表面上不动声色，好言好语抚慰着师傅，心里却盘算着：“看你还能牛皮几天？”一方面当什么也没发生似的，继续留用师傅，以观后效；另一方面，请我妻哥在别的肉店学习技术，悄悄地做着另一手准备。

一日我有事，师傅独自一人去西安进货。依照以往的销量，除双休日外，我们每天只能销售一头猪肉。那天，师傅破例雇了一辆机动车，赊账进回三头肉，妻子很担心，师傅却说：

“天凉了，怕熊呢，今天卖不完明天接着卖，反正又放不瞎。”

绳子往往从细处断。师傅是个乌鸦嘴，说好的不应坏的偏应，果然不幸言中。第一天卖了不足一半，第二天肉已不新鲜，少人问津，苍蝇却成群结队不请自来，“嗡嗡”乱飞惹人生厌；第三天直接放进了冰柜。放过十天半个月之后，实在无法处理，白白费电不说还占地方，只有趁夜深人静之时，做贼似的悄悄拿得远远地扔掉。这一次损失几百元，师傅的眼睛瞪得像两只鸡蛋。

农历十月初一，棉裤、褙褡穿齐备，当地又称“寒衣节”。按照习俗，要给仙去的老先儿们烧纸钱、送寒衣。过节时肉店生意正忙，师傅却要请假回家烧纸。师傅是孝子，我虽然心里生气，但哪里有不准之理，遂顺理成章地结清了工资。我声称也要回老家看看，顺便停业歇息几天，对师傅说哪天叫哪天来，师傅满口应承，高高兴兴地去了。这样脸不红脖子不粗，非常体面地辞退了师傅。

接着叫妻哥前来帮忙。他爱干净、好打扮，几百块钱的衣服，生怕不小心揩油沾光。肉店又非党政办公室，哪里有那么干净？所以干起活来缩手缩脚。他又算得上村子里有头有脸的人物，整天东家请西家叫的，乡党得罪不起，故来肉店是三天打鱼，两天晒网，靠不住事。而卖肉是力气活，离不开男人。这样，我只有自己亲自操起屠刀，长年累月拴在店里，成为地地道道的屠夫。

师傅在家中闲得无聊，久不见叫，明白了其中的原委，心里很不平衡，几次找到妻哥，质问他有什么错，为何辞退他，要我们说出子丑寅卯来。

后来又听说师傅在冬季的农闲时节，蹬着三轮车，游乡串村地叫卖。一天卖不了几斤肉，权当岔岔心慌，发挥余热，混个生活。

我已经好几年未与师傅谋面了。前段时间，忽然在电视上屡屡看见师傅。身子骨还硬朗，没灾没病，活蹦乱跳的，倒给某诊所做起了广告。

卖肉的学问

三百六十行，行行出状元，行行有学问。

上初中时，鸣犊中学的教导主任杨德林老师常常告诫我们：“处处留心皆学问。”好长一段时间，我对“学问”二字的理解，仅限于老师传授的知识与技能。人们常说“看××老师多有学问”，从来也未听说过哪个杀猪卖肉的有多高的水平。走上社会后，摔过几个大跟头，头破血流之后，才真正体会到“学问”二字的深刻含义。

在人们的概念里，杀猪卖肉是粗笨活，连食堂的大师傅也跟着倒霉，“是故君子远庖厨也”便是明证。古往今来的文学作品，凡涉及的屠夫猎户，无一例外地被描写成五大三粗、力气似牛的形象，如樊哙、张飞、郑屠等。市井之徒樊大爷，不是力大如牛，鸿门宴上护驾有功，也得不到刘皇爷的重用；至于镇关西郑大哥，连倒拔垂杨柳的鲁大和尚欲与他打架，也担心吃亏，先要损其真元，耗其功力，“剁十斤瘦肉，一两肥肉都不要；再剁十斤肥肉，一丝瘦肉也不要”。

这些文学大师们只看到了表面现象，对我等的生活不甚了解，从想当然出发，胡乱描写一番，谬之大也。其实杀猪卖肉也是粗中有细，讲究把式的。

先说杀猪。“把式”抓一把玉米，将肥猪哄到跟前。猪也忒傻，不知人为刀俎、我为鱼肉，即使危险在前，即将成为餐桌上的美食，仍然哼哼地贪吃。“把式”出其不意，趁其不备，一挽子钩住肥猪下颌，猪吃痛，嚎叫着被拉向屠宰台；两名壮汉立即使出吃奶的力气，将肥猪压倒在宰台上。“把式”腾出双手，系紧裤腰带，挽高袖子，右手握刀，左手按住猪的黄瓜嘴，左脚踏在猪脊背上，右腿直蹦蹦地蹬地，然后翻转刀背，朝猪嘴上猛地一磕，肥猪条件反射地一吸气，脖子下即显现出一个小坑。对准小坑，一刀子捅进去，不歪不斜，正中心脏。深不得浅不得，太深穿心而过，一颗心脏就报废了；太浅触不到心脏，则杀不死，又得捅第二刀。如今提倡人文关怀，猪之将死，其鸣也哀，那撕心裂肺的叫声，让人于心何忍，让猪再吃二遍苦，受二茬罪？尖刀一抽，一股殷红的鲜血"唰"地冒出，猪哼哼几声，四只蹄子乱蹬，挣扎一阵，便不动弹了。

家乡二道毛杀猪，一刀未捅死，激怒了肥猪，肥猪反咬他一口，冲破围追堵截，撒腿就跑。众人手提棍棒，紧追不舍，于大冢附近，乱棍打死，合力抬回，传为笑柄。

某屠宰场杀猪，一刀亦未捅死，猪却聪明，不哼不叫，直挺挺地倒地装死。某"把式"准备烫猪脱毛，正要撴腿时，却被猪不偏不倚，一脚将其蹬入烫猪的大锅中。众人急忙打捞，结果还是迟了一步，连烫带呛，待送进医院，早已呜呼哀哉，一命归西了。其妻依然难以割舍屠夫情结，再嫁杀猪卖肉之家，传为奇闻。

某养殖户面善心奸，动辄自己拉猪去屠宰场代宰。一次儿子帮忙卸猪蹄，却一刀砍在自己的手腕上，急忙接筋续骨，难免落下残疾。卸猪蹄不成，倒把人的蹄子给卸了，传为笑谈。

还是继续说杀猪。早有学徒将一大锅热水烧好，"把式"将手伸进水里一蘸，试试水温，口里吸溜着，添加开水或凉水。水不能太热，烫熟了难出手；又不能太凉，否则毛难脱，一般以75℃—80℃为宜，夏天稍凉，冬季稍热。待水温正好，众人一齐动手，撴腿提尾巴，将猪慢慢地放入大锅中，翻来倒去，反复烫浸。烫好了，再打捞上来，用刨子将猪毛"嗤噜嗤噜"地刮去。

刮完大毛，"把式"又提刀在手，捉住猪耳朵，照准脖子的肉缝隙翻转一劃；接着人转到猪背后，刀子一歪，猛一用力，大半个猪脸就带到了槽头上。"把式"说是猪头长得不正，其实是人心不正。头蹄下水才两块钱一斤，而大肉五块多一斤呢！高出一倍还不止，就这么刀下一歪，屠宰场多赚好几块钱。

把猪倒挂起来，"把式"舀一勺热水泼在猪身上，用刀子细细地扫毛。基本干净后，就开始开膛破肚，取出五脏六腑，肠子、肝花、猪尿泡，小心谨慎地摘除苦胆，扔在一旁，几个人就忙着撕油、翻肠子。“把式”这时换过砍刀，扳住猪后腿，“咔哩咔嚓”从上往下砍去。这是“破脊”，也叫“分边子”，按道理应该从正中间分开，可“把式”偏偏分成一边小一边大，叫“单边”“双边”。批发时，双边骨头大，挂在里面，人们不易看到；单边挂在外面，瘦肉突出，一摞一摞的，煞是好看。

制定政策的人有时不了解实际情况，做表面文章，搞行政命令，一刀切。比如现在国家强令屠宰场实行机械化宰杀。把猪先用电猫打晕，再捅一刀子放血，然后机械化脱毛。从理论上讲，是很大的进步。因为猪晕倒后，总比活蹦乱跳捅得准确，充分体现了人文关怀；机械脱毛，既快捷又干净。但机械化宰杀，有其致命的弱点：猪晕倒后，如同死掉一般，鲜血放不彻底，肥膘呈混血色，与“昏头”色泽相近；不如人工宰杀，一刀子下去，猪嚎叫挣扎着，蹄子乱蹬，鲜血充分放干净，肉色红白分明，看着舒心，吃着放心。因为死猪肉的鲜血放不出来，瘦肉带混色，肥肉亦是粉红色，嗅之有腥味。机械化宰杀与之有五十步与百步之嫌，这是机械化杀猪很难避免的遗憾。所以在长安地界，机械宰杀很不受欢迎，虽然强令屠宰场投资几十万元添置机械化设备，但基本处于闲置状态，无异于一堆废铜烂铁。

倘一刀子捅偏，中不了心脏，行话称之为“夹刀子”。剔开排骨，肉中有厚厚的一层淤血，血糊糊一团，半截子排骨、猪肉都会废掉，少则二三斤，多则四五斤。如果宰杀了“夹刀子”肉，屠宰工没有工钱，屠宰场批发时扣除一两斤秤，还得给经营户说好话，否则难以批发，这已经形成行规。

杀猪讲把式，卖肉则有过之而无不及。时代不同了，人们讲求营养，更讲究生活质量。韦曲镇，巴掌大的地方，在中国地图上找也找不着，这里的肉食经营户却从二十年前的两三家迅速壮大到一百多家。排骨口感好，比肥肉贵。高把式剔排骨时，刀子磨镵，顺着骨骼，轻轻地放下去，贴着骨头，悠悠地一划，只三四刀，宛若画个弧形，一片排骨就均匀地剔了下来，光滑、平整，恰如一件艺术品，排骨与肉都好出售；如若把式不高，拿捏不准，非伤骨即伤肉，二者均不好销售。

长安地界穷人多、富人少，排骨不好销售。人们觉得排骨人吃一半、狗吃一半，不划算。不如大肉经济实在，毛拔干净，连肉皮一起吃，一点也不浪费，而且肉皮不仅好吃，据说还能美容。尤其农村人，一个月难得吃一两次肉，如今钱难挣了，过日子要精打细算。饭菜里不动荤腥，淡而无味，瘦肉又太贵，还是肥肉实惠，既好吃又省钱。

韦曲镇的排骨大都走了西安市。一大早，西安一些肉食经营户，骑着摩托车，成群结队，来长安收排骨。长安的肉食经营户对他们既爱又恨，可谓离不开又见不得。他们都是内行，识货，糊弄不了他们。为了追求最大利润，把排骨价格压得很低，而且非常挑剔，这块颜色不好，那块肉又太薄，想方设法少给你钱。但又离不开他们，他们若不来收排骨，长安的排骨卖不出三分之一。尤其到了冬季，萝卜、白菜成为主菜，大肉的销售量大增，排骨少人问津，堆积如山。不卖肉不行，一头肉卖完，赚不下一片排骨，卖得多，赔钱多。

有位佘老板，原先经营餐厅、熟肉，将多余的一间门店租与马老三卖猪肉。马老三生意好，佘老板眼馋，租赁到期，死活不续合同，收回房子自己经营猪肉。而对于杀猪卖肉的行当他却是个门外汉，于是佘老板雇用了 师。2001年春节，我们见西安收排骨的都不来了，赶紧改变销售策略：猪肉不剔排骨，连骨头打，谁爱要不要，销量大受影响。 师一辈子受雇于人，给他人卖肉，根本不会计算成本。他刀子抡圆了，使劲地卖，排骨整整地压了一冷库。过完年，排骨变了颜色，发黑，有臭味。四块钱一斤进购的整头猪肉，该排骨一块钱一斤都没有人要。佘老板怕扔在附近遭马老三等人嗤笑，趁夜半无人之际，做贼似的开着车，拉得远远的，深埋地下。那年春节，我们都赚够了过节的费用，而佘老板却学雷锋似的赔了一万余元。

卖肉还要能说会道。手不闲，嘴不停：吃饺子用前腿，炒菜来点后腿，红烧肉用五花肉……挑肥拣瘦，各取所需。顾客多不懂猪肉，全靠内行介绍。肉肥了说是大猪肉、隔年猪，“宁吃隔年的皮，不吃当年的肥”，小猪肉淡而无味；肉瘦了则说，如今人都怕长胖，肥肉脂肪多，现在谁还吃。到最后连卖猪肉的“把式”自己都不知道到底是肥肉好，还是瘦肉靓。

杨师已卖猪肉十余年，堪称个中高手，由穷乡僻壤的山圪崂，举家迁入县城，一家五口，几乎一般大的三个小子读书，仅靠两口子卖猪肉供给，日子过得滋滋润润、舒舒服服。杨师每每爱进肥肉，大赚其中的差价。他屡次对人言，肥肉是粮食喂养的，而瘦肉是饲料喂大的。饲料中含有催长剂、瘦肉精，对人体有害。一次，杨师不小心进回淌水肉，颜色淡，一刀子一摊水。人们奇怪问之，杨师回答；

“现在肉贵，请的杀猪师傅把式高，血放得干净，所以不红；至于淌水，那是肉嫩，水灵灵的，见煮就熟，稍炒即烂。”

杨师脑袋活，点子稠。他将未卖完的猪肉放入冰柜，人却在摊儿上守着。你来买肉，杨师说：“肉卖完了，我给×××留下一块，他让放在冰柜，下班回来拿。你急用，先拿走，他来我再想办法。”如此这般，把陈年剩货高价售出，还落了人情。人们都说杨师心肠好，能够想他人所想，急他人所急。我们与杨师开玩笑，说他能把死人吹活，把树上的麻雀哄下来。

杨师哈哈大笑。

下面谈谈肉质。

有人以为，国家对生猪实行定点屠宰以后，出厂的全部都是合格品、放心肉。其实不然，前段时间，中央电视台《今日说法》栏目披露了湖北省钟祥市两家定点屠宰场，专门收购病猪、死猪，屠宰后堂而皇之地盖上检验检疫合格章，送往万吨冷库，加工制成肉制品坑害消费者。而作为国家法定的检验检疫机关，动检站在每月收取四百五十元检疫费后，很少问津，任由少数利欲熏心之徒胡作非为。

这种情形并非湖北一地存在。农民辛辛苦苦搞养殖，买猪娃，购饲料，本钱摊了好几百，结果猪却病死了。有几人能够大公无私，舍小家，顾大家，舍得埋掉？大都要想方设法削价处理，以减少经济损失。检验检疫部门的工作人员与屠宰场老板天天打交道，抬头不见低头见，碍于情面，有时也得点好处，就睁一只眼、闭一只眼地予以放行。到了市场上，消费者大多不认识，残次品权当正品卖，利润高出许多。而唯利是图者贪图便宜，获取暴利。一位人称“白眼狼”的，在农贸市场摆摊卖肉。他非残次品不卖，要么“昏头儿”，要么“豶（母猪肉）”。今天倘没进到烂货，宁可歇业一天，也不卖一丁点儿好货。他说正装本大利薄，卖惯了烂货，手松、秤高养成了习惯，卖正装反倒要赔钱。

还有一位钱老八，在某基地卖肉已有些年头。他与附近的屠宰场都很熟，是个笑面虎，表面上一副慈眉善目、笑容可掬、和蔼可亲的模样，其实是笑里藏刀、刀刀见血的家伙。他的猪肉来得便宜卖得贱，量也很大，每天至少整两头“昏头儿”“𤞞”，混于正装之中销售。你说哪儿不好，“啪”的一声一刀剁掉，你还踌躇着不想买，他随手一刀，又“噌”的一声，将肉皮去掉。大家以为此人心轻，好说话，岂不知他怕你连肉皮拿回去，煮不熟，炒不烂，毁他的“清誉”，找他的麻烦。他曾对同行坦言：

“我卖正装不挣钱，甚至赔钱，一天两头老𤞞，赚回差价就行。”

对于肉食，绝大多数消费者不大懂，即使如我，卖肉几近五年，长期不接触残次品，对于正装与嫩𤞞，有时也难以区分。不知者不为怪，买回残次品不足为奇；而个别食堂、餐厅甚至宾馆饭店，买过多年的肉，凭经验都能区分出好坏，他们专门购买残次品，以追求最大利润。反正招待宾客赚取银两，自己又不吃。

说到这里，有人要问：残次品会不会吃死人？一般来说不会，只要不是“毒鼠强”“三步倒”药死的。经过高温消毒，生肉变成熟食，杀灭了大部分细菌；而人又具有一定的免疫能力，一次也吃不了多少，一般当时不会出现意外事故。只是感到肉不香，味道怪怪的，还以为少放了某种作料或厨师的手艺不高所致。但我猜想，极有可能将病菌积聚于人体之中，日积月累，侵蚀人的器官。终于有一日，抵抗不住时，就会爆发，这也可能是现代人多生一些怪病的缘由之一吧！

一般来说，每个人的一生或多或少都会被各种疾病所困扰，给自己和家人的身心带来莫大的痛苦。无论是穷人还是富人，有权有势还是平头百姓，没有几人能摆脱疾病的纠缠，生命被一点一滴地侵蚀，金钱和权势都将无济于事。

那么，人为什么会患病呢？

除正常的人体机能衰退之外，人们通常认为“病从口入”，是吃了不洁净的食物所致。但人们也许会奇怪，在当今的文明社会，大家处处讲卫生，在外面吃饭使用一次性餐具，有的饭店使用消毒橱柜等，为什么人们总又离不开药品和医院呢？

通常的说法是“吃五谷，生百病”，把罪魁祸首归于五谷，即食品，包括粮食、蔬菜、肉蛋等一切可以食用的东西。蔬菜之中有农药残留；面粉、大米、茶叶、粉丝都含有各种添加剂、增白剂。人没有长尾巴，有时比毛驴更难以辨认。有的餐厅表面上窗明几净、一尘不染，老板、厨师、服务员衣冠楚楚，有模有样，可是你若走进其厨房、卫生间看看，悄悄地跟着他采购看看，有时真会让你触目惊心的。

在此，我郑重地告诫大家：请注意你的食品安全！

那么，如何选购放心肉呢？

卖过几年肉，我也算得是业内人士，通晓其中的奥妙。长期以来，凡在外面吃饭，除非对饭店底细十分清楚，一般不吃荤菜，尤其是带馅的食物，如包子、饺子、炸酱等。人们觉得奇怪，问时，我便问答，自己是吃斋念佛之人，戒口。事实上，“酒肉穿肠过，佛祖心中留”。凡杀猪卖肉之人，都喜食大肉，而且愈肥愈好，几乎无一例外。这是为什么呢？因为如果自己不爱吃肉，想象别人亦不爱吃，即使卖肉，也不会有人要，择业时，自然不会选择这个行业。记得一个小故事，从前一位穷人给财主打长工，财主很吝啬，长期不吃肉，进而讨厌大肉。一次长工不小心打碎了一只碗，财主很心疼，便罚长工吃大肉。长工暗自高兴，表面却装出一副难以下咽、非常痛苦的神态。以后每次嘴馋的时候，长工照例故意打碎一只碗，然后对财主说：“东家，你处罚我吧，大肉太难吃啦，吃得人恶心直想呕吐。”即使杀猪卖肉一本万利，这位财主也绝不会去开什么劳什子猪肉店。

在卖猪肉之前，我是不怎么喜欢吃肉的。小时候家里穷，一年到头洋芋、萝卜、浆水菜，饭碗里难见荤星星，偶尔吃一点点，肠胃就接受不了，肚子要疼好几天，奶奶便说：“吃滑肠了。”久而久之，对大肉亦失去了兴趣。之所以选择这个行当，实在是商店生意难以为继，万不得已而为之。杀猪卖肉之后，瘦肉好出手，又能卖高价，便把瘦肉先卖出去；剩下肥肉，有时卖不完，尤其到了夏季，白花花、油腻腻的肥肉更令人望而生畏。

市场经济、价值规律之下，经历过1999年的高价，到2000年，农民认为养猪有利可图，又纷纷养猪，结果供过于求，肉价又跌了，最便宜时，肋条肉十元四斤。实在卖不完时，扔掉了可惜，于是一家人煮上一锅，或包饺子、包子，或烙肉饼，或夹馍炒菜，甚至纯粹吃肉。反正肉比菜便宜，这一吃不打紧，逐渐上瘾，以后非肥肉而不食了。

当然，卖肉的吃肉，是绝对放心安全的；稍有疑问，自然不会吃。不放心的食物，即使垂涎三尺，也绝不食用，这是我吃饭的原则。有段时间，我的肉店拆迁，我失业在家，女儿嘴馋，非要吃饺子不行。我心烦，自己又不想包。韦曲街头，餐厅、饭店林立，但我宁愿骑上摩托车，带着女儿，舍近求远，跑到两三公里之外的一位朋友的餐馆吃饭，图的就是放心。我了解这位朋友，他在部队喂过猪，当过炊事员，复员后又开餐馆多年，也算半个卖肉的，识得好货、歹货；更主要的，其人正直，见不得掺假使坏，不发不义之财，采购时只要货好，从不讨价还价。

对于猪肉中的奥妙，用我师傅的话讲："诡道大着呢！"一般杀猪卖肉的，对此讳莫高深，秘而不宣，担心人们知晓了其中的门道，生意更不好做，人民币更难赚，到头来搬起石头砸了自己的脚，自己踢踏了自己的饭碗子。

我豁出去，不妨教大家几招，以我多年屠夫生涯经验的结晶，回报关心我、爱护我的人们，也算以德报德吧。

从饲料上讲，青草、稻糠等粗饲料喂养的猪是肉中上品，生长周期约为十个月至一年，色艳味美。西方国家提倡放牧式喂养，在这一点上，德国走在世界的前列，美国、加拿大紧随其后，这才是真正的绿色食品。其缺点是生长慢，周期长，造价高，肉皮厚。也正因为生长周期长，其味道才鲜美。譬如春小麦较之冬小麦生长周期短，口感不佳。殊途同归，道理是一样的。

博士猪倌陈声贵，放弃美国某大学的洋博士学位，中途辍学，在秦岭山区，搞家猪野猪的杂交繁育、放牧式养殖。此事经《三秦都市报》披露后，在全国引起较大的反响。陈博士曾两次来长安找我，拟商谈产供销一条龙事宜。其时适逢我外出，都未能见到。2004年5月，中央电视台新闻频道来陕采访陈博士，约我一同前往，我有幸参观了陈博士的生态养殖场。

陈博士当时已经很没落，其位于宝鸡市区的"野味餐厅"早已人去楼空，赊养了七十多头尚在生长期的大小生猪，与其合伙人过着有上顿没下顿的日子，据说一年多时间已累计亏损二十余万元。我认为不可思议，令人难以置信。

陈博士出生于福建山区，注定一辈子与大山结下了不解之缘。兰州大学毕业后，考取中国科学院生物研究所研究生，攻读硕士学位。后因学业优异，又被美国某大学录取，以全额奖学金攻读生物学博士学位。在外人眼里，陈博士前途无量，一片光明。而陈博士好像脑子进了水，入学仅四个月，就放弃令人羡慕的留洋博士头衔，毅然回国，一头扎进宝鸡的大山里，运用所学的知识，搞起了生态养殖。

第一个吃螃蟹的人，由于嘴馋，成为英雄，闻名遐迩；而第一个吃野蘑菇的人，同样由于嘴馋，却暴死荒郊。对于陈博士这种以身犯险，敢为天下先的精神，一行人钦佩不已，同时对他的鲁莽行为深表痛惜。临告辞，我对陈博士提出四点忠告：第一，如有可能，赶快返回美国，完成未竟学业，若能争取将生态养殖列入科研计划，带着项目进山，则旱涝保收；第二，尽量运用专业所长造福人类，学非所用，若无特殊际遇，道路将十分艰难；第三，不要与中国广大农民争饭吃，农民本身要求很低，将自己降到同农民一个层次，一文不值，更无好结果；第四，也是最实际的一点，家猪、野猪杂交，优胜劣汰，思路不错，可搞良种培育基地，必须了解目前什么是良种。用平原地区早已淘汰的品种作基因，绝不会培育出优良品种。

用粮食如玉米、麸皮等喂养的生猪，肉质也为上品，但必须生食喂养，这样，饲料中的营养成分损耗少，猪吃得也少，猪肉质地反倒瓷实。一般饲养户不懂其中的道理，喂猪如同人吃饭一样，习惯将饲料煮熟，再加些粗料，拌在一起混喂，尤其到了冬天，这种现象非常普遍。事实上，饲料在蒸煮的过程中，一部分养分已遭破坏，猪又喜欢熟食，使劲地憋，愈吃愈多，最终吃成了大肚皮，不一定生长快，反而肉质松软，如同泔水喂养一般，成为肉中的下品。一次我出售朋友喂养的生猪，疑为泔水肉，但朋友不拉泔水我心知肚明，泔水肉从何而来？急叫朋友来问，原因竟是熟食喂养，难怪与泔水肉并无二致。

规模养殖场一般采用精饲料喂养。饲料厂加工精饲料时，研究了猪在各个生长发育阶段所需的营养成分和微量元素，形成不同的配方。用精饲料养猪，生长快，周期短，肉亦嫩，颜色鲜艳，经济效益好。但因饲料中含各式各样的添加剂，有时添加剂超标，对人体无益，是否有害，目前众说纷纭，没有定论。我的主张，少吃为妙。

泔水喂养的生猪为垃圾食品。晚上走在大街上，时不时地有一股股恶臭扑鼻而来，即有拉泔水的车辆经过。一般食堂、餐厅与养殖户都有不成文的约定：你帮我打扫卫生，清运垃圾，我将泔水给你；有的宾馆、饭店、大灶甚至将泔水出售。如今物价上扬，泔水亦成为抢手之物。肥水不流外人田，高等院校坐落的村镇，泔水也成为该村镇乡民的专利，外人不得染指。

切记，猪的肾脏功能不发达，解毒、排毒系统欠缺。不得纯粹以泔水养猪，必须混合其他饲料稀释食盐浓度，否则会造成食盐中毒，猪会死掉。泔水喂养的生猪，肉软多油。无论冬夏，即使放进冰箱冷冻，只要不结冰，仍难以冻硬，绞出的肉馅如同拌汤，其味不醇，为肉中下品。

长安有位屠夫叫马黑子，既收生猪屠宰批发，又开着肉店零售。生意往往不能两头兼顾，肉店经常剩货。他说：

“我最喜欢卖泔水肉，冰柜中冻过两三天，拿出来还当新鲜肉卖。”

内行看门道，外行看热闹，行外之人的确看不出是陈货。

从膘头上讲，二指厚膘，红、白分明最好；过肥则太腻，过瘦则无油。肥肉中的瘦肉酥，瘦肉中的瘦肉柴，“要吃肉，肥中瘦”讲的就是这个道理。现在一些人过分强调瘦肉，给“昏头”“㸌肉”提供了市场。因为“昏头”的肥膘是粉红色的，“㸌肉”皮煮不熟。卖残次品的人将之剔成精瘦肉，能高价出卖最好，倘若卖不了，就会搭进其他肉里出售。前文提到的钱老八，就是这种卖法，显得落落大方，极具欺骗性。所以奉劝大家买肉时，不要贪图一时的便宜，反而吃了大亏。倘患有高血压、高血脂等病症，不能吃肥肉，宁可掏高价，眼看着从肥肉上剔瘦肉。现成摆放在案头的瘦肉轻易不要购买。

从品系上讲，过去一些老品种如江猪、淮猪、陆川猪等，肚大肉肥，生长周期长，味好，但黑毛，皮厚，不好卖，经济效益不佳，现在大部分地区已经淘汰。前文提到的陈博士，就是以这种品系的家猪与野猪杂交，故不能培育出优良品种（指经济效益）。现在一些新品种，如长白条、约克、杜洛克以及一些杂交二元、三元品种，生长快，瘦肉率高，养殖户的效益好，但肉不香。许多人抱怨如今的大肉没有过去的好吃，除了大肉已经不是稀罕之物、稀松平常之外，其道理大致就在这里。

以上是“正装”肉，下面略谈残次品。

次品之中，首推“㹠肉”，即老母猪。㹠肉分老嫩，下过三窝猪崽之内的称“嫩㹠”，是猪的妈，如煮，肉烂皮不烂，爆炒，常不能熟；四窝以上称“老㹠”，是猪的祖母，肉、皮均不烂，食之伤牙，犹如咀柴，倘用作肉馅，勉强可食。国家允许出售㹠肉，但必须挂牌经营，标明㹠肉，低价出售。但据我所知，卖㹠肉的经营户，没有一家标注㹠肉的，都是混于正装之间，以次充好，蒙蔽消费者，牟取暴利。大家选购大肉时，如果遇到色泽鲜艳，如同牛肉，而出售者又异乎寻常地热情，积极主动去皮、绞馅，则必定是㹠肉无疑。

前文提到的㹠师，五十多岁，本姓马，卖了一辈子㹠肉，业内人称“㹠师”或“老㹠”，甚至忘了他的本姓。在关中方言中，“㹠”“查”不分，久而久之，人们以为其与金庸先生是本家，真姓“查”了，可见其卖㹠真正达到了炉火纯青的地步。

十多年前，㹠师所在的村庄过会，㹠师以为是个挣钱的好机会，整到一头老㹠，在村中出售。有好事者故意去㹠师处买肉，㹠师要给去皮，好事者死活不依。拿回家煮不熟，给㹠师送来，挂在门上。㹠师遭乡党斥骂，失去了威信。从此，㹠师不再自己卖肉，专门受雇于人，做起了伙计。

㹠师有一套好说辞，哄得人上过一次当，不由得再上第二次、第三次。他说：“一天哄一个人，世界上的人十辈子都哄不完。”他贪财好色，嗜赌如命。早年唆使顽童盗羊，自己销赃，因此蹲了大狱，老婆离他出走。这么多年，自个儿单过，也不续弦，他曾自嘲：

“娶了婆娘，只能死守一个；没有婆娘，天下女人都是婆娘。”

㹠师的“枪”长，倚仗打工赚得的几个小钱，四处勾引有夫之妇，仅他们村庄，就有三个姘妇，其中之一是他的婶娘。丑闻在村中早已传得沸沸扬扬，只瞒得他叔父一人。其叔父戴上了绿帽子，觉得挺暖和，很舒服，甘愿做缩头乌龟，还掩耳盗铃，以为别人都蒙在鼓里，多次在乡邻之中吹嘘，说他侄子如何如何有孝心，今天给他带这个，明天又带那个……

要钱玩女人，需要经济支持，仅凭打工那点工资，无异于杯水车薪，只能拆东墙补西墙地胡凑合，渐渐地便有了不规矩行为。人常言：“树挪死，人挪活。”几年来走东家串西家，塬上塬下，偌大的县城，几乎转了个遍，最后实在无处可去，也难以忍受寄人篱下，看人脸色的滋味。他心想，拿破仑说过：

“不想当将军的士兵不是好士兵。”同样，不想当老板的打工仔不是好打工仔。然而一分钱难倒英雄汉，想当老板却拿不出区区万把块钱的本钱，便鼓掇其外甥：

“开家肉店，赚钱如同扫垃圾，满大街都是。”

外甥发财心切，轻信了舅舅的承诺，有卖地的几个方便钱。于是外甥出资，舅舅出力，利益均分，开起了合伙生意。

俗话说：“好亲戚，甭交财；一交财，两不来。”

外甥是门外汉，舅舅说了算。从此，家有万贯，不如守个小店，吃喝嫖赌，不用东凑西借，伤脸蹴尻子，看别人的脸色，肉店就有钱匣子。出现了亏空，局外损失局内补，不是玩茬的高手吗？𪊲肉可是一本万利啊！于是生客、熟人一起哄，饭店、私人一起宰，不久就门前冷落车马稀了。不到半年，亏损一万五千元，日均百余元。甥、舅翻脸，肉店关门，从此外甥不是外甥，舅舅也并非舅舅，形同陌路。至此，𪊲师挥泪告别屠夫生涯，跑到一家建筑工地，做起了小工。

至于病、死猪肉，行话称之“急宰”“抿嘴子”“红货”。“急宰”意为病急，稍微耽误就会死掉，必须急急地宰杀放血；“抿嘴子”为业已死亡，嘴都抿在了一起；“红货”则是死后宰杀、血已放不出，肥肉呈粉红色。病、死猪肉的膘色均泛红，嗅之有腥臊之味，肉食经营户一般不敢明目张胆地出售，常剔为精瘦肉，用以搭秤；肥肉绞馅，所以说案头上的纯瘦肉轻易不要购买。

下面简述“注水肉”。

我亲眼见过给牛肉打粉。一次我去一家腊味店，见老板将粉面用水稀释，吸入针管，分多处缓缓地注入生牛肉中，然后在咸盐水中浸泡几天，待调料渗入，再捞出煮熟出售。一般不注入粉面的生牛肉，每斤可煮六七两熟肉；注过粉面后，达到八九两，甚至斤对斤。

2005年之前，市面鲜有注水肉，至少我在西安市场未曾发现。之后，逐渐出现，乃至泛滥，甚至出现了专职的“注水技师”，每头生猪可注水5—10公斤。开始是宰杀前将生猪挂起，插入胃管，从猪嘴中灌入自来水，直至生猪承受不起，才匆匆宰杀放血。后来技术改进，改用高压水枪向胃中分次注水，速度加快。再后来，市场注水肉比较普遍，担心人们认出，注水之前，给生猪先注射一种类似封闭针的针剂，而后大量注水。针剂封住了水分，不易渗出，因而更具欺骗性。据说这种针剂特别厉害，活蹦乱跳的生猪，一旦注射5—8毫升针剂，马上倒地，身体逐渐僵硬，故应该对人体危害很大。国家取缔小型屠宰场后，猪肉注水的情况有所收敛，但未完全制止，原因是一些养殖场、猪贩子甚至个体户已经学会了给生猪注水，生猪拉到屠宰场之前，可能已经注过水。

有的猪肉的确没有注水，但它确实滴水。根据我的经验，生猪在临宰前不能喂食，只喝少量的水，饿其一两天，宰杀后一般不会淌水。但现在肉价高，人们担心生猪挨饿掉膘，折了斤两，饱食时宰，这是其一。其二是生猪宰杀放血后，要及时去毛，开膛破肚，不能拖得时间过长。有的屠宰场为赶时间，抢速度，同时放倒许多，不能及时开膛，导致体内热量无法排出而淌水。其三，开膛后，肉必须倒挂起来，充分晾好，再装车运输。有时猪肉未充分晾好即装车，一头压一头，或挤成一团，同样导致排热不畅。以上几种原因，都有可能导致猪肉淌水。有时为一种原因造成，淌水程度轻微；有时几种情形兼而有之，淌水程度严重。淌水肉色淡，至于杨师所说“肉嫩，血放得干净”等，完全是瞎编乱造，一派胡言，糊弄外八路。有一点可以肯定，凡淌水肉均不新鲜，细菌超标，很容易变质。

开店做生意，货卖回头客，并非火车站的生意——一锤子买卖，宰你没商量。货真价实，童叟无欺，一传十，十传百，赢得良好口碑，生意才会稳定。在竞争日益激烈的今天，售价稍高就会失去许多市场，所以同行之间互相压价现象严重，导致大肉的利润很薄，通常冬季二三毛，夏季四五毛。大家在选购大肉时，不要贪图便宜，更不必胡乱砍价。要知买者不如卖者精，无论到了何时，都要记得，便宜没好货，好货不便宜，赔钱的买卖，谁都不会去做的。

眼镜肉店的由来

我的思想保守，观念陈旧，别人不说，连儿子都喊我“老腐朽”。

也许受传统伦理观念、孔孟之道影响太多，中毒太深的缘故吧！在物欲横流、人民币至上的拜金年代，坑蒙拐骗之事却做不出，从来不敢染指残次品，同行笑我：

“猪脑子，放的银子不会赚。”

屠宰场与经营户之间，每天打交道，一般都能诚信经营，按质论价。但大千世界，无奇不有，也有个别批发商在批发市场等鬼市学会了蒙人、骗人的伎俩，将残次品混于正装之间，欺你粗心或者不识货。

有位批发商给我供货将近一年，合作愉快，彼此建立了信任关系。俗话说：“淹死的是会游泳的，挨枪的是耍枪的。”一次马失前蹄，收生猪时看走了眼，将嫩𤡣当正装收回。我当时看着个儿挺大，皮糙肉厚，心里不瓷实，又不敢肯定，问他时，他拍着胸脯：

“没劁净，正装货，放心卖！”

分割时，却不停地淌奶水。我蒙了，急打电话叫来他，问他如何解释？他仍然狡辩，又试图削价处理给我。我戴着眼镜，眼里揉不进沙子，当时怒不可遏，不由分说，将分割得七零八落的猪肉扔到他的车子上，让他拉走，从此断绝来往。以后此人多次找我，买烟、请吃饭，甚至七扭八拐扯上亲戚关系，逢年过节给我拜年，试图恢复供货关系，均被我拒绝。

我首先把好进货关。一是生猪健康，有毛病的免谈，这从皮色中可以看出；二是现宰，隔夜货不要，图个新鲜；三是膘头适中，过肥过瘦都不行；四是屠宰干净，无血无毛。宁可贵一点，也要一流货。另外是度量衡标准，在韦曲率先使用电子磅，绝不短斤少两。这样，惨淡经营两年，小店就小有名气，回头客愈来愈多。

然而当生意逐渐走上正轨，将要赚钱的时候，2001年9月，长安县在环南路建设综合批发市场，肉店所在的门店拆迁了，我又一次面临失业的威胁。

我生于农村，长于农村，看见农民就备感亲切，可以说对农民有着深厚的阶级感情，更无意诋毁农民。但毋庸讳言，农民有时刁野蛮横，依仗人多势众，以大肚子夯人。遇到这种情况，可谓“秀才遇见兵，有理讲不通”。

当年的肉店，是某村民小组的房子，从姚××手中接过来后，即与村民小组签订了合同，并预交一年的租金。县上租用该地时，给予村民小组一定的经济补偿。依照常理，合同未到期限拆迁，属于村民小组违约，应赔付二十八户经营户的经济损失。但生意人胆小怕事，信奉财去人安的处世哲学；又都来自四面八方，犹如一团散沙，各自有自己的小九九。如有的经营状况不好，连续亏损，有的关门停业等，不能团结一致，被村民小组各个击破。房租在村民小组手里攥着，最终非但不赔偿损失，还给经营户计算水表、水管、龙头、门窗等物品的折旧费。胳膊肘子朝里拐，七算八算，房租亦未退清。头天下午退还了部分租金，晚上就断水停电，限即时搬离，毫无缓冲的余地。

我清楚地记得，第二天是中秋节，2001年中秋节与国庆节“双节”同日，那天生意异常火爆。经营户尚在拆迁大甩卖，民工已经爬上屋顶，抡起八磅大锤，“叮叮咚咚”开始拆房，弄得经营户不得不以“挥泪大甩卖”“跳楼大放血”的价格倾销商品。

最终还是出事了。因拆迁准备不足，草率动工，拆房中发生了倒塌事故，一位民工不幸身亡。村民小组未给经营户的补偿，却赔付了民工的命价。

有金要往脸上贴，倘将脂粉搽到屁股蛋子上，谁个看见？

不知何时，县办工业企业全部停产，工业局也改为工业国有资产管理公司，隶属经贸局，安抚着几千名下岗职工不要越级上访，维护来之不易的安定团结的大好局面。与此同时，市容环卫管理局却迅速膨胀，升格为一级局，成立了市容监察大队，大张旗鼓地整治市容环境，将大街小巷的小摊小贩们撵得鸡飞狗跳，下岗职工想摆个地摊养家糊口已不再可能，做买卖必须进店经营，门面房顿时身价倍增。

肉店拆迁后，我无事可干，下岗在家，除了照看孩子，就是逛街压马路。偶尔再就业，无非就是重操旧业——搬砖砌长城。表面上，俨然一副功成名就、退休养老的架势，其实内心却异常沉重。

人到中年，上有老，下有小，孩子嗷嗷待哺，妻子愁眉苦脸，丈母娘长吁短叹。作为一家之长，我是家里的顶梁柱，理应生活的重担肩上挑，可不能让妻儿老母唉声叹气，怨天尤人。寻找门店继续杀猪卖肉，还是重整旗鼓，再搞装潢？装潢已经放弃了两年，重拉杆子，谈何容易；卖肉倒是轻车熟路，可是税费重房租更贵，所以一时犹疑不定。

表姐的出现，又给我带来了一线生机。

刘义庆《世说新语・容止》：“珠玉在侧，觉我形秽。”多年以来，我浪迹社会底层，混得灰头灰脸，没个人样。看他人升官加爵，春风得意，自己自惭形秽，便很少在亲戚朋友之间走动，不知冷落了多少热心人，失去了多少社会资源。

表姐医科大学毕业后分配于附属医院，经过十多年的锤炼，已经成为该医院的业务骨干，是说一不二的人物。长安某中学校长患病，就医于该医院，通过熟人关系，找到表姐，得到表姐的悉心关照。病愈出院时过意不去，无话找话，许诺空头人情：

“我在长安教育界人熟，有事尽管来找我，没有办不到的。”

表姐学西医，读英文资料而不读四书子集。《老子》六三章断言：“夫轻诺必寡信，多易必多难。”中华民族的先哲早在几千年前就一语道破了“诺”与“信”、“易”与“难”的辩证法。表姐不懂得这些，轻信了某校长的承诺，将我的有关情况介绍给他，希望他能帮忙，校长亦满口应承。表姐夫妇遂将之作为特大喜讯而星夜告知于我。

当是时也，县教育局是我中学的一位老师任人事科长。有昔日师生的情分，在不违反党的政策、国家法令的前提下，估计能够网开一面。难就难在人事局，是控制行政事业指标编制、掌握生杀予夺大权的衙门，门难进，脸难看，事更难办。恰有北京读书时一位同学的堂兄，时任长安县×镇党委书记，与人事局局长私交甚笃。他同情我的际遇，多方奔走呼号，又主动与我联系，一纸便条将我介绍到人事局长跟前。人事局长很忙，我厚着脸皮找过几次，终于见了面。本以为局长高高在上，会摆出一大堆大道理推三阻四，末了一句“研究研究”，然后泥牛入海，再无消息。倘如此，我就会断绝了继续为党工作的念头，一心一意奔自己的小康。然而未曾料到，局长出人意料地平易近人，答应特事特办，手续从简。至此，事情似乎万事俱备，只欠东风了。

一个秋风送爽的日子，我与表姐夫妇相约来到某中学校长的办公室。寒暄之后说明来意，校长亦很热情。

“名校毕业，主课教师，我们求之不得。”

不愧为一校之长，说话干净利落，掷地有声。我等暗自庆幸，遇此领导，也不枉多日的劳心费神，东奔西走。这时校长接到电话，说某领导来了，必须出面应酬，说罢摇摇头、摊摊手、耸耸肩，显出无可奈何的神态。我等理解校长的处境，各方神仙都要敬到，于是约定改日再谈，告辞而出。

第二次见校长，是三日之后。表姐要陪我一同前往，鉴于表姐工作繁忙，我又非三岁小孩，知道三个多两个少，遂谢绝表姐，独自前去拜谒。校长重复过老话之后，又增加了一句：

“不过必须试讲，这是学校的规定，谁也不能例外。”

作为一位重点中学的最高行政长官，对学生、家长乃至学校负责，合乎情理。校长是语文教员出身，课程很熟，随即指定一课，让我回家准备，约定一周之后安排试讲，并语气暗示，试讲只是形式，以我的具体情况，做做工作，应该不成问题。

反正我在家里闲着也是闲着，弄不好倒要闷出毛病来。于是翻阅了不少久违的资料，观摩名师授课的影碟，广征博引，自以为准备得相当充分。第三次面见校长，校长又说不必试讲了，学校目前办公室缺人手，要不先写篇文章看看文采？如果胜任，先待在办公室，边工作边听讲、备课，准备充分再上讲台岂不更好？

我想想也是，毕竟这么多年自己所从事过的职业与教书育人风马牛不相及，有个过渡阶段，能够顺利进入状态当然最好不过。亏得校长思虑周详，连细枝末节都替我考虑周全了，不由得怀着感恩戴德之心，冲校长点了点头。

校长随即命题。我长满老茧的手提起笔杆子很生疏，待到文章完成，又过了十余日。洋洋数万言，校长只一句："写得不少。"于是走马观花、一目十行地粗略翻过几页，就置于案头：

"这样吧，你再等一段时间，咱们民办初中正在加紧施工。待学校建成，再行聘用。"

我听到"聘用"二字，立即头大如斗。我已经吃足"借调"的苦头，极重名分。"聘用"在一定意义上不是"借调"的同义词吗？我一再说明，人事局、教育局均同意，是"调动"而非"聘用"。但学校试行人事制度改革，连校长亦无能为力，爱莫能助。

事后，办事老到者给我点窍：

"人家初步同意，你就要有所表示。天下哪有免费的午餐？你的头脑太不开窍了。"

可惜世间没有后悔药，人的一生总有几桩憾事。十年前，张先生在位时，邀请我加盟。我心高气傲，不愿意局限于学校这个狭小的圈子里而婉言谢绝。如今梦想破灭，穷途末路了，把脑袋削尖，使出浑身的解数又钻不进。

"安能摧眉折腰事权贵，使我不得开心颜。"奶奶的，此处不留爷，自有留爷处；到处不留爷，爷就去卖肉。猛想起一则故事，寓意深刻，大意如下：

一位穷人应聘微软的清洁工，试工后拟被录用。主考官要穷人留下E-mail，以便于将用工通知书发送给他，然而穷人没有。主考官很不乐意："作为微软的员工，怎么可以没有E-mail呢？"于是穷人落聘了。从微软出来，穷人摸摸衣兜里仅有的十美元，去附近的超市买了四十磅马铃薯，准备带回家临时充饥，先凑合一阵子再说。回家的路上却有人要买马铃薯，穷人从中受到启迪，开始上门配送服务。日积月累，几年之后，滚雪球似的十美元滚成上百万美金。穷人思虑有钱了，应该给家人买份保险了。保险公司的业务员上门服务，惊奇地发现他竟然没有E-mail。

"如果拥有E-mail，您应该是千万富豪了。"保险业务员遗憾地断言。

"不，如果拥有E-mail，我早就是微软的清洁工了。"百万富翁急忙纠正。

天无绝人之路，上天有好生之德。一日闲得无聊，在街头瞎逛，路遇几位老主顾，问及近况，我实话实说，据实以告。他们叹息之余调侃道：

“你不卖肉，害得我们都没地方买放心肉了。”

言者无意，闻者有心。我杀猪卖肉两年，在环南路一带已经小有名气，何不利用现成的资源，重操屠刀，再作冯妇？经过充分筹划，2002年元旦前夕，我在韦曲南街重新高价转让来门店，简单地进行整修之后，肉店又开张了。

一般来讲，车碾旧辙，买主走熟路。专卖店轻易不能歇业，倘若三天打鱼，两天晒网，顾客会认为不实在、靠不住，销量就会大打折扣。新店开张之初，因熟客稀少，税费增加，生意萧条，第一个月即赔本一千元。为了扭转不利局面，从第二个月开始，我利用与屠宰场熟悉的优势，将头、蹄、下水等批发进来，加工卤肉销售，以增加品种，多中取利。

一般卤肉店，为降低经营成本，往往调味品放得欠缺，肉煮得生硬；我则将之作为副业，正好相反。一位从青海省公安厅退休回乡的老者，第一次来我店里买猪肚，吃着舒心，第二天又来，将肠子、肚子全部买走，放在冰箱里慢慢享用。

这样，一传十，十传百，许多老主顾又陆续找到小店。第二个月盈亏相抵，第三个月略有盈余。从此，生意一月赛过一月，至2003年“非典”时期达到峰巅。

有人也许奇怪，“非典”时期人们畏SARS如蛇蝎猛兽，大门不出，二门不迈，即使迫不得已，也会戴上厚厚的防毒面具，缘何生意还会火爆？

刚开始，我也觉得不可思议。静下心来，逐渐想通其中的道理：愈是非常时期，人们愈把生命看得贵重，即使惜财如命的人亦如此。在屠宰场，按质论价，我看见歹货，就心慌意乱；只要货好，即使无人要，放在案头，我也看着舒服，所以总是进购一流货，价格略高。一般居民不在乎两三毛钱，吃个放心；但有的食堂、餐厅、饭店计算成本，专拣便宜货。“非典”时期，饭店生意一落千丈，而我的客户以散户居多，大多是附近的居民，因而反其道而行之。

一些同行看着眼馋，以为我祖上烧了高香，选中了风水宝地，于是纷纷迁址，想方设法搬到我的附近。我刚开业时，韦曲环南路一带仅我一家肉店，短短两年，竟增加了二十余家，快变成“肉食一条街”了。

我一天卖七八头肉，十分繁忙，卤肉早已顾不得做了。每日凌晨四五点就得起床，着手准备工作，妻子在一旁帮忙。我刚开始很不适应繁忙的体力劳动，胳膊腿都肿胀了，一摁一个深坑，半天也不能复原。几次想找帮手，一直没有合适的人选。后来随着技艺的日臻成熟，胳膊腿也练就了非凡的功夫，我慢慢地就习以为常了。

较之长安，西安的猪肉批发价格较低。为了节省成本，到了冬季，我有时到朱雀路批发市场进货。

晚上关了店门，雇个汽油蹦蹦车，八时前后准时到达批发市场。批发市场是鬼市，价格不稳，忽高忽低。倘遇雨雪或者周末，市场的货少，价格看涨。这时不敢犹豫，抓紧时间赶快上货，最好找熟悉的批发商，照顾情绪，多少也得优惠点。否则，一转眼，价又涨了，甚至断了货源，第二天案头就得揭白板。当然也有“蹲死”的时候，一头头白条肉挂过满满几十杆，少人问津。这时，你千万谁都甭搭理，躲得远远地，找个地方坐下，慢慢地喝酒抽烟，饭钱、烟酒钱不用操心，批发商会替你买单。你要是沉不住气，瞅上熟人一眼，他就会把你黏住，帮帮忙也得进他的货。他给你再优惠，最终发现还是价格太高了。

批发商精明得很，一看偌大的市场空空荡荡，就会猴急，狗急跳墙，担心批发不出去，臭在手里血本无归，“唉”的一声，赔本的买卖行家做，竞相跌价。这时再瞅准时机，适可而止，该出手时就出手，不能人心没底，一刀子就想将人家割死。否则，到了最后，价是很低，但也没有了好货，得不偿失。

装车之后拉到韦曲，又不敢贸然直接进店，必须先拉到食品公司和动检站的复检点，分别上完费，第二天方敢放心地出售。

蹦蹦车的载重有限，拉七八头肉，已累得气喘吁吁。一次，批发市场“踢死”，我进了十头肉。人自然无法再乘坐，我步行一截路，刚坐上回韦曲的中巴车，手机就响了：蹦蹦车的车胎爆裂在了批发市场的大门口。我赶紧下车往回赶，白白浪费了不少感情，还是借不来千斤顶。只好在马路边铺上塑料布，将猪肉一头一头地卸下，一人看货，一人找地方补胎。

将车修好，我又去乘中巴时，已到了晚上十一点，中巴车主趁火打劫，票价成倍地翻，一元变成了两元。没办法，总比出租车便宜，先坐上再说。将到韦曲，手机又响：车又坏在了三爻村立交桥下，气得我差点儿把手机摔了。想想摔了也是白摔，还得花钱另买，又没处报销。我又下车，急往回折，一摸口袋，已被中巴车打劫得一文不名。好在韦曲距离三爻村并不远，于是就发扬红军长征二万五的精神，步行过去。走到立交桥下，蹦蹦车踪影全无。照着手机上的来电显示打过去，对方是公用电话，说人八辈子前就走了。待要仔细询问，对方挂断了电话，再打，对方索性不接。

蹦蹦车司机的小灵通既不灵，也不通。偏偏在这时，老天又故意与我作对，竟纷纷扬扬飘起了雪花。我又冻又饿，久找不着蹦蹦车，以为车修好之后又开走了，就又返身往回赶。还未走到，电话又响：问我怎么还未到？我询问具体位置，才说在安泰酒店附近，离立交桥尚有一段距离。我的肺几乎被气炸：

“附近就是安泰酒店，那么大的地标性建筑，偏偏要说立交桥，眼睛莫非让鸟给啄了？”

生气归生气，牢骚归牢骚，心平气和之后，问题还得解决，谁让咱们“天堂有路你不走，地狱无门闯进来”，上了卖猪肉的这趟贼船呢？

查来查去，找不出症结所在。蹦蹦车发动起来，马达轰鸣，就是纹丝不动。问过司机，才知道路不平，颠簸了一下，就成了如此模样。

已经接近午夜子时分，冷风飕飕，雪花飘飘，寒意阵阵。车坏在此处，前不着村，后不着店，平时那么多修理铺，紧要关头，却一家都找不着。万般无奈，只有先卸载，再作计较。奇怪的是，货卸完后，蹦蹦车刚一发动就“呼”的一声，险些冲进路边的壕沟，司机惊出一身冷汗。这才发现蹦蹦车的制造商偷工减料，所用钢板太软，车子稍一吃重就导致车厢下沉，车帮与轮胎紧紧地粘贴在一起，成为自然的闸皮。

一晚上折腾了两次，我精疲力竭。另雇了车，待将货拉回肉店，已经是凌晨三点多钟。“冬冷寒天，刚睡下脚还未暖热又得起床；况且熬过了眼，不一定能睡得着。”想到这里，索性不睡了，泡杯浓茶，过足烟瘾，喘口气，又开始了一天的工作。

自此以后，再从西安拉肉，不再雇用蹦蹦车，改换成面的，不就贵几个运费吗？人舒服，不用风吹雨淋，不必担惊受怕。如今都讲提高生活质量，咱们把工作质量也提高提高，想必不会遭什么非议吧！

后来，我与批发商逐渐熟悉，他们见我量大，争先恐后地给我免费送货。有一次，我进了十二头猪肉，批发商的东风大货车给我拉回。累了一天，我自己也懒得卸货，便雇了一位“板的”司机，说好卸十二头肉给七元钱。“板的”司机抱一片数一次，肉架子上已挂了十多片肉，车子上还有很大一堆。待弄明白了“头”与“片”的区别后，“板的”司机连呼上当。

我当初的猪肉店叫“百兴肉食店”，取“百姓”之谐音，喻百业之兴盛。可惜未能长久，也未能兴盛，结果无疾而终。新店开张，仍沿用过去的老招牌，一方面，节省一百余元，不用另做新招牌；更重要的是借老招牌招徕老主顾，免费的广告，何乐而不为？

2003年，长安撤县设区，文化搭台，经济唱戏，堪称百年不遇、千载难逢的发展机遇，是宣传长安冲出国门、走向世界的大好时机。有关部门斥巨资请来中央电视台《同一首歌》栏目的明星、大腕们演艺助兴；市容环卫局亦开展市容市貌、环境卫生大检查活动。我的招牌陈旧，影响市容，更影响长安改革开放的形象、招商引资的大局。市容局勒令我限期摘除，否则强制执行，还得收取执行费。我想新店已经营将近一年，老主顾都知道了我的所在，要不要招牌无所谓，于是就不打算再做新牌匾。

然而，市容局不同意，他们要规范管理，严格实行一店一牌制。没有招牌，就得关门停业，决不姑息养奸。

初中时的一位同学王会延，毕业后参加人民解放军，在部队考取某炮兵学院，分配至银川某部队服役，后提升为团职。2003年功德圆满，拿了几十万元退休金光荣退休。回乡省亲时，听说我在县城杀猪卖肉，想找我喝酒叙旧。可是问遍了大半个韦曲，竟没人能知道我的名字。

“你找眼镜，同行没有不知道的。”事后我对他点窍。

我认为，招牌是一个门店的名称，如同人的姓名一样，只是一个符号、代码，要尽量简洁明了，通俗易记，最好能与主人联系起来，反映主人的特征。我刻苦读书十余年，死读书读死书，没能读懂社会，却读坏了眼睛；知识奉还给老师，近视眼却留给了自己。无论干什么，总离不开厚重的眼镜。顾客不知我姓甚名谁，便以“眼镜”称呼我，我也稀里糊涂，胡叫冒答应。久而久之，“眼镜”便成了我的“绰号”，也是我的特征，可以将我与其他肉贩子区别开来。同时，虽然这么多年自己从事的职业与文化事业的边儿也沾不上，但在骨子里，我恬不知耻，厚着脸皮仍以文化人自居。“眼镜”也有一定的文化内涵，故取名“眼镜肉店”，寓文化人以刀易笔，自食其力，开店做生意不欺客，绝非古时候的蛮横屠夫镇关西。

卖猪肉的苦与乐

长安地区盛行热鲜肉，冷冻货、排酸肉没有市场。譬如天热的时候，猪肉放在外面酸化很快，又招苍蝇，就分解后置入冰柜保鲜。但是刚放下不足半小时，案板上的货不多了，拿出来出售。顾客用手一摸，冰冰的，凉凉的，以为陈货，就不乐意购买。倘遇见四川民工，拖着长长的川调，一声“冻——肉——”，扬长而去，头也不回，绝无解释的机会。

早晨刚杀的猪，剔开后热气腾腾；放在案板上，红白分明，鲜嫩欲滴。买主便围拢来，你一刀前腿，我二斤后腿，他爱吃肥肉，就要肋条，争先恐后，唯恐抢不到手里。一扇子猪肉十多分钟就所剩无几了。

这就决定了猪肉要卖新鲜货，一次不能多进，必须当天卖完。否则，放到第二天就成为真米实曲的冻货，折秤姑且不论，降价出售，还要给买主多说好话。所以必须把握进肉的度，根据销量每天进货。

累是不消说的。天不亮就得起床，打扫卫生，安装器械，拾掇工具……还未收拾停当，屠宰场就准时送货了。赶快过秤、付款，分割猪肉……待把肉剔开，有时还未来得及抽支烟，喘口气，买主就零零星星地上来了。一边不紧不慢地打发主顾，一边做着前期的准备工作。至七点多钟，买主多了起来。这时，手脚麻利，眼尖手准，只一刀，齐刷刷的一块大肉便割了下来，放在电子磅上一称，二斤多一两。买主喜滋滋地称赞我的肉好，刀法更准，付过款，高高兴兴地去了。

我学卖猪肉之初，师傅就曾谆谆教导我：

“要一斤打斤半，要二斤就打三斤，要三斤就打五斤，卖十个买主等于卖了十五个、二十个，一天不少多卖肉。”

我将师傅的教诲当成了过眼云、耳旁风，左耳进、右耳出，忘得一干二净。师傅说我书读痴了，脑子呆板，教不上道：“朽木不可雕，孺子不可教也。”

大凡卖过三个月的猪肉，切肉基本都能做到上不差一，下不差二。人们常常抱怨卖猪肉的刀法不准，其实是人心没谱，人心不准。

倘若刀子不鋒活，再劙第二刀、第三刀，肉茬子就不齐，整个猪肉就很难楞整，乱糟糟不好出手，而且时间亦不允许。故卖肉的有各式各样的刀具，剔骨的、劙肉的、斩骨的、扫毛的各不相同，要求都很锋利。可惜不知是中国的钢材不好，还是工艺不高，抑或购买了假冒伪劣商品，张小泉、王麻子、箭轮、巧媳妇等名牌刀具买过数十把，只有少数几把尚能将就，绝大部分刀具切豆腐还行，用来割肉门儿都没有。放在家里嫌占地方，看见了还生气，于是赠人。亲朋好友下辈子也不用买刀，给儿孙都置下了家当。

人们买肉大多集中在上午，以为早晨肉多，货新鲜，选择余地大。其实，“把式”卖肉，趁早上人多，来不及挑选，将差点儿的货早早售出。到了下午，剩下的全是精品。万一当天卖不完，放到明天，也容易出手，不至于黏在手上，成为老大难。

总之，过了十二点，生意就清淡了许多，得暇吃饭，稍事休息；如果天气凉爽，或遇雨雪，一下午也不得轻松。一些上人市找活的、蹬板的的、做小买卖的，好几天都吃住在外，花钱多还吃不好。今天运气不错，老板开了工资，或者生意马马虎虎，赚了点钱，割上一吊子猪肉带回家，老婆、孩子一家人开开荤，痛痛快快地咥一顿。“人生在世，‘吃’‘喝’二字。”如今病生不起，医院更进不起，生活好点，身体强健，少灾没病的比啥都强。

好肉卖完，本金基本上就能收回来，剩些槽头、下膛、骨头、大油、肉皮，就是经营肉店的理论利润，要想方设法将这些上不了案板的下渣货处理出去，实际利润才能实现。不过不必担心，别看猪脏兮兮、傻乎乎的，却浑身是宝。除猪毛以外，只要便宜，都是抢手货。比如骨头，原先并不好卖，好多都给熟人喂了狗。忽一日，不知从哪里传出骨头汤补钙，一夜之间便成为紧俏物资。花钱不多，骨头买回家，不时地炖点骨头汤，一家人下面、烧菜、喝汤，老人、孩子都爱吃，还补钙，比吃高钙片、葡萄糖酸钙强。尤其到了冬季，西北地区贫穷，几乎家家户户都生蜂窝煤炉子取暖，煤耗着也是白耗着，不如买些大骨头，蹲在炉火上，让它慢慢地炖，一顿吃不完还有下顿，反正天气凉，又不会变味。加之卖过桥米线的、卖大馅馄饨的、卖葫芦头泡馍的，没有骨头汤，谁吃？

再说大油，关中当地人不喜欢吃，太腻，又怕发福，大部分被油贩子贩运到陕南山区卖了高价。四川民工出大力流大汗，既不嫌腻，又不担心肥胖，比菜油还有味，只要价格不比植物油贵，大油永远是他们的最爱。白菜、萝卜、洋芋、豆腐、粉条子烩上一锅，吃米饭带劲，干建筑活有劲。

在东部塬区的大府井，人们最擅长的手艺是熬肉皮冻，晶莹剔透的，不吃看着都香。种地是他们的主业，做肉皮冻则是他们的副业。他们平时收集肉皮，切成细条，拔毛晾干。到了秋冬季节，掺点新鲜肉皮，加工成皮冻；有的为了增加附加值，还加入一些猪头肉或槽头肉，加工成肉冻，拿到农贸市场批发。春节期间，亲戚朋友互相拜年，迎来送往，平日准备着，来客人了，切一盘子皮冻，现成的一个凉菜，既方便又实惠。可真难为了这帮生意人，为了收购肉皮，一大早或骑自行车、摩托车，或开蹦蹦车，便来到了猪肉店。车子往门前一放，给店主、伙计让支香烟，意思是“肉皮我占了，再别应承旁人”。肉店忙时，不用老板发话，收肉皮的很有眼色：“别的咱干不了，去皮是内行。”赶紧帮忙去皮、绞肉馅。

肘子也有人收。外地人聪明，比长安人会做生意。他们把猪肘子低价收回，放入冷库，待价格上扬或逢年过节时，去毛剔骨，再夹带些肉皮，扎成一团，放入大锅中一卤，染上颜料，再包装起来，做成令人垂涎欲滴的肘花，发往河南、山西等地。肘子也叫蹄髈，位于猪腿以下蹄子以上，是皮包腱子肉。当地人大多嫌麻烦，不太会做，所以销量很有限。外地人没来的时候，长安的肘子大多剥皮去骨，作为腿肉销售，导致腿肉不整齐，连累得猪肉都不易销售。现在习惯了卸肘子，若剥皮去骨，反倒不会卖了。

打下来的碎肉，囊囊膪、血脖子，统统称之为“槽头肉”，只能打肉馅包包子、饺子、做炸酱，绞碎了出售。槽头肉有淋巴豆子、血膪，比较脏，一般居民看着都恶心，只能廉价卖给食堂、餐厅。所谓“冬吃槽头夏吃臀”的槽头指前腿猪肉，并非真正意义上的槽头。我早晨生意繁忙时，一般不出售槽头肉。否则，正是卖好肉的时机，绞肉机一绞血淋淋的槽头，想绞馅儿的买主担心槽头透不干净，怕沾腥，有时该买的都不买了。

根据销售量，一般肉店都有固定的槽头肉买主，多了供应不起，少了又卖不完。槽头肉买主都是生意人，担心被人们看到，砸了他们的饭碗，总是做贼似的趁肉店没有买主或无人注意时，偷偷地溜到肉店：

“给我绞十斤肉。”

说完便去买菜，或者躲得远远地等着。即使被别人看见，他也理直气壮：

“你知道我绞的什么肉？”给自己壮胆。

有家山西名吃“‘西厢牌’老槐树牛肉饺子刀削面”，经常来我肉店绞槽头肉。绞肉时总要添加一些“牛排”豆制品或人工造肉。我一直纳闷儿“主营牛肉饺子，买猪肉干吗？”后来关系熟识，我便问之，他竟直言不讳，令人大吃一惊：

“牛肉？连个牛毛也没有！六块钱一斤的饺子，比面条还便宜，一斤牛肉多少钱？”

原来，他有独特的配方，槽头肉加豆制品，再加点牛肉精，就加工成了山西名吃——牛肉饺子。

由此联想到有的超级市场将速冻水饺才卖一块九毛钱一斤。想来也不是什么正经东西。

给河南特色小吃——水煎包子胡辣汤绞肉时，我嫌难看，想取掉其中的血团，被“煎包”拦住：

“带着血打出的馅儿红红的，像瘦肉一般，多好看！”

打交道时间最长的还数老槽。其人本姓严，四川成都人，来陕西有些年头了，一口流利的关中方言让人感觉他是个地地道道的陕西人。外乡人乡土情结浓郁，蜘蛛拉蛋似的大舅子、小姨子、老姑子从四川带来了一大群，专卖成都名吃“鲜肉麻辣千层饼”。其调料考究，味道鲜美，陕西人爱吃。他拥有好几个摊位，生意不错。我们习惯叫他“老槽”，老槽其实并不老，因为他是千层饼的老板，槽头肉的用量最大，槽头紧张时，我优先保证他的货源；反之，他的屁股不能胡撅，建立了长期稳定的买卖关系。他绞槽头肉很讲究，肉贵时，使劲地添加大葱、大蒜，皮也不剥。他晚上进来，我就得关门，前门进，后门出，谁知道他绞的是槽头肉？故而生意经久不衰。

槽头大多走了学校。七八月份学校放暑假，槽头肉的销售就萎了。两个月时间，偌大的冰柜塞得满满当当。实在无处可放时，就会削价处理。猪肉最便宜时，槽头肉卖过八毛钱一斤，和肉皮一样的价。但自2001年××大学扎根到长安，韦曲的槽头就供不应求，甚至出现了槽头专业户。贾××原来开着猪肉店，因位置不佳经营不善，一天到晚卖不了三五十斤肉，倒是左一个“有槽头吗？”右一个“有绞肉吗？”让贾××抓住商机，索性猪肉店也不开了，专门骑上摩托车，四处乱转收购槽头，再送到××大学。

送走最后一位主顾，便可收拾案板，清洗机器。烧一壶热水，将绞肉机拆开，掏出里面的余肉，放点洗洁精，擦洗干净，将刀片、箅子放入冰柜；清洗切肉机要麻烦得多，用根竹签将五十多道刀缝中的碎肉逐个剔出，再用热水反复冲洗，直至水清。否则放置一夜，明天就会变味，买主不满意，自己也不好意思。

最后一道工序是磨刀。用过一天，刀子已经很钝了。“磨刀不误砍柴工”，不在油石上蹭蹭，明天买主多时，会误事的。

做完这一切，已接近晚上六七点，倘是夏日，便可打烊休息。到了冬季，一天的工作才仅仅完成一半——还要去西安进货，不知何时才能回来。凌晨到现在，已经十多个小时，在这十多个小时里，即使没有买主，或者肉已售完，也必须在店里支应着——不能耽误常客的生意，这是最起码的职业道德。年复一年，月复一月，天天如此。

“猪最脏，猪肉最香。”这是几百年的古训。一辈子与猪打交道，就甭想穿干净衣服。且不说猪圈里粪便遍地，污水横流；即使猪肉店里也到处是油。稍不留意，一旦蹭上，肥皂、洗衣粉无论广告说得多神乎，均很难洗干净，一件衣服就算完了，况且还要干活，不沾点油污的几率微乎其微。所以，夏日背心、短裤、拖鞋是我们的时装；其他季节，无论里边穿什么衣服，外套则是清一色的蓝大褂。手更不能见净，刚开始卖肉时，触摸到热乎乎的猪肉，头脑中就胡猜乱想，倒挂着的一排猪肉忽地变成一个个吊死鬼，吐着长长的舌头，地上嘀嗒着鲜红的血。惊慌、恐惧、心悸一齐袭上心头。稍一走神，“嘶”的一声，一刀子劙在手上，鲜血直流，疼痛剜心，猪血、人血混合在一起。“创可贴”是常备药，可畅销的商品总免不了有冒牌货，尺寸小，黏度不够，一次用三四片，血还是止不住。索性不用了，反正离心脏远着呢，绝对死不了。用手捏住，过一会儿，血就会凝固，再包扎起来。刚学卖猪肉，手上的伤是不断的，愈了旧痕，又添新伤，层层叠叠，伤痕累累，一双曾经握笔的手，失去了原来的模样。

添了新伤，见不得生水，洗脸都成问题，更不用提洗手了。有时刚洗完手准备吃饭，来了顾客，又变成了油手。不过油手亦有油手的好处，一是不用与熟人握手，省却了不少繁文缛节；二是幼时放羊、打猪草、干农活，冬季时手常冻胀、溃烂，从此落下病根，一年烂，年年烂。跳出农门后，尽管用心呵护，依然无济于事。自从与猪肉打上交道，沾染上些猪油，竟奇迹般痊愈了。几年下来，倒省了不少的护手霜。

再有就是要与动检站、食品公司搞好关系。卖猪肉须有“三章两证”，即定点屠宰章、检验检疫合格章、出厂日期章，检验检疫合格证、陕西省兽禽产品品质检验合格证明等，缺一不可。屠宰场送猪肉来，有时只顾验货、过秤、付款，忘记了索取两证；有时屠宰场也为了逃避税费，故意不给或者少给。动检站稽查来了，拿不出票证，急忙给屠宰场打电话都等不及，轻则补票，每张六元，重则五到十倍的罚款，直至没收猪肉。

依照中国的管理体制，食品公司为企业建制，无资格收费。但长安县定点屠宰办公室设在县食品公司，管辖着县境内的屠宰场，各屠宰场每年给食品公司交纳一定的承包费。食品公司机构庞大，仅靠固定的承包费很难维持，更谈不上发展。于是近水楼台先得月，参照西安市朱雀路批发市场的做法，收取批发管理费。与朱雀路批发市场不同，批发市场为猪肉批发商提供场地、复检、过磅、维护公平交易秩序；食品公司则省略了这一切，依据长安县商业局多年前老掉牙的文件，仅仅保留了收费项目，规定：凡进入县城内的猪肉，必须自动到食品公司加盖三角章，交纳批发管理费。从此，长安县城内的大肉变成了“四章三证”。

图章太多，把白白净净的肉皮抹得乌七八糟。消费者不满意，各屠宰场、猪肉经营户更不愿意，于是想方设法逃费。食品公司就组建了强大的猪肉稽查队，配备了专车，在各猪肉店、猪肉摊巡回检查。一经发现逃费，补票、罚款直至没收大肉。群众不了解内情，还以为真正销售了不合格的猪肉。为了避免造成不良影响，一般肉食经营户得过且过，大不了猪毛出在猪身上，交完费，猪肉再卖贵点。可是也有个别食品公司的内部职工也开有猪肉店，他们不交费——同为食品公司的职工，只是社会分工不同，都在大干社会主义，不看僧面看佛面，处罚谁呀？必须看客下面，看人行事。从而造成了一县两制、不公平竞争的局面。

新闻媒体对乱收费行为予以关注以后，食品公司曾停收过几天。后来讨得尚方宝剑，研究了应对之策，改换门庭，修建了"猪肉交易大厅"，将"猪肉批发管理费"每头八元改革为"猪肉批发服务费"每头六元。实则"猪肉交易大厅"自建起至今，未曾交易过一头猪肉，只不过给收费提供了借口而已。

2004年，为了切实减轻农民负担，增加农民收入，中央专门下发一号文件，取消生猪检验检疫费、大型屠宰场的排污费之外的一切不合理收费。而食品公司、动检站仍然我行我素。大家弄不明白，为什么中央的政策在长安执行起来就那么难。

值得欣慰的是，进入9月份，食品公司的猪肉稽查队不见了踪影。听说被人告到省市，上面压了下来，批发服务费暂停收取了。

做生意必须谨防贼盗。我开店多年，生性秉直，不喜拖泥带水，婆婆妈妈，每天手头存放大量现金，用以及时结账。曾五次遭遇梁上君子光顾，损失惨重，其中的两次记忆尤深。

还是百兴肉食店时，店后接有半截子石棉瓦房，建筑粗糙。2001年夏，此处建设环南路综合批发市场。建筑队将架板堆放于我的窗后，恰为盗贼搭好了脚手架。那天下雨天凉，我劳累了一天沉沉地睡去，被窃贼破窗而入，窃去现金五千余元及一把钢刀，我自浑然不觉。天亮发觉，我急报公安派出所。派出所以为小案，不足挂齿，草草笔录后就石沉大海。邻人宽慰："亏得你睡得死，不然惊觉，必赤膊上阵，与窃贼打斗。窃贼手握钢刀，哪里还有性命？"于是自我宽慰："我非舍命不舍财的主儿，钱财乃身外之物，去而复来，哪有身家性命重要！"

曾看央视《今日说法》，甲家搭建厨房，脚手架为小偷提供了便利，致使家住二楼的乙家被盗。乙家诉诸法律，甲家败诉，赔偿部分经济损失。本打算一纸诉状将建筑队告上法庭，已经拍摄了现场照片，咨询过律师，打赢官司有十足的把握。想起“夜饭少吃，赢官司少打”的古训，加之诉讼伤时费劲，劳民伤财，非我等穷人忙身子者所能耗得起，遂“唉”的一声，折财免灾，与人为善，自认倒霉。

新猪肉店以壁柜隔开，前店后家。2001年临近年关，某屠宰场给我供肉，黄昏时分已经送完货付过款。老槽来肉店绞肉，我将卷闸门拉下，但未上锁，原打算老槽走后再开门营业。老槽绞完肉馅，行至后门，让我兑换五十元零钞。老槽走后，儿子哭闹，我即返回哄儿子，接着吃饭，看电视剧《天下粮仓》。约九时许，屠宰场又来四人，从外面将门拉开，加一头肉，我才意识到忘记锁门。当时正看到电视剧紧要之处，也懒得复秤。屠宰场四人嘻嘻哈哈打打闹闹，挂好猪肉自行离去，我赶紧下床锁门。

卷闸门拉下，一只苍蝇也难飞进来。看完电视，清点抽屉时发现，钱夹犹在，人民币不翼而飞。以为屠宰场一伙开玩笑吓唬我，打去电话询问时却都发誓赌咒，推说不知，急报派出所。一年几次失窃，派出所都成了轻车熟路。民警见我又来报案，先自乐了：

“你这个马大哈，是不是钱多得往外溢了？”

我也觉得反复在一个地方跌跟头简直愚昧至极，然而防不胜防，遂自嘲：

“非是洒家无能，实在是小偷太狡猾了。”

待第二天上班，派出所将屠宰场的四人传到，已经过了一夜。“贼无赃，硬似钢。”人民币上又没印你的名字，更不会说话，人民警察也毫无办法，总不能刑讯逼供吧。

小本买卖，历来为国人所不屑。古代就以农业为“本”，工商业为“末”。而今时代不同了，无论干什么工作都一样，只要能赚到人民币就行。然而，仍有不少社区仿照旧上海英法租界的做法，“小商小贩严禁入内”的警示牌随处可见。杀猪卖肉更为下九流的勾当，难登大雅之堂，常被人下眼观，更有好事者以为你日进斗金，故意找茬。

天晴了，爷红了，苍蝇出来了，各种佥烦买主都来了。这块儿太肥，那块儿太瘦；皮厚了，毛长了，满案子的大肉没有一块儿中意。看不上拉倒吧！他又不走，非得要买，要么“你给我便宜点儿？”零钱攥到手心，就是不给零头：“我没钱了。”你要是发现，“我还要坐车、买菜”等，红蓝铅笔两头削，一个萝卜非得八头子来切。遇见这种买主还真没辙，不卖吧，去了皮，切得七零八落；卖吧，眼睁睁赔钱。还是蘧师办法稠：“你对我是乡党礼，我便对你流水席。”大不了，八两秤逮你。

做生意难免三角债。按照行规，肉食经营户与屠宰场之间“蛇蜕皮”结算，即今天付清昨天的货款，明天再付今天的货款，依此类推。这中间包含两层含义：货为代销，经营户不出周转资金；倘屠宰场误事，不能按时保质保量送货，肉店每天均发生各种费用，屠宰场包赔损失，等于是押金。

我生性直爽，不喜欢欠账，在同行之中有口皆碑，各屠宰场都乐意与我打交道。

高桥屠宰场组建之初，鲜有销路，高薪聘请黑老五为其业务主管，以期拓展业务。黑老五原为肉食经营户，卖肉二十余年，把式很高，号称“韦曲第一刀”，塬上塬下，开有两家肉店。因航天工业部〇六七基地驻扎在塬上，经济效益好，职工收入高，人们讲求生活质量，排骨供不应求。而我的肉店在塬下城乡接合部，农村人多，猪肉销量尚好，但排骨滞销，于是常给黑老五送排骨，因而关系很熟。

黑老五信奉“一只羊是放，一群羊同样是放”的古训，只注重经济效益，对计划生育工作把持不严，生有五个小孩，其时均在读书，负担沉重。而黑老五其人虽年届半百，却精力过剩，人老心不老，老驴喜欢啃嫩草，染上了嫖小姐的嗜好。从此，尽管夫妻二人各守一店，努力工作，依然入不敷出，捉襟见肘。每每春心萌动，把持不住之时便动用销售收入，不能给屠宰场及时付款，欠下一屁股爱情债。临近春节，各屠宰场像南霸天、黄世仁一般，封门逼债。生意没法做了，只好撂了摊子，“韦曲第一刀”从此沦落到给屠宰场打工还债的份上。

为了动员我进购高桥屠宰场的货，每日上午，黑老五都要来肉店给我帮忙，我自轻松不少。久而久之，盛情难却，遂答应接受高桥屠宰场的供货。

自己汉小力薄，宜早做准备，笨鸟先飞。第一天送货，我要求五点送达，他们却八点才姗姗来迟，好多顾客久等不见，纷纷走路，耽误了不少生意。我很生气，念及初次打交道，不便发作，未及复秤，匆匆卸货剔肉。好在有“韦曲第一刀”帮忙，干活干净利落，还不至于影响大局，得饶人处且饶人。第二天送货倒很准时，可我订购八头肉，仅送来了五头。量不够，半天就得关门，影响我自己的生意尚在其次，因供有食堂，波及主顾的买卖，则无法交代。我于是提出严正警告。第三天送货，适逢大雪，七点半才到。下雪路滑，安全第一，情有可原。但前两天送货，都未复秤，屠宰场说多少便是多少。寻思该屠宰场刚开业，信誉至上，还不至于蒙人吧！

难得一场好雪，人们睡梦正酣，买主不多，正好复秤。屠宰场在每头猪肉的腿上都标注了重量，但大雪遇到屠体，立即化为雪水，已经将字迹冲刷得模糊不清了。听说复秤，黑老五等慌了手脚，一会儿这头是那头不是，一会儿这头又不是那头又是。将猪肉反反复复搬进搬出，折腾四五次，总算搬完。逐一复秤，竟与屠宰场的底子相差十余斤！倘若相差两三斤，勉强还说得过去，“十秤九不同”，一高一低而已。但十多斤不是小数目，折合人民币五十多元，相当于肉店每天费用的一半。我心想：不是屠宰场的秤有问题，就是人心有问题。货又不缺，跟人失牙拌嘴不划算。于是结清账款，停止了供货。

一星期之后，屠宰场老板老王来到小店，问是否要货。我答曰否。老王竟说：“那把欠账结清。”

我当时就蒙了：“不是停了你的货，当时就结清了吗？”

老王拿出账本，白纸黑字，写我欠他一千七百余元。我便解释，欠账在当时已经结清，你没划掉，司机在场，并将当时的情景一五一十地描绘出来。然而老王一口咬定没结。我们二人争执起来，引得不少闲杂人等瞧热闹，看笑话。

经营户与屠宰场之间天天打交道，一般都很守信用，各人记各人的账，你的账本上没有我的笔迹，我的账上也没有你的字据。所以一旦出现这种情况，空口白牙，谁也难以说清。

发展到后来双方对天盟誓，红脖子涨脸，不欢而散。

养猪的离不开杀猪的，杀猪的又离不得卖肉的。我们之间是鱼和水的关系，又是矛和盾的关系。长安就这么丁点儿的地方，又同为行道人，以后与老王见面，双方都不好意思，以致有时我还故意绕道走，好像真欠他银子似的。为此老王曾专门向我解释：回去问了司机，又对过账，是他自己记忆有误，不能怪我，遂郑重向我道歉。

我亦非得理不饶人之辈。人常说“事莫做绝，话莫说尽”“不走的路也要走三回”，况且“多个朋友多条路，多个对头多堵墙”。我遂向老王要过几次货，以示友好，逐渐发现老王在周围口碑不错，其人丁是丁，卯是卯，说一不二。真是不打不相识，我们从此冰释前嫌，成为朋友。

对于屠宰场而言，面对的仅仅是屈指可数的几家肉食经营户，即使欠账，也不必过虑——走了和尚背不走庙。而猪肉店的情形则完全不同，客源来自四面八方，与成千上万的客户打交道。“人数过百，形形色色”，什么人都有，你知道谁安的什么心？

齉师在开店之初，为了把生买主变成熟主顾，扩大影响，低价批发。一位自称在引镇街道摆摊卖肉的“毛胡子”被齉师吸引，在该店进货，每日近千元。齉师想拉拢大客户，法外施恩，允许对方以“蛇蜕皮”的方式结算，如此多日。忽一日，“毛胡子”没来。齉师以为其家里有事而未正常营业，也就没有太在意，心想：“我照本钱给你，不赚你的钱，又允许你欠账，价格再不能接受，你在别处试试，看谁还能给你。”齉师对自己充满了信心。可是久等不见踪迹，打手机又关机，齉师心里才发了毛，一千块钱，并非小数目。齉师无奈，先后几次亲自前往引镇寻找，可“毛胡子”好像已经剃掉了胡子，换了一个人似的，哪里还能找得着？

有位郑老板，改革开放之初就在韦曲经营猪肉店，可谓业界元老。他一直给某饭店供货，价格按市价走。饭店接待会议，公款吃喝，资金不能及时回笼，自然也就无法给郑老板及时结账。然而饭店是国营的，只要与领导、办事人员搞好关系，欠账绝不会赖掉，这点郑老板很放心。不料几年下来，竟欠下十多万元。郑老板做梦也没有想到，后来饭店改革，国有资产重组，实行股份制改造，承包给私人经营，新人不理旧事，欠账便挂了起来。郑老板很无奈，一气之下转让了猪肉店，转行投资浴足堂、美容美发，招募了几个小姐，干起了卖笑的勾当。同行问起，他也直言不讳地调侃：

“猪肉是肉，人肉也是肉，终究难脱卖肉的行当。”

西京大学建校时，一家外地施工队在我店里买猪肉，每次一百余元，现金交易，付款很爽快，半年多一直如此，逐渐建立了信任关系。一日一反常态，称楼房封顶，老板犒劳民工，一下子买了五百多元的猪肉，一摸口袋，忘了带钱。我不忍失去老关系，便让其写了一张欠条，将猪肉带走，约好明日一并清账。可是一连几日不见踪影，待我找到工地，工程已经交工，施工队早已金蝉脱壳，走得无影无踪了。

开店做生意，卖的多为回头客，不赊账显得不近人情，容易得罪老关系，路愈走愈窄；倘若赊账，每年总有几笔死账呆账难以收回，要做几次冤大头。反过来又想，恶意透支者毕竟不多，绝大多数顾客重承诺、守信用。一年到头，除去费用与日常花销，总有些许赚头，世间的生意可能大抵如此。

人生是一个大卖场，只是各人所售的商品不同而已。比如政治家出售权术、教授卖弄知识、作家出卖文字……我靠卖猪肉维持生计。相比之下，我以为卖猪肉是一种牛仔般的生活，虽然劳身，但不劳心，自由自在，不受约束，不必揣摩别人的心理，看他人的眼色行事，也不必鬼鬼祟祟，做贼似的难堪。心情愉悦时，多进一些货，为的是在店里多待一些时间，听南来北往的宾客讲述他们的生活，每个人生故事都很精彩，有时令人捧腹，有时又黯然神伤；心情烦闷时，可把猪肉作为假想敌，猛戳几刀子，狠揍几巴掌，不必触犯王法而消闷解气；也可早早打烊，点着烟，满上酒，几杯酒下肚，晕晕乎乎，忘乎所以，烦恼随风而去。

晚上解衣上床，清点一天所得，多了份安详与静谧，少了些担心与忧思。这样自食其力，吃得安全，睡得安稳，胡吃海喝，心宽体胖，何等逍遥自在！

上帝是公平的，他给富人以美味的食物，给穷人以良好的胃口；给伟人以短小的身躯，给高大者以卑微的地位；给小鸟以翅膀，给野兽以爪牙；让强大者独处，让弱小者群居……他不让任何事物完美，于是便有了人类对完美的追求。而完美却恰恰是美好的愿望，看不见摸不着，如海市蜃楼，子虚乌有。

一对贫穷的农民夫妇，男的驾辕，女的拽车，将辛苦喂养了大半年的肥猪装上架子车，拉到屠宰场出售。恰逢运气好，肥猪卖了大价钱，二人高兴至极，舍不得在街上吃饭，用省下的饭钱割二斤肉。回家的路上，妻子坐上架子车，丈夫拉着，喜不自禁的妻子用驱赶肥猪的藤条轻轻地抽打丈夫油光光的脊背：“驾！”

丈夫则步态轻盈，大声吆喝：“谁要肥猪……”

路人纷纷驻足，于是幸福便在架子车上荡漾。

官运亨通，财源广进，华衣美食，妻妾成群，儿女孝悌……人世间诱人的东西实在太多，归根结底，无非名、利二字。如庄子所言：“伯夷死名于首阳之下，盗跖死利于东陵之上。”“名利”二字作祟。司马公《史记·货殖列传》记述：“天下熙熙，皆为利来；天下攘攘，皆为利往。”人们如蚊逐血，如蝇争臭，趋之若鹜。倘得不到，则自我宽慰“知足者常乐，能忍者自安”。然而，世间真正能有几人拿得起、放得下？

明代的朱载堉曾经写过一首《十不足》的散曲：

终日奔忙只为饥，才得有食又思衣。置下绫罗身上穿，抬头又嫌房屋低。盖下高楼并大厦，床前缺少美貌妻。娇妻美妾都娶下，又虑门前无马骑。将钱买下高头马，马前马后少跟随。家人招下数十个，有钱没势被人欺。一铨铨到知县位，又说官小势位卑。一攀攀到阁老位，每日思量要登基。一日南面坐天下，又想神仙来下棋。洞宾与他把棋下，又问哪是上天梯。上天梯子未做下，阎王发牌鬼来催。若非此人大限到，上到天梯还嫌低。

人心没底，欲壑难填，倘若锱铢必较，患得患失，那该多累呀！

曾在朋友家里看过这样一首打油诗，记得几句，聊抄于此：

人生在世屈指算，难活三万六千天。今晚脱鞋放一晚，不定明日穿不穿。世间几多愚昧汉，一生不肯结姻缘。贪心不过意难满，有了八百想一千，有了一千想一万。奉劝世人早看淡，有钱积德种福田。

人算不如天算，计划赶不上变化，人世间有太多的不如意。每个人的境遇不同，各人有各人的活法。譬如茶杯与水缸。茶杯虽小，能够盛水解除干渴；水缸很大，却难以滋润天下之干旱。所以，小，可以纳天；大，不足以容心。

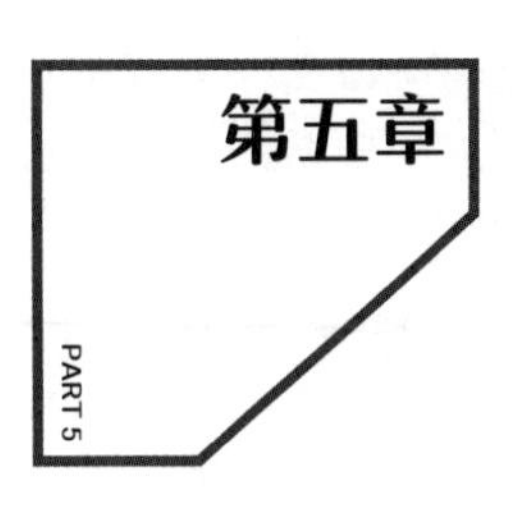

一朝成名天下知

我被媒体捧成了“名人”。贾平凹先生说：“名人为芸芸众生用泥和草和金粉捏出来的神。”宛如商店里悬挂着的衣服，翻过来扯过去地让人品头论足。

“北大才子卖肉”新闻的出笼

2003年7月酷夏，太阳像一个硕大无比的火球，烘烤着古城大地；天如蒸笼，热得让人喘不过气来。中学地理教科书将南京、武汉、长沙、重庆列为中国四大火都，然而，考察西安近几年的气候状况，有过之而无不及。看来教科书也不十分准确，确实应该修改完善了。

清晨五点钟，生物钟准时将我唤醒。坐在床上，美滋滋地点上香烟，一时之间，斗室里便弥漫着香烟与汗臭混合的气味。

多年养成的习惯，早晨一睁开眼睛，牙不刷， 脸不洗，天大的事情放在一边，先要靠在床上，过足烟瘾——几个小时未吸烟，口腔、肠胃、嗓子已备受煎熬。为好这一口，没少忍受妻子的唠叨、孩子的白眼。

也曾咬牙强制戒过几次，但最终还是禁不住吞云驾雾、神仙般美妙感觉的诱惑，戒而复吸，可见戒毒之人意志是如何坚强。反过来又一想“不抽烟不喝酒，死了不如狗”“宁舍婆娘娃，不舍纸烟把”“抽一支烟，解心宽，解乏解困解腰酸”。自己就这么一丁点儿业余爱好，倘若丢弃，如我这般行尸走肉之人，生活还有什么乐趣？后来又听说香烟可以预防“非典”，更坚定了我抽到底的决心。总之，无论怎样，看来这位老朋友注定要与我生死与共了。

照例开始了一天的生活，摆放案板，打扫卫生，整理器械……约五时半，屠宰场将猪肉准时送到，过磅、付款、剔骨、翻肉，紧张而有序的工作重复着……新的一天又开始了。

不过今天似乎感觉有些异样，早晨起来，眼睛不时地跳。常言道“左眼跳财，右眼跳崖”，可两只眼睛都在跳，是福是祸，一时却难以预料。只有心中暗暗地提醒自己：头脑冷静，遇事沉稳，不要冲动——人一旦背运了，喝凉水都要硌牙。

六点钟，买主上来了，你要一斤，他要二斤……我在前面案板上打肉，妻在后面绞、切加工，一时忙乱得东西难辨，再也无暇顾及“跳财”抑或“跳崖”之事。

八点半许，酒店、餐厅、单位大灶的老主顾陆续来了，老远就打着招呼，店前顿时热闹起来，生意也更加繁忙。

当地驻军85012部队的给养员小王将采购清单往我的猪肉案上一甩：“眼镜，给我准备三十五斤肉，摩托车借我使使。”

我一边答应一边将摩托车钥匙递给他——尽管心里一千个一万个不乐意，但表面上还得赔着笑脸，讨好应付：

“奶奶的，那辆车就是让你们这帮乌龟王八蛋给骑坏的，刚花费四千元买了辆新的，不识趣的又来借。”

然而，顾客就是上帝，是我等的衣食父母，得罪不起，谁叫咱们做生意呢?

继续打发其他主顾，正忙得不可开交，电话响了，不接，不停地响，一听，是小王，车让交警给扣了，让我赶快将有关手续拿过去。

“奶奶的熊！”我在心里狠狠骂道。正是卖肉的节骨眼，我哪有空闲！只好告诉小王：“你先回来，车随后再说。”

小王回来后，结结巴巴、断断续续地讲述了事情的原委。原来，交警们靠着马路吃轱辘，在环南路什子附近设卡查验证照，暂扣了许多大小车辆。

“不过不用担心，我们团长与公安局熟识，可以要回来，下午请你配合配合。”小王充满自信，说话掷地有声。

我点头应允。

因为天气太热，肉店是半天生意，猪肉卖完或者卖不完，下午都没有买主。耗着也是干耗着，不如早点关门歇息。

心绪不好，脑子乱七八糟。早早地收拾了门店，胡乱扒拉了几口饭，糊弄了一下肚子，打开一瓶冰镇啤酒，狠劲地抽了几支烟，补足上午因为忙而没有过足的烟瘾，无意之中瞥见微微发胖的妻子，猛然发现一个有趣的现象，不禁哑然失笑。

杀猪卖肉的媳妇十有八九都比较健壮，有人说是吃猪肉太多的缘故，其实只说对了一半。

肥肉脂肪丰富，食之易发福，这是其一；其二是猪肉的销售全凭早晨，尤其夏日，早上特别忙，无时间吃饭，为了不至于太饿，前一天晚上放开胃口使劲地吃，肚子憋得鼓鼓囊囊，第二天又得早起，所以刚吃完饭，把嘴一抹便去睡觉，真所谓“吃了睡，睡了长”，与养猪是一个道理；其三，缺乏体育锻炼，不能及时转移多余的脂肪，因而长了一身肥膘肉。

而男的发胖却不常见，毕竟杀猪卖肉是重体力劳动，消耗大，早上又不能吃饭，“两餐就着一顿食”，体内自然积攒不了过多的脂肪。

已经两瓶啤酒下肚，小王这个小王八蛋仿佛吃辘轳屙井绳，仍不见踪迹。正焦急间，三男一女径直来到我的面前，细皮嫩肉的，只看穿着打扮，就知是手不提篮，肩不挑担，吃皇粮的主儿，与我等凭借力气吃饭的不是一个档次。

“你认识我吗？”为首的一男问。

我仔细端详，此人四十上下，中等身材，粗眉大眼，皮肤白皙，项上一顶苏格拉底式的脑袋，无限光明。似曾相识，一时之间却又回想不起。

“面熟，想不起来在哪儿见过。”我如实回答，“国税还是地税的？”

我言不由衷，脸上赔着笑颜，嘴里抹着蜂蜜似的赔着小心，心底却在暗骂：“撞见鬼了，净遇倒霉事，真是福无双至，祸不单行啊！”心里盘算着怎样才能尽快将这帮“吃人贼”打发滚蛋。

来人笑而不答，反问：“生意如何？”

“马马虎虎，混口饭吃。”平时吹牛皮不用上税，你尽可吹嘘有几千万资产，但遇见税务征管稽查人员，不敢海阔天空五马长枪地神侃一气，不能说好，否则收你个人所得调节税；也不能说得太惨，“赔钱你还不关门？”问得你哑口无言，最终还得乖乖缴税。

来人又问：“你是不是大学生？”

我心想下岗职工可能免税。听说国家有这么一项政策，税务局一直没有现场办公，自己也没有时间与精力去税务局询问。对于老百姓而言，大凡能得到实惠的好事，手续都很烦琐，目的是让你知难而退，不能白白占了国家的便宜，这基本上已形成规律。与上次受别人蛊惑办理最低生活保障一样，自己失业十几年，从未领取过一分钱的下岗费，没人说我思想觉悟高，国家也没有因此而繁荣富强。最低生活保障金是政府救济穷人的银子，本想“不领白不领，领了也白领”，于是打躬作揖，求神告庙，奔波一年多，只领取三个月，又被叫停。

如此做梦娶媳妇——想得甜蜜，我如实回答。

来人这时才表明身份，他叫燕军仓，是西安电视台专题制片人。来长安办事，曾经听人提起过我，顺道前来看看。

再次端详此人，脑海中没有记忆，确实未曾见过。至于刚才说“面熟”，可能是自己整日踌躇街头，南来北往的宾客接触得较多，看谁都似曾相识，若直接说“不认识”，显得生硬，似乎对人不礼貌。幸亏自己是一个杀猪卖肉的，还未成为达官显贵，倘若果真遇见故人，一句“贵人多忘事”讽刺挖苦于我，岂不尴尬万分！

小王一个毛猴子列兵，哪能搬来团座的大驾？他狐假虎威地叫来了一位团参谋和司务长。人常言“参谋不带长，放屁都不响”；至于司务长，用关中农村的话讲，不过一个执事头，主管吃喝拉撒睡，芝麻粒似的官，既没有“杠”，也没有“星”。哪一个是胆敢咬狼的狗？所以对于交警队之行，我基本不抱过多的希望。

例行公事似的，与小王他们一同前往——也许部队与公安的关系特殊也未可知，权当撞大运吧！

交警还未上班，大院里已聚集了五六十人，绝大部分如我一样，带着被扣车辆的相关证照，拉着亲朋好友，托着关系，走着门路，希冀交警不看僧面看佛面，能够慈悲为怀，网开一面，手下留情，刀下留人。

离上班还差十分钟，“违章处理”的窗口已经排起了长龙，煞是壮观。

“倘若何时买肉之人能够排起这‘一’字长蛇阵，发家致富奔小康指日可待。”做着黄粱美梦，脑子胡思乱想。商品社会，人人爱钱，权与钱是一对孪生姐妹，形影不离。有权就有钱，人们排着队，争先恐后地送来，还麻麻腻腻，爱理不理的。职能部门劁人较之我劁肉，刀子镵火何止千百倍。难怪人人都想为官，无人甘愿牵马缒镫，有权便有了一切，连古代都崇尚“学而优则仕”，把读书做官放在第一位。

好容易等到上班，交警们却先开会。这才想起今天是周三，一般单位政治学习居多，办不办公则另当别论。尽管如此，人们还是抱着一线希望，久久不肯散去。

果然，大约下午四点半，一名交警传出话来：“车在停车场，今天不处理。”

凡是机动车司机都知道，交警队在北塬专门设立了违章车辆停放场，专人看护，不用担心丢失或损坏。可交警队也不学雷锋，车不是白白停放的，停放一天收费二十元。拖到过了夜，便以两天计，若是十天半月不处理，单停车费一项就得花费几百元，罚款还在其外。

小王、团参谋、司务长一伙忙去找熟人。但人微言轻，要么被推托“人不在”，要么被告知“按规定办理”，碰的不是软钉子，便是硬钉子。一向在当兵的面前吆五喝六的军官，碰了一鼻子灰，煞是难堪。我忍不住想乐，可一想到自己起早贪黑，千辛万苦积攒的银子是老鼠给猫存着，很快将要落入别人的腰包，忍俊不禁的笑声却变成了无可奈何的苦笑：“算了吧，他们要钱不要命，改天再说吧。”

一帮人知难而退，无功而返。

尽管遇到了烦心事，第二天，门还得照开，生意还得照做，权当给交警们挣钱吧！事既已如此，胳膊扭不过大腿，鸡蛋碰不得石头，你能奈他何！只有把银钱看淡，折财免灾，打掉的牙齿往肚子里咽——这也是中国如我般老百姓的处世哲学。

约十时许，一辆红色面包车停在我肉店前不远处，奇怪的是车上的人没有立即下车，像在等待着什么。

“大热的天，坐在车上，既无空调设备，通风条件又不好。这帮人不是脑子有病，便是在捂蛆。”我暗自寻思着，本打算前去探个究竟，转眼一想：“如今这年头，人心不古，好人难当，有时好心反被当作驴肝肺。反正‘事不关己，高高挂起’，多一事不如少一事，免得惹一身麻烦，自找嘴掼地。”如此想着，我便与妻子忙着生意，并未过分在意。

不知过了多久，车上的三人方才下来，在隔壁食堂吃完饭，一人手里拎着一瓶矿泉水，径直来到我的肉摊前。其中白白净净，长相相当帅气的小伙子，随手递给我一支“祝尔慷”牌香烟，说：

“陆老师，你好！我们是西安电视台专题部《关注》栏目组的，想对你做一个专题采访。”

接着，三个人你一言我一语，将如何受制片人委派，拟拍摄一部关于在新形势下，大学毕业生就业题材的专题片的想法一一道来，希望我能配合支持。

一声“老师”叫得我万分尴尬。活了大半辈子，还是第一次听人如此称呼于我，很不顺耳，更不习惯，连忙摇头摆手：

“不敢当，担当不起，实在惭愧！叫声‘卖肉的’蛮好，如今杀猪卖肉是行家里手，尊声‘师傅’就算高高地抬举我了。”

“祝尔慷”香烟两块钱一包，批发价一块七毛五。在我的周围，烟瘾奇大而又挣钱无门的贫下中农、下岗职工们都抽此等劣质香烟。该香烟因为价格便宜实惠而得名为“农民烟”“下岗烟”，想不到堂堂电视台大导演，拿薪金、吃官饭的，居然也与我这个杀猪卖肉的同属一个档次，亏他还拿得出手，传将出去也不怕别人笑掉大牙。此人不是烟瘾奇大，便是老婆掌管财政大权，“妻管严”严重。这是我当时的感觉。

但无论如何，一支劣质香烟，还是拉近了我们之间的距离。

依照常理，听到这些，我一定会受宠若惊。沉默了许多年，终于看到了出头露脸的机会，仿佛即将沉入海底的人，绝望之际，忽然飘来一根救命稻草。

岂不知经历了这么多年的风风雨雨，如今的我一把年纪，黄土都埋到了腰身，早已是心如止水，不再奢求。

记得新千年的春天，人民日报社的一位同学，不知从何处得知了我的境遇，曾打来电话，要我将有关情况写成书面材料，他将通过该报驻陕西记者站，直接在上面寻求解决我的问题的办法。

我也曾为之动心，只要端上国家的饭碗，就轻易不会被打碎。思忖再三，一是怕同学鞭长莫及，远水难解近渴，怀疑同学的能量，现在看来，这一点是多虑了；二是担心欠债，倘落下人情债，一辈子也难以还清，行将就木之人，最不堪心理重负；其三，有坐轿的，便有抬轿的，佛说“我不入地狱，谁入地狱”。其实我早把这一切看淡了，况且生意不错，收入凑合，生活还算安静，权衡利弊，半斤八两。“唉”的一声，也就罢了。

想不到几年之后，咸阳街头“擦皮鞋的工程师”找到我。虽然初次谋面，素昧平生，然而相同的经历，相似的境遇，令我大发同病相怜之感慨，于是，相聚一家小餐馆，四瓶啤酒下肚，顿时豪气干云，甘愿为朋友两肋插刀，不托的关系托了，不找的门路找了，反倒欠下一屁股人情债。我这辈子是无能力偿还了，只有寄希望于子孙后代。至于“擦皮鞋的工程师”依然在街头擦皮鞋，其中另有隐情，牵扯个人隐私，不便一五一十逐一道来。

见我始终无动于衷，电视台的几位索性坐了下来，拉开架势，准备打持久战，展开深入细致的思想工作。

从后来的深入了解中得知，那个所抽香烟与身份极不相符的小伙子叫伍伟，摄像记者，MBA，广电部磁带厂下岗职工，在电视台应聘——打工一族，写到这里，就不难理解抽“农民烟”“下岗烟”的缘由了；女孩叫崔小羽，长得很甜，为编导；还有一位是司机，叫张建潮。

三个人红脸、白脸加黑头，行当齐全。他们一唱一和，轮番上阵，不厌其烦地开导、引诱我。而我自岿然不动。他们久攻不下，转而进攻我的妻子。我担心女人心软，加之旗帜不鲜明，立场不坚定，急忙摆手摇头使眼色，而她似乎视而不见。如此，时间长了，言多必失，必然露出马脚。于是，心中着急，无意中吼了一嗓子：“别理我，烦着呢！”

他们忙问何故。我信奉“指亲戚，靠邻里，不如自己学勤谨”。自己自作自受，不忍心将不相干之人拉下水，便支支吾吾不肯明说。但终禁不住他们的软磨硬缠，遂将部队给养员如何借我的摩托车，如何被交警暂扣，几个人又如何去交警队要车无果的情形诉说了一遍。

“车是新的，磨合期还未过，”我最后补充道，“停放一天就是二十元，是我卖一头猪肉的利润。”

“走，咱们去看看，我帮你要！”伍伟说话斩钉截铁。

“有熟人吗？”我担心地问。

“还用熟人？”伍伟拍了拍手中的摄像机，非常自信，“你忘了我们是干什么吃的。”

我将信将疑，稀里糊涂地上了他们的车，一起来到交警队。

我走在前面，伍伟扛着摄像机紧随其后，崔小羽拿着话筒，准备录音。一帮人装神弄鬼，煞有介事。

不愧是交警，手不忙，脚不乱，马路上练就的功夫，活学活用，立即运用到处理突发事件上来——一百八十度的大转弯！非同凡响，放到常人身上，不摔个大跟头才怪哩。

警察毕竟是警察，颇有军人作风，一个电话，平时很难见面的队长立即到了。忙不迭地递烟，买矿泉水，还准备请客吃饭。

伟大领袖毛主席教导我们："革命不是请客吃饭。"

伍伟脑子转速也高："又不是拍英雄事迹、模范人物，吃什么饭？"

还是队长有驾驭全局的能力，他颇具绅士风度，喜怒不露声色，始终面带微笑地陪我们抽烟、聊天，同时马上指派专人为我办理各种手续，又到一公里外的停车场取车。手续简单、干脆，自然没有收取任何费用，包括停车费。

在被扣的数百辆机动车中，我是第一个没有依靠熟人关系，正大光明地将车要了出来，而且手续从简，一切有人民警察代劳，未发生任何费用，可以说在"要车史"上是一个奇迹，史无前例，应当永载史册。

自从学校毕业，一脚踏入社会，好久未尝"第一名"的滋味了。那种感觉，何其美妙，以至于掩饰不住内心的喜悦。这一点，从对待顾客的态度上明显表现出来。顾客们都说，我如同换了一个人一般，态度和蔼多了，话也多了，脸上有了笑模样……

从贴身感受中，体验到了文明社会"无冕之王"的厉害，明晓了大众传媒的力量，从而改变了对媒体固有的成见。

出于对西安电视台的感激，也出于对伍伟他们工作的支持，我愉悦地接受了采访。在此后的两三天里，我上午依然开门营业，他们拍摄场景资料；下午关了门，则陪同他们回老家、走母校、见同学，逐渐拾起早已散落的记忆。

我一直纳闷西安电视台的编导们如何得知我的情况？又如何转弯抹角，七扭八拐地辗转找到我的猪肉店？像我这样一个形象欠佳，边幅不修，除了鼻梁上架着一副厚重的老式眼镜之外，外形与其他屠户并无太大的差异，都是手上油腻腻，身上脏兮兮，连沿街叫卖《华商报》的报贩子都知道我目不识丁，在我的门前叫卖无异于对牛弹琴，因而省却了唾液。而我，自从做了屠夫，一直羞于提及北大，唯恐没出息的弟子辱没了母校的声誉。大家都知道，我是卖猪肉的，连幼儿园的阿姨都把我的孩子叫作"卖肉娃"。

事后才得知，燕导他们一帮人，为了弘扬主旋律，讴歌改革开放，在长安某机械厂拍摄专题片。该厂厂长李某某是我中学同窗，他们厂开发生产的绞、切肉设备，我购买过一台，用着不错，曾在同行之中推荐介绍，卖出过不少，于是李某某知道了我在卖肉。拍片之中，涉及新产品开发推广，自然而然地提及了我。这样，李某某在无意识中，自觉不自觉地将我出卖给了媒体，才有燕导他们来我店里明察暗访的一幕。

经过剪辑、整理，西安电视台于2003年7月24日晚上十时半，播出了题为“昔日北大生，今日卖肉郎”的专题报道。

因视觉媒体的局限性，加之播出时间较晚，大部分观众已经进入梦乡，所以节目播出后，并未引起多大的社会反响，恰为其他媒体提供了新闻线索，反让《华商报》拔了头筹。后来，当人们提及“北大才子卖肉”的新闻，都知道是发端于《华商报》，而鲜有人知是西安电视台首先“关注”。对于“为他人作嫁衣裳”的义举，伍伟一帮人始终耿耿于怀。

新闻冲击波

如果说西安电视台的《关注》是导火索，那么《华商报》的连续报道就是一枚枚重磅炸弹，而中央电视台等国家级新闻媒体的介入则是原子弹。

西安电视台率先报道，但真正将这个消息推向全国乃至世界的，当非《华商报》莫属。

据新闻圈内人士讲，西安电视台做节目的初衷，并非为了关注我这个小人物的命运，给当地政府制造不愉快，而恰恰相反，旨在为党和政府分忧解难。在就业形势日趋严峻的今天，引导人们，特别是大学生朋友，树立正确的劳动观、价值观、就业观。而其他媒体的介入，从不同侧面报道，却引发了一场关于中国人才环境、用人机制、价值取向等诸多问题的大讨论，这是他们所始料不及的。

《关注》播出的第二天，西安当地的一些媒体，如《西安日报》《西安晚报》《西安商报》《西北信息导报》《美报》等七八家平面媒体接踵而至。由于众所周知的原因，《西安日报》《西安晚报》的稿件可能未能通过审查，其他报纸又大多是周报，这就给《华商报》提供了捷足先登的机会。

那天《华商报》是最后一家，来我处大概已经到了下午六点钟左右。我干了一天活，又接待了众多的媒体，早已精疲力竭。当《华商报》记者江雪、李杰再来采访时，我正仰面八叉地躺在床上昏昏欲睡。听说又是采访，我觉得陈芝麻烂谷子的往事翻过来倒过去反复诉说，无多大的实际意义，白白浪费我宝贵的休息时间，所以躺在床上动也未动。

两位记者听说众多媒体已经来过，不敢懈怠，立即给总编室挂了电话，让预留版面，然后慢条斯理，不骄不躁，左一声“老师”，右一声“老师”，叫得人心里直发痒痒。他们从拉家常入手，耐着酷暑，细问端倪。那种精神，着实令人感动。

后来，听说江雪荣膺2003年中国新闻界十大风云人物，与采写关于我的连篇报道不无关系。

与两位记者的敬业精神相左，我与妻子有一搭无一搭地应付着。事后想起当初的情景，怪不好意思的。

最后，来人买肉了，趁我起身打发买主之际，李杰抓拍了照片，第二天见诸报端。

北大才子长安街头卖肉

西安市长安区韦曲镇汽车站以南，38岁的陆步轩开的“眼镜肉店”颇有名气，除了价格公道、质量保证外，陆步轩鼻梁上一副厚厚的眼镜也把他和别的肉贩区分了开来。

陆步轩的小肉店是租来的约20平方米的单间，前面卖肉，后面是一张床，这里也是他的家。妻子陈晓英忧郁地说：“我到现在也不愿意让他卖肉，他是北京大学的毕业生啊！”这个农村姑娘当年嫁给陆步轩是看中了他的文化，“可没想到，这文化现在一点儿也用不上。”陆步轩平静地听着，艰难的生活已经消磨了这位北大毕业生昔日的自信和风采。

1985年，长安县鸣犊镇农家少年陆步轩从引镇中学毕业，以高出本科线100多分的成绩考取了北大中文系，是当年长安县的文科状元。四年苦读毕业后，陆步轩被分配到长安县柴油机配件厂。当时的县计委对这个高才生比较关心，借调他到机关工作。后来计委办企业，陆步轩自告奋勇去了企业，但几年后企业垮了，他失去了“饭碗”，以后他搞过装修，开过小商店。长安县计委几经改制，后来变成长安区经贸局下属的工业国有资产管理公司。对陆步轩的情况，区经贸局也无能为力。陆步轩的单位“柴配厂”早已停产，去年厂里给他办了最低生活保障，对他也算是一点安慰。

2000年，陆步轩租了房子开起了肉店，文弱书生操起了切肉刀。但卖肉的生意也不容易做，每天起早贪黑，一年忙到头，交了水电费、房租后也就所剩无几了。随着年龄的增长，曾经的理想被现实的生活负担所代替。陆步轩在说如今他不愿意看书时，表情有些痛苦。他说，自己还是喜欢研究语言，尤其是对方言很感兴趣。“其实我最适合去做编辑词典的工作。”言谈中，他流露出对“书桌”的向往。

陆步轩的遭遇也引起周围人们的关注与同情。记者到长安区经贸局采访时，他昔日的同事说，陆步轩是很有才华的，“现在这样太可惜了！他还年轻，应该有施展才华的地方”。

本报记者　江雪

照片上的我，背心、短裤、拖鞋，一副睡眼惺忪的模样。旁边站着一位妇人，许多人以为是我的老婆，包括我昔日的同窗老白鸡。其实不然，她是买槽头肉的主顾。我若与这种人为伍，内心必备受煎熬，寝食难安，说不定有一天会“一头抢地耳”。

槽头肉即血脖子肉，肉肥而脏，带有淋巴结，宛如鸡肋，食之无味，弃之可惜，属猪肉中的残次品。有些生意人，贪图便宜，用之做馅，糊弄外八路。对于这类人，作为猪肉店，既离不开，又见不得。好肉卖完，剩一些大油、骨头、槽头便是利润，倘没人要，变质了，等于折了利润，一天就算白忙活了。但这类人通常利欲熏心，不出好价钱，猪肉批发价三元钱一斤，槽头肉去皮两元；批发到五元，仍给你两元，你爱卖不卖，反正他们总能买到。猪肉愈涨价对他们愈有好处，以次充好，大发不义之财，你说气人不气人？

对付这种人，我自有办法。上午卖好肉时，你来绞肉馅儿，等待半天，我理都不理，权当没瞧见，反正你又不敢大声嚷嚷。待到下午，好肉卖完，才处理此等下渣。没人要怎么办？便宜呀！一块八、一块五毛钱一斤要不要？照片上的猪肉红白分明，看似不错，实乃此类下品，由此可见，李杰先生的摄影技艺何等高超。

果然是爆炸性新闻！

第二天是周六，天还未亮，我正在剔骨，书报亭老头笑眯眯地送过来一份

《华商报》，神秘兮兮地说：

“好好看看，有重大新闻，好消息！”

我正在忙碌着，来不及招呼老头，鼻子里“哼”了一声，并未十分在意。老头讨了个没趣，丢下报纸，悻悻地走了。

老头事实上并不老，五十出头，六十未到，为××单位下岗职工，只是面容憔悴，头发稀疏，给人印象好似七老八十了。他经营着一爿商店，既卖烟酒，也售书报。自从我的猪肉店搬迁至此，与其为邻几近两年，从来是只买烟酒，不看书报。恐怕在老头的印象中，我可能斗大的字，也识不了几个，鼻梁上架的劳什子是猴子戴眼镜——冒充斯文。今天老头很诧异，兴冲冲地送报过来，没想到热面孔贴着了冷屁股，很没有颜面。回头想起此事，怪难为情的，几次寻思前去解释，又担心越解释越说不清。好在老头似乎并不介意，每次见我，依然笑容可掬。

天刚放亮，报贩子的叫卖声便悠忽传来，不绝于耳。我很奇怪，心里骂道：“你们这帮蠢材，难道不知道我不识字吗？还喊叫个鸟！”

早晨八点，店前渐渐热闹起来，许多人用异样的目光打量我，神情怪怪的。还有不少人买过猪肉，并不急于离去，而是三五成群聚在一起，站在肉店不远处指指点点，窃窃私语。害得我以为自己仪容仪表出了纰漏，偷偷跑进去照过好几次镜子。

听人讲，那天的《华商报》卖得特别火，不到上午十点便被抢购一空。第二天，即7月20日，《华商报》又推出“状元卖肉引出的人才话题”的专题报道，由此揭开了关于中国人才环境、用人机制等问题大讨论的序幕。

一石击起千层浪，《华商报》连篇累牍的报道，打碎了我宁静的生活。一时之间，街头巷尾，议论纷纷，舆论哗然。小店门前，更是车水马龙，宾客络绎。昔日名不见经传的眼镜肉店，顷刻之间成为焦点。

《华商报》推出首篇报道的当天晚上，长安区政府办公室的一位科长便摆下饭局，差人约我。几年未见，此人从乡村教师一跃而为政府办科长，可谓官运亨通，仕途正旺。正在丈二和尚摸不着头脑之际，我曾经想调入而最终未能如愿的某学校差人又至，两桌饭局顷刻挤在了一起，比见了亲人还热情。我心里直犯嘀咕：“瞧那德行，若放在往日，街上碰到恐怕也要绕道行走，装作未曾看见，这时却都来凑热闹。”

然而都是故人，颜面还须留住。好在我对烟、酒都很有感情，平日收摊，无论有无下酒菜，总要抿上两口，解解乏气。久而久之，居然上了瘾，一日不喝，便喉咙发痒，四肢乏力，浑身都不自在；几杯酒下肚，脸泛红光，印堂发亮，精神为之一振，全然是另一番景象。老白鸡一伙叫我“BEER CAR”，意即啤酒桶，我知道比酒囊饭袋好听不到哪儿去。人称“千杯不醉”，喝白酒以公斤计，啤酒则以吨位论。即使摆下鸿门大宴，我怕他个鸟甚！于是，李玉和似的，雄赳赳、气昂昂地前去赴宴。

此后几十天里，新华通讯社、中央电视台、上海电视台、解放日报、外滩画报、南方周末、南方都市报等几十家新闻单位都加入了追踪报道的行列，全国各地几百乃至上千家媒体予以转载、评论。于是，一夜之间，我名动天下，成为轰动一时的新闻人物。

为了避免不必要的麻烦，对于境外媒体、记者，诸如路透社、美联社、法新社等，我一概敬而远之，避而不见。以免几杯猫尿下肚，嘴上走了把门的，胡说八道一通，落下里通外国，诋毁社会主义之嫌。

对于国内新闻单位，则是有选择地予以接待。这便引起了不少新闻记者的不满。譬如《××都市报》的某记者，来过几次，因为我太忙而接待不周，最后干脆不来了。他们待在家里，但凭一些道听途说，闭门造车，瞎编乱猜一气，杜撰起新闻来。像《三滴血》中的他王妈，既想说媒，又怕跑路，给人家亲姊妹俩说起媒来。真该掌嘴！

中央电视台是最早来西安采访我的国家级媒体，其二套《对话》栏目有两位导演，他们软磨硬缠，反复做我的思想工作，让我消除疑虑，走进央视。他们在西安一待就是十多天。我当时担心，倘若自己到北京，身不由己，被他们请的一帮专家、教授，拿起手术刀，大庭广众之下，三下五除二，解剖得体无完肤，最后只剩下骨头、槽头。被迫无奈，我只能以肉店生意繁忙走不开为由推托。他们在多次努力无果的情况下，抛出撒手锏，承诺只要我去北京一星期，做了他们的节目，则给我一万元的经济补偿。

一万元，相当于我卖五百头猪的利润。五百头猪，一头就有一百多斤肉，两个月也不一定能卖完，短短的一星期便能轻易获得，可谓日进千金。一万元对于相对贫困的我来说，的确是个不小的诱惑。看在人民币的情分上，我一时心有所动。但最终还是基于方方面面的考虑，未能成行。他们无功而返。

两位导演回京后，被领导狠剋了一顿，甚至以下岗相威胁。二位均是央视聘用人员，为保住饭碗，二次飞抵西安。这次，他们吸取了经验教训，一颗红心，两手准备：一方面，发誓即使生拉硬拽也要将我拽到北京；另一方面，直接带来了主持人陈伟鸿与摄像，万一没辙，先斩后奏，就地处置。于是，在我不予配合的情形下，强行拍摄。资料传回北京，在对话方未到场的情况下展开“对话”。这在《对话》史上，恐怕是空前绝后，绝无仅有的。

后来，博士猪倌陈声贵想去央视露脸，托我联系。我想，为与我“对话”，他们费了多大的周折，现在有人主动送上门来，而且是留洋博士，文化文凭比我高出许多，岂不是求之不得？没想到联系了《对话》的导演，他竟回答：

“《对话》属于高端访问，对象是外国总统、业界名流，不是什么乱七八糟的人都可以上的。”

我碰了一鼻子灰，很没颜面。但想到自己一个破杀猪卖肉的，竟与美国总统布什先生、英国前首相撒切尔夫人、韩国三星集团总裁尹钟龙先生等帝王将相相提并论，不禁又飘飘然起来，连自己姓啥名谁都差点给忘记了。

《外滩画报》首席记者禄兴明，是个蒙古人，性情豪爽，行事怪异，与众不同，我很喜欢；上海电视台《新闻追踪》编导李强、任军贤兢兢业业，锲而不舍，很有不撞南墙心不死之精神。我清晨开门，立在门外；晚上打烊，守在门口。且携带机器先进，我曾一度误认为是境外记者，刻意回避，弄出不少笑话。还有《解放日报》记者陈佳勇，深谙迂回战术，倘若在战争年代必是杰出的军事家。他不谈采访，先拉扯校友关系。他们都得以如愿，充分体现了大上海人之精明、干练，西北人望尘莫及。

值得一提的是我的小师妹刘喜梅与其同事李某，他们都是新华社陕西分社记者，我们相差十余岁，此前彼此并不相识。《华商报》报道之初，他们来到我的小店，师兄妹相见，欣喜异常，千言万语，不知从何谈起。小师妹聪明伶俐，清纯无比，虽然相貌平平，却才华横溢，非常善解人意。

他们购买几打啤酒贿赂公行，我则得到了免费的晚餐。被灌得晕晕乎乎，不辨东西与南北。忘乎所以之际，我与他们无话不谈，视为知己。

北大学子当街卖肉，是耶，非耶？社会各界争论不休，我的处境也很微妙。卖猪肉并非我的专长，更非我的所好。然而，世间之事变幻莫测，冥冥之中似有主宰。昔者胡山从屠夫而状元，如今老陆由状元而屠夫，究竟是谁之功，谁之过？这个命题变得很微妙，很敏感。稍不留神，可能获罪一大批人，成为众矢之的。所以每当遇事拿捏不准时，我总与小师妹他们一起计议，他们对内幕亦十分清楚。

我与他们约定，凡事不避开他们，在前景未卜的情况下，他们也不写稿子。刘喜梅巾帼不让须眉，一诺千金，真乃女中豪杰；相比之下，李某却轻诺寡信，食言而肥，表面应承，私下却搜集资料，写了一篇不太负责任的文章发表在《南方周末》上，成为自己跳槽的敲门砖，弄得我非常被动。当然，事过境迁，我也无意再责怪李某。总之，树林子大了，什么乱七八糟的鸟都有，没什么大惊小怪的。

2003年8月初，中央电视台新闻频道《新闻会客厅》栏目有位女编导叫曾荣，是北大校友。其人说话柔声曼气，莺莺燕燕，非常动听。她多次打电话来约我做节目，并派记者来陕拍摄场景资料，给我的孩子带来了玩具，送我白岩松签名题词的著作《痛并快乐着》、我大学老师何九盈先生的《中国语言学史》。好久无人如此牵挂于我，我深受感动，答应倘若去央视做节目，则首选他们。只是目前条件不成熟，自己有不得已的苦衷，请他们谅解。曾荣最后说，她男朋友在中央某要害部门工作，认识人多，门路亦宽广，如需要帮忙，可尽管找她。我表示感谢，遂成为神交。

遗憾的是，到2003年11月我去北京时，另一校友王学勇已经接替了曾荣。曾荣漂洋过海，远赴英国留学，未能见上一面，终成憾事。

《面对面》栏目组来西安时已是8月下旬。此前三天，央视《讲述》栏目也曾来陕。当时，我已成为公众人物，长安区各主要宾馆、饭店住满了来自全国各地的新闻记者，我的手机几乎被打爆，向我伸出橄榄枝的单位与个人不计其数。据说公安机关已介入调查，看我是否存在历史遗留问题。这一切来得太突然了，我哪里见过如此场面，何去何从，一时眼花缭乱，无所适从，需要静下心来，仔细权衡利弊。毕竟一夜之间，猴子演变成了人，是谁也无法预料的。

在敏感时期，倘若做节目，不小心胡言乱语一番，传出去无异于惹火上身。所以，那段时间，我给自己定下原则，对于新闻单位，一律三缄其口，避而不见。

《讲述》栏目曾电话联系来陕，我向他们讲述了目前的处境，希望他们能够理解。然而，可能因为职业的敏感性，他们还是不期而至。

依照常理，人家千里迢迢找上门来，总该有所收获。但他们提前拟定了《讲述》提纲交我过目，我以为有些话题暂时应予以回避。编导拿捏不准，电话请示了上司，而上司态度很明确：不能更改，按既定方针办。一句话封了口，没有回旋的余地，那么，哪里来仍回哪里去，我亦爱莫能助。

拒绝了《讲述》，《面对面》又至，那天瓢泼大雨，甚是少见。当时在金长城酒店吃饭，一句不和，我牛脾气上来，拍案而起，扬长而去。不料通讯录却落在了酒店，回头去取时，巧遇王志先生。

这几年，我一直居无定所，没有闭路电视。偶尔一次拜访朋友，在朋友家里看了王志与牛群的《面对面》，具体内容已然模糊不清了，但王志先生的形象给我留下了深刻印象。相书里讲，薄唇口阔之人才能巧舌如簧，能言善辩，难怪著名歌唱家多是大嘴族呢。如果让我的老师，著名易学家、中央民族大学教授王扶汉老先生预测，王志先生必不能进中央电视台，至少不能当节目主持人。但王志先生思维敏捷，言辞犀利，凭着一副歪嘴厚唇，硬把一代相声大师逼到了旮旯里，遂对王志先生顿生敬意。

人有见面之情分，王志先生在场，我再推托便显得太不近人情，于是，便有了与王志先生的《面对面》。

新闻的力量

我被媒体捧成了“名人”。

贾平凹先生说：“名人为芸芸众生用泥和草和金粉捏出来的神。”宛如商店里悬挂着的衣服，翻过来扯过去地让人品头论足。电视、报纸的连续报道，很快将一个偶然的话题引申到关于中国人才机制问题的大讨论上，更有媒体称之为“陆步轩现象”，从而拉开了口水大战的序幕。

中央电视台二套《对话》，以中国社会科学院人口与劳动经济研究所研究员李小平先生为首的“体制改革论”者，与以销售总监培训师、职业经纪人培训师、《北大学子》特邀理事王文良先生为代表的“个人奋斗论”者展开唇枪舌剑，争论异常激烈，几乎争吵起来。电视机前的我不由自主地为他们捏了一把汗：千万莫为我这个不起眼的小人物伤了和气，有失大家风范。亏得我的师兄“北大教授副的，围棋二段业余的，文学博士真的”孔庆东从中解围，要不然，中央电视台演播大厅演化为拳击场也未可知。

《诗经·小雅》：“巧言如簧，颜之厚矣。”自己笨嘴拙舌，却对巧言令色、夸夸其谈者素无好印象。但长安区××局干部×先生当头棒喝，给我上了一课。

我与×先生年龄相仿，此前只闻其声，不见其人。此人才思敏捷，能言善辩，徐松涛、周武兵拉我上央视作解剖时，他恰巧在场。他与我虽是乡党，但立场却在两位导演一边，鼓励我上京，以活生生的事实给地方政府抹黑，我曾予以断然拒绝。不料×先生却冒着被上级穿小鞋的风险，自费赴京，仗义执言，在众多大家之中，在全国亿万电视观众之前，为我这个不相干的小人物鸣冤叫屈，抱打不平。其人品、勇气、胆识着实令人刮目相看，肃然起敬。

且看他发表于《陕西老年报》的一篇文章，其观点可见一斑。

……倘若分配时实事求是，使其专业对口，学以致用，量才录用，任人唯贤，造福当地，则一举多得，何乐而不为？缘何不成问题的问题却成了问题？假如舆论一律“万马齐喑”，文明便很苍白，改革便无生机。

诚然，“北大毕业生卖肉”未尝不可，退休老教授还卖茶叶蛋呢。但时下，我国人才现状、构成及含“金”量表明，北大毕业生依然是亿万学子以及家庭心仪的品牌，有幸考中的青少年绝非等闲之辈，而顺利毕业则更是拥有一定知识的象征和标志。而我西部正值开发、建设用人之际，北大毕业生的价值焉能小觑！自然，如果北大毕业生在对口的领域未能胜任，那是他个人的原因。但刚走出校门来个用非所学，责任在他么？至于怎么适应社会，那是步入社会以后之事。至于说陆步轩没出息，为何不上市应聘，那要具体问题具体分析。因为1994年国家才启动高校毕业生“双向选择”机制，在此之前仍然是计划经济体制下的“统分”。分配思想的偏差，分配中的问题已成为公开的秘密，离开时空和历史来谈问题，合适吗？他本可能更好地发展，以实现自己的社会价值与理想！抑或当初陆步轩太“笨”，人家有些高、初中生都能进机关和事业单位，你就比不过他们？你“傻”到“家”了。

值得提及的是，有人竟将社会各界人士对陆步轩遭遇的同情与关爱，臆断为“文凭崇拜”，冠冕堂皇地夸大时下“双向选择的纯净度”云云，不辨菽麦地称陆的遭遇是“人才使用与个人选择双向互动的结果”，殊不知恰恰在“人才使用”的本源上出了纰缪，无法“互动”，才呈现了扼杀人才的天下奇观。

《华商报》发表“华商时评”：

一个毕业于中国最有名的高等学府的人在街头卖肉，确实有违常理，毕竟那是一个稍微有点文化的人就可以干的工作。

同时坦言：

这样的选择对于当事人来说充满了无奈……因为我们每一个人都将面临着人世的种种风险，面临出人意料的灾难……一个亿万富翁也可能债台高筑，一个政府高官也可能革职入狱……这就需要我们要有一颗平常心，也需要我们永远保持乐观的心态。

而后断言：

命运就是用各种不幸来促使人的成熟，考验人的耐力，人生的苦难在苦难最终被战胜之后，它就成为受难者的财富。

《中国青年报》发表署名为魔鬼教官的文章：《陆步轩，那一代人的一个背影》，其中写道：

他是否如《生命中不能承受之轻》之中的托马斯医生那样，以甘愿做一个擦窗工人来完成一种对社会的讽刺。

揣度他人生活选择的目的是无聊的，但是，“北大人”这个在中国人心目中带有神奇光辉的称呼，让我更乐意把陆步轩往托马斯身上靠。是的，唯有如此才会让如我的看客从中寻找到一个相匹配的意义，聊作精神安慰。托马斯医生的擦窗生涯亦非一种主动的选择，而是对他的政治态度的一种惩罚。在彼时的捷克，政治态度上不过关，托马斯除了擦窗以外别无选择。而在陆步轩那个时代，计划经济体制的控制力渗透于社会的每个角落。一个北大毕业生，被莫名其妙地分配到陕西长安县柴油机配件厂，在中国，在可以预见的很长一段时间，都是一种残酷的社会讽刺。而那个工厂终于垮了，于是我们的主人公像托马斯拿起抹布、拖把一样，操起了屠刀。

然而，这终究是一个悲剧。某种程度上，“高才生不等于谋生能力强”，这似乎也适合于对陆步轩处境的另一种评论。毕竟，那一代人在1992年邓公南巡之后，从某种意义上，生命已经获得了解放。体制之外突然有了生存的空间，政治力量无所不在的罗网撕开了一个大口子。而正是这种转机，给了陆步轩们可以选择另外生活的机会，也使得此前与此后的人有了完全不同的精神面貌。

不过，我还是不能、不愿意接受在这种角度对北大高才生卖肉命运的解读。洛克菲勒曾经说过：“即使把我扔到沙漠里，只要有商队路过，我照样可以成为百万富翁，没办法，我就是这样的人。”而像陆步轩这样的人，或许天生就适合做学问而不适合与人打交道的职业，说他“不闻窗外事”也好，说他“只读圣贤书”也罢，社会需要这样的人，太需要了，至少在我的有生之年，中国的人才都不会多到要他这样的人去卖肉的程度。而我们今天就至少有一个（我相信那一代人中，有不少人有着与陆步轩相似的命运）这样的人，多么奢侈——这与陆步轩是否善于谋生有何相干？

想象一下，一个天生不善于商业，天生而且后天的培养使之成为适合做学问的人，被分配到一个西部偏僻县城的小企业里，那么最后从事类似卖肉的行当，或许只是时间问题，如此而已。

对“北大人”卖肉的惊讶是传统社会等级观念的体现——这种观点我不认同。因为，人与人在权利上是应当平等的，但是，人与人生来却是不平等的，这种不平等或许就唯一体现在智力上。无论应试教育有多少问题，能考上北大本身就是智力成就的一种证明。而陆步轩被发配到一个毫不相干的企业里并最终操起刀斧，是智力优秀分子命运的沦落，而这种沦落，因由非在陆步轩本人。

社会进入多元化时期，每个人看待问题都有各自不同的角度，有赞成便会有反对，这很正常，所谓“公说公有理，婆说婆有理”。2003年7月29日，《工人日报》刊登了一篇署名为曹林的文章《“北大才子卖肉”与“文凭崇拜”》

其中写道：

笔者认为，公众对“北大才子街头卖肉”新闻的这段惊诧从一个侧面折射出社会根深蒂固的“文凭崇拜”。在我看来，“街头卖肉”是市场经济下，企业人才使用与个人选择双向互动的结果，这种社会自生自发的理性制度不应该因为卖肉者是“北大才子”而受到质疑。

是不是北大培养出来的毕业生都是“人中之极品”？是不是政府要为北大毕业生找到好工作才算是成功的政府，才算是不失职的政府？这恰恰与当下社会人才使用中企业与个人双向选择的理念相悖，与政府“不再以强制的手段干扰人才使用”的政策相左，以前媒体上曾经有过“中国改革的成功与否要看北大教授是不是拥有了私家车”的争论，难道我们也要搞出个“人才使用的理性与否要看北大学子是不是能找到最好的工作”？

在今天社会大环境下，北大出来的人没有找到好的工作以致“沦落”到街头卖肉，反而恰恰说明了社会人才使用制度中双向选择的纯净度越来越高，企业与个人都越来越理性和成熟。事实上，据新闻内容透露出来的信息显示，陆步轩在失业后曾多次找过工作，但最终没有被录用。企业的理性在于，没有因为陆步轩是“北大才子”，有一张北大的文凭就“收归门下”，而是根据企业自身发展的要求和陆步轩的个人能力进行了理性的选择，在文凭与实用之中选择了后者；而陆步轩的理性在于，没有因为自己是北大毕业的，就放不下架子，也没有因找不到好的工作就在委屈中愤世嫉俗。他没有这样做，而是选择了在别人看来“低贱”得与自身身份不符的职业：当街卖肉，以自己的双手养活自己，承担“上有老下有小”的家庭责任。敬佩之余，我们更应该尊重他个人的选择。

那么在这种情况下，我们的政府和舆论应该做什么，应该不做什么呢？我真希望，政府千万不能因为媒体的报道和公众的“审判”就积极地干涉陆步轩的工作问题，或是指派哪个企业接收陆，或是强制哪个单位收留陆，这只能破坏本来很理性的双向选择，企业的人才选

> 择权应该是绝对的；公众也不要再把矛头指向所谓的“人才浪费”和“政府失职”了，毕竟陆没有找到好的工作可能在于他个人能力方面存在着许多缺陷，比如说个人推销、自我包装、自我定位、人际交流等方面的能力漏洞，这些能力的提高都需要我们的公众去帮助他，去鼓励他，这才是要紧的事。
>
> 值得声明的是，陆步轩曾经被借调到长安县计经委工作几近三年，计经委即后来的计划委员会和工业局。工业局主管县办企业，陆对企业情况了如指掌，绝不会睁大眼睛再往火炕中跳，即使失业之后，也不会再去企业寻找栖身之地。眼看着一家家企业停产、倒闭，一次都不可能，更谈不上多次。那么“根据企业自身发展的要求和陆步轩的个人能力进行了理性的选择，在文凭与实用之中选择了后者”实为无稽之谈。国家机关与行政事业单位臃肿庞大，人浮于事，又有“编制”这道门槛，缺乏一定的人脉背景，企业人员想要改变身份，端上国家的铁饭碗，简直难于登天。陆步轩泥腿子出身，祖上风水欠佳，人老几辈都于黄土之中刨食吃，祖上贪生怕死，既未参加老红军，又未加入老八路，社教中还是个中农成分，与“根红苗正”一点也扯不上关系，何来提携？陆步轩明明知道自己姓甚名谁，除了某中学外，从未联系过任何单位，甚至连曾经借调过他的长安县工业局都未找过，以免碰歪了鼻子。

令人不解的是，当时全国各大媒体报道、评论我的文章铺天盖地，何止千百，其观点或褒或贬，各有千秋。而作为中共长安区委、区人民政府的喉舌，其机关报《长安报》万千文章不选，偏偏看中曹林先生的这一篇文章。是曹先生文采好，立意巧妙，还是具有无可辩驳的说服力？其用意显然是司马昭之心——路人皆知。

《光明日报》发表郭之纯先生署名的“一家之言”，认为“才华不是一种虚名，才华也不取决于师门的高低。对于真有才华者来说，如何成就并不取决于身处何境，如贝多芬耳聋偏能作曲、大作家陈忠实几乎要去养鸡、比尔·盖茨在车库里成就宏业基础……如果‘才华’不能转化为‘本领’，那种所谓的

‘才华’便只能是屠龙之技”。

不知郭先生是否听说过陕北拥有数项发明专利的高级工程师照样给单位看大门，咸阳街头工程师依然在擦皮鞋谋生，更有宝鸡大山中的留美博士陈声贵在养猪……这种偷换概念，以点带面的文字功夫着实了得。请郭先生注意，纵然陆步轩不济，起码是“吃得宴席打得柴”，拿得起放得下，拿起笔能吃文化饭，拿起镢头、铁锨还能种庄稼修理地球，实在混得没办法，拿起屠刀还能杀猪卖肉，还不至于把一支破钢笔故意七扭八拐，被人当枪手，看人颜面，仰人鼻息。把您郭先生放在黄土高坡试试？站着说话不嫌腰疼！

报道得多了，北大副教务长、教务部长李克安教授脸上挂不住了，“打狗还得看主人”，于是公开表示，如果需要，学校愿意为陆步轩提供必要的帮助。但北大校长许智宏先生认为“北大学生卖肉完全正常”“行行出状元，北大的学生同样可以做一个普通的劳动者”。甚至有全国人大常委会委员让大家到美国加州或者纽约去看看，中国出去的许多高级知识分子，开餐馆的、跑单帮的、做小买卖的比比皆是，我们的大学生有很多不切实际的想法，研究生也是这样。现在就业完全是市场导向，所以，大家不要奇怪大学生培养出来后去干第三产业的工作。

如果王委员能够举出例子，说美国加州或者纽约的高级知识分子能够在北京、西安或者中国其他地方开餐馆、端盘子、跑单帮、做小买卖则更具有无可辩驳的说服力。

李教授不愧在官场上混得久了，深谙为官之道，懂得见风使舵。既然顶头上司发了话，得当圣旨来接，弯子转得倒挺快：

没错，我确实说过愿意提供帮助，现在你来问，我还是这句话。可有的报道不全面，北大开创至今，毕业生少说也有几十万吧，“包”得过来吗？也绝不可能“包”。出了校门就是独立的人，出了校门就要学以致用自己打拼。打拼的路子很多，个别学生当街卖肉也不足为奇，谁规定了北大的学生就不能卖肉了？我看陆步轩卖肉就卖得挺讲究，他诚信经营，善于推销，卖出了水平，卖出了名气，他给肉店取名“眼镜”，就很有见地。虽然他初次分配没能“专业对口”，但自我选择时多少发挥了受过高等教育的优势。现在的大学生动不动就抱怨就业难，“专业定终身”的过时观念，应该摒弃，“宽口径，复合型”的素质教育必须推行，一流高校赋予毕业生的不是一劳永逸的“就业保险”，应该是一流的思维方式与行为能力。多元化的社会，肉能卖得好，也是出息。

大家都是胸膛挂笊篱——劳心过余。且看中共中央机关报《人民日报》怎么说：

也说“陆步轩现象”

近日，“北大毕业生长安卖肉”成为人们议论的热点。北大学子陆步轩，毕业后被分配到家乡陕西长安县的一家机械配件厂工作。由于学非所用，想调动工作也未办成，几次波折，最后只好当街开起了肉店，维持生计。

这件事之所以引人注目，除了“北大毕业生”与“卖肉个体户”的鲜明对比，也与人们关心西部大开发中的人才成长和使用环境不无关系。因为在此之前，为动员应届毕业生到西部去，中央和国家有关部门做了大量工作，出台了一系列鼓励、优惠措施。然而“北大毕业生长安卖肉”，却与此形成了强烈反差，不能不引起人们的高度关注。

人们关注的，不全是陆步轩个人的命运，而是西部有怎样一个人才成长和使用的环境，是什么原因造成了陆步轩这样的处境？难道仅仅是个人时运、能力不济，才出现这一现象的吗？

虽然“北大毕业”说明不了什么，但从陆步轩的成长轨迹看，他绝非是人们所说的“高分低能”的那种，在毕业分配不尽合理的情况下，他曾努力改变过；在无奈只好下海经商的时候，他还曾“红火”过；即使生意失败，只能卖肉为生，他也显示出肯动脑、会用脑的一面，一个“眼镜肉店”的店名，起得何等有创意！据报道，在经营上他也有板有眼，声誉颇佳。然而寸有所长，尺有所短，他在学校所学的语言专业，不能用来支持他单枪匹马闯市场。尽管卖肉为生，合法经营，并没有什么不光彩，但是对陆步轩来说，显然用非所长。

有人认为，人就是要适应环境，逆境才能锻炼人；还有人认为，市场经济就是“优胜劣汰”，陆步轩虽是名校毕业，生意却没有成功，那他就不算人才。中国自古确有成大才者要“饿其体肤”“劳其筋骨”之说，逆境中确有成才者，然而实践也证明，并不是人人都是超人，恶劣的环境同样能阻碍人才的成长；人才也并非“全知全能”，既能打鸣又能下蛋固然最好，但并不完全符合人才成长和使用的规律。

调查数字显示，东部平均每100人拥有科技人员18名，西部只有2名，东部乡镇领导的学历在大专以上的占64%，西部不足20%。西部确实急需人才，但是也确实存在这样的现象：一方面呼吁人才匮乏，一方面本地人才未得到充分利用；一方面花很大力气引进人才，一方面却是人才用非所学，造成浪费。如果不改变人才使用的大环境，如果不是用求贤若渴的心情去关心人才的成长和使用，还会出现更多的“陆步轩现象”，从而使有志于参加西部建设，特别是有志于家乡建设的西部学子感到寒心。

同情、怜悯弱者，是人们的天性。媒体连篇累牍的报道，舆论一片哗然。一时之间，眼镜肉店门前，车水马龙，门庭若市。陕师大实验中学、《法制日报》内参部、《西北化工信息》、航天中学、陕西省妇女儿童活动中心、陕西民俗博物院、西京大学、华山学院等数十家单位派员登门与我洽谈，更有数以百计的企事业单位打来电话，发来信函，向我伸出橄榄枝。感人至深的，当属三原县教育局、《西藏青年报》所属的《作文精选》编辑部、西安工程科技学院，他们为挖走我这个“人才”，主要领导屈尊移驾，三顾茅庐，情真真意切切。

这一切，给长安区委、区政府造成了无形的压力，尽管我回乡已经十五年，其间经历了太多的变故，区委、区政府的班子更换了一届又一届，我的具体情况现任领导不一定十分清楚。但在《华商报》初次报道的当天，区政府办的一位科长即约我吃饭，打探口风。第二天清晨，一辆黑色桑塔纳2000型轿车停在我门前，我同学的堂兄走下汽车。

我的同学1984年考入清华大学土木工程与环境保护系，环境工程专业，与我同年毕业，分配至西北电力设计研究院，工作不太顺心，遂下海经商，深知经商之苦衷，多次在其堂兄之前提及我。其堂兄在任长安区×镇党委书记时，与人事局长交好，曾千方百计找到我，以个人的名义将我介绍到人事局长跟前，希望为我解决工作问题。尽管当时并未办成，但我知道长安的事情错综复杂，堂兄尽了力。我非忘恩负义之人，滴水之恩当涌泉相报，只恨自己位卑言微，报答无门，遂将之视为兄长。

兄长告诉我，他刚调入区委办公室，区上领导对我很关心，此前三天，他还与书记谈及此事，拟调我到某单位从事文字工作。不料短短几天，竟让《华商报》给搅和了。他现在在区上，与领导接触较多，又是我同学的哥哥，如同我的兄长一般，希望我沉着冷静，遇事多找他商量，以免做出鲁莽之事，令亲者痛、仇者快。临走，又问我有什么想法和要求，他可以带给领导。

对于兄长所言，我自然深信不疑。我的根虽然扎在长安，可这么多年，混得不如人，自惭形秽，与外界接触甚少，身边还真缺少遇事帮我出主意、想办法的贴己人。难得兄长热心，又见多识广，便愉快地答应。

2003年8月1日早晨，星期一，即《华商报》连续报道的第三天，天气炎热，我照例在肉店里忙碌着。

见得多了，我的神经已经麻木。新闻归新闻，报道归报道，说得天花乱坠、子虚乌有的东西，既不得顶饭吃，又不能当衣穿，哪有花花绿绿的人民币来得实在？所以尽管采访的、关心的，甚至还有瞧热闹看笑话的，把我的门槛都能踢断，我仍不为所动。门照开，猪肉照卖，养家糊口的手段，一天都不能丢弃。

约九点钟，区人事局干部科×科长来到我的摊前。

“×局长来看你，能不能将手头的活儿放下，说几分钟话？”

我毕业那年，×科长就在干部科，主管学生分配。不过那时他还没有官衔，一个小办事员的角色，拿不了大事。

我为了毕业分配，多次跑人事局，与他也渐渐熟识起来。此后几年，街上经常碰面，可能贵人多忘事，我认识他，他不认识我，想不到如今升任科长，居然一口能叫出我的名字。

我对×局长个人印象不错，很想与他搭话，无奈夏天卖肉集中于早晨，买主太多，刚打发完一拨，又来了一帮，实在走不开。我总不能为了接待局长而冷落了主顾，将猪肉放臭在自己的手里，丧失最起码的职业道德，所以没有立刻屁颠儿屁颠儿地去打进步。待买主稍淡，已接近中午十一点，人事局几位局长仍在车中耐心等待。我很抱歉，急将他们往房子里让。可是店面太小，到处油腻腻的，还是空调车上凉快、舒服。我也顾不得客气，姑且上车聊上几句。

寒暄之后，局长问起三年前想调入某中学的情形，我据实以告。局长嗔怪我遇到问题缘何未去找他，倘由组织出面协调解决，也许事情会好办得多，至少不至于弄到今天这种尴尬的地步。

当初，我混得没办法，想去某中学讨口饭吃，先去找人事局。人事局与我挂面不调盐——有盐（言）在先，组织只负责办理相关调动手续，教育局、学校方面需要我自行疏通。后来事情卡了壳，我也曾想过寻求帮助，一是我与人事局不沾亲不带故，而且有约在先；二是局长日理万机，确实很忙，平时很难找着。电话预约，又与身份不符，思来想去，觉得可能命中注定有此一劫，反复折腾，不仅会于事无补，反而会成为人们茶余饭后的谈资，遭人嗤笑。

人事局主要领导此次前来，共有三个目的，一是代表组织看望我，对我多年的辛苦奔波表示慰问；二是征询我对组织的建议和要求；三是表明态度，诚挚地希望我留在长安，为家乡的建设出力。

第二天，即2003年8月2日，《华商报》刊登通讯员王××采写的消息：

> ……7月26日，27日《北大才子长安街头卖肉》《状元卖肉引出的人才话题》的报道在本报刊登后，长安区委、区政府领导十分重视，主动找陆步轩了解情况。区人事局登门看望了陆步轩，根据他的专业专长牵线搭桥，积极为他创造就业机遇。陆步轩表示，对区委、区政府的关心十分感谢。区人事局表示，尊重陆步轩对工作的选择，如果他愿意继续在家乡工作，将充分考虑他所学专业，在双向选择的前提下安排好他的工作。

我真弄不明白，与人事局领导偶然于汽车之中匆匆会面，身旁并无局外之人，新闻单位如何知晓？不由得感叹新闻工作者嗅觉之灵敏，如人们肚中之九曲蛔虫，见缝插针，无孔不入。

从新闻报道的第一天起，我就给自己立下规则：遑论承诺得如何天花乱坠，对于境外记者，一律三缄其口，避而不见。一些官方主流媒体，尚且已经把我这个很特殊的个案上纲上线，三拉五扯地与中国用人体制联系到一起。倘若再来一些境外记者，稍不留神，扯到自由、民主、人权方面，借机恶毒攻击社会主义，抓个现行，那我岂不成为千古罪人，遭万世唾骂，浑身是嘴也难以说清吗？

上海电视台新闻综合频道有档栏目《新闻追击》，我误将其当成凤凰卫视记者，刻意回避。他们穷追不舍，追得我等鸡飞狗跳，四处乱窜，曾闹出不少笑话。

某市市长百忙之中，亲自打来电话，要来长安看我。我受宠若惊，感激涕零。因为此前我结识的屠户肉贩能有几十打，社会闲散人等能拉几车皮，几时见过朝廷大员？于是推掉一切事务，不敢再有安排，如新媳妇第一次见公婆一样，精心梳妆打扮一番，诚惶诚恐地待在店里，耐心等待市长的大驾。

约下午三时，一辆黑色奥迪轿车停在店前，车上走下二人，一高一矮，一胖一瘦。其中较胖的一位腋夹公文包，腆着腐败肚，一看就知道是当官的面相。

我急忙擦脸净手，迎上前去谄媚地一笑：“×市长，辛苦啦，谢谢您！”我正为自己的胡叫冒答应而自鸣得意，心想必定会歪打正着，在市长心目中留下美好印象。

“不敢当，不敢当！我不是×市长。”来人头摇得像个拨浪鼓，谦虚得像个小跟班。

原来政府办主任和人事局长来了。他们说市长临时有紧急公务，抽不开身，委托他们对我表示慰问，希望我得暇去他们市看看：“一个电话，我们派车来接，挺方便的。”

高兴了半天，未见到市长，内心未免有点失落。然而政府办主任与人事局长像宽厚的长者，热情而慈祥，我不禁又有些飘飘然：“是金子总要发光。”于是也以为自己一夜之间仿佛真的变成了人才。

几天以后，西安电视台《关注》栏目回访，为了弥补替他人作嫁衣裳的缺憾，决意要将此事追踪报道到底，非弄出个张道李胡子不可。那天听说某市邀请我前去考察，便急不可待地拉着我一同前往。

这些年来，我心灰意懒，不求名不图利，新闻报道也并非出自我的本愿，但媒体确实给我带来了意想不到的收获，全国无以数计的观众、读者关心我，同情我，更有数以百计的单位邀请我，使我为之动容。归根结底，西安电视台是肇端。从这一点来讲，是他们让我再世为人，看到了生活的希望，我很感激他们，不忍心违拂他们的意愿；再者，某市即使作秀，摄像机架在面前，无冕之王一旁见证，慑于新闻舆论的压力，也将会是另一番景象。于是狐假虎威一般，我同意与西安电视台一同前往某市考察。

我们前脚走，上海电视台两名记者搭乘出租车开始盯梢。我将怀疑其为境外记者的疑虑告诉了西安电视台的摄像伍伟。他也认为很像，“无论如何，不可掉以轻心！”

不怕一万，单怕万一。为了不至于捅下娄子，埋下祸根，我们一商量，决定甩掉他们。

如同上映影视剧，司机张师傅依仗本地人氏，路况熟悉的优势，撇开大道，曲里拐弯，专走背巷，而且车速飞快。然而未想到出租车司机也不是吃干饭的，前面跑得快，后面追得欢。待上了高速，回头一看，甩掉了尾巴，张师傅方舒了一口气：

“跟我玩，门儿都没有！”

张师傅打开关闭已久的话匣子，五马长枪地神侃起来。正自吹自擂车技如何神奇之际，突然如鲠在喉，话语戛然而止：原来他从后视镜里看到，尾巴又咬了上来。一行人面面相觑，目瞪口呆。在宽阔平坦的高速路上，再想甩掉已绝无可能，索性豁出性命，不再理会，看他咋地?

一路无话。

走进市政府，给我的第一印象是很朴素，整个办公大楼破破烂烂，与想象之中的权力机关相去甚远，内心不觉产生失落感。

市长正在参加重要会议，人事局一位副局长热情周到地接待了我们。副局长几次想打电话联系市长，拨通又挂断，欲言又止，我隐隐约约感觉到市长先生必定十分威仪。

闲聊之间，伍伟无话找话，问起该市前段时间有位上访老人在市政府门前与保安争执之事。副局长的回答不能自圆其说，令人难以置信。

据副局长言，发生口角后，老汉十分下作，竟用手抓保安的下身。保安为了维护政府形象，保持了极大的克制，打不还手，骂不还口，在忍无可忍的情况下，推搡了老汉一把。老汉借势躺倒在地，耍起无赖。

依照常理，农村老汉迫于无奈越级来市政府上访，作为弱势群体，本应战战兢兢，诚惶诚恐。我怎么也不能想象一个乡下老人，竟然如狼似虎，视堂堂市政府为无物，除非是个神经病。

由于条件所限，我不经常读报。为了印证副局长的话，我请《华商报》记者李杰专门将相关报道从网上下载下来，分析判断。果然与副局长所言大相径庭。

这虽然是不经意的一件小事，但透过现象看本质，执政机关的作风可见一斑。有了先入为主的成见，后面的程序便不再重要。碍于伍伟他们的情面，勉强等到即将下班，与市长匆匆见过一面，草草看了几个地方，谢绝市政府的宴请，即要告辞。

可能某市政府的司机对西安路况不熟，进入西安，张师傅终于如愿以偿，甩掉了尾巴。回到肉店，已然万家灯火时分。拂去身上的浮尘，未及休息，上海台已经赶到，嗔怪我等故意甩脱他们。我将担心对之坦言，他们则拨通电话予以证实，果真为上海电视台“嘉实传媒”，悬着的一颗心方始放下。

西安工程科技学院很早就表达了接收我的意愿。该院人事处李水龙、冯林两位处长先后两次来到眼镜肉店，诚邀我前去该院任教。见我犹豫不决，去留不定，8月11日，主管教学与科研的副院长黄翔教授在二位处长的陪同下，冒着大雨，屈尊移驾，代表学校党委亲自登门，承诺：在学校职权范围内，破格晋升中级职称；解决住房及孩子上学、入托等问题；鉴于我十多年来未动书本，业务生疏，可以先去《学报》，给走上讲台一个缓冲的机会，待条件成熟，再正式任课。黄院长表示：“尽学校最大可能，努力营造一个大的发展空间，使人尽其才。”

我非常感动，在小师妹刘喜梅的怂恿下，当即表态：愿意去该院考察、详谈。次日，刘喜梅发表新华社《每日电讯》：

卖肉的北大才子陆步轩返校执教

西安工程科技学院副院长黄翔教授，8月11日冒雨来到眼镜肉店，耐心地向陆步轩介绍了西安工程科技学院的情况。

当天陆步轩接受了黄翔副院长的邀请，准备到该校人文学院教授汉语语言学。此前，这位北京大学毕业生因在家乡开一小肉铺而被媒体炒得沸沸扬扬。

舆论哗然一片，各界议论纷纷，最着急的莫过于长安区委、区政府。尽管我的个案属于历史遗留问题，与现任班子关系不大，但事情出在长安，迫于舆论压力，他们认为解决好我的问题是必要的，为此区委召开了专门会议。鉴于我同学的堂兄与我熟识，又帮过我的忙，遂委托他与我联络。于是，眼镜肉店门前常常可以看到一辆黑色桑塔纳轿车。

表姐夫1986年毕业于陕西师范大学物理系，在解放军西安通讯学院任副教授。他们两口子都在高等院校任职，喜欢高校的工作环境。那年我试图去某中学教书，也是他们提起，并从中牵线搭桥。中学未去成，我倒没在意，他们却窝了一肚子火。现在有机会，使劲鼓捣我去高校：

“没有什么可留恋的，走出去，永远离开这伤心之地！”

这样，在去留之间，无形之中给“去”的一边增加了砝码。

8月中旬的一个双休日，受黄翔副院长之邀，我前去西安科技工程学院实地考察，表姐夫陪同。尚在去学校的路上，长安区人事局某副局长不厌其烦地打电话，说受领导之托，要与我面谈。我答应回长安后立即与他联系，方才作罢。

尽管尚在暑假，黄院长还是约齐了家住西安的人文学院中文系部分老师与我见面。之后，参观了学院图书馆、系办公室，赠送《汉语大字典》并专业书籍，最后合影留念。

我是个神经末梢感觉迟钝的人，不易大喜大悲，但那一刻，我感动得热泪盈眶，当即表态：“若非意外情况，必定来校任教。”

我的根毕竟扎在长安，既然去意已决，更要与地方官员协调好关系，免得不必要的麻烦。遵照兄长的建议，我找区委主要领导说明情况。在书记办公室，见到了区委书记与副书记，书记年龄与我相若，这是迄今为止，除了同学之外，我见到的职位最高的官员（长安撤县设区后，区领导为地市级；我的同学程凯现任中国残疾人联合会副理事长，应该级别更高），本以为很威严，见面后却很和蔼，与我这一介匹夫对面而坐，促膝而谈。

据兄长讲，书记与人谈话，从未离开过自己的桌椅，当然省、市领导除外。今天能与我面对面侃侃而谈，实是给足了天大的颜面。否则，居高临下，不怒而威，将会是怎样一种场面？我觉得自己很荣幸。

书记让烟、倒水之后，我首先对领导的关心表示由衷的感谢；其次针对一段时间以来，新闻媒体的炒作、社会舆论的导向给长安形象造成的不利影响深表歉疚；再次言明将境遇公诸媒体并非出自我的本意，发展到后来的结果更是始料不及的；最后讲述了西安电视台与《华商报》采访的前因后果。

书记很开明，抑或城府很深，他丝毫没有责怪我的意思，并对我的处境表示理解和同情，一番自我批评倒弄得我很难为情。最后书记代表区委、区政府表明态度，真诚地希望我能留在长安，为家乡的建设出力。

至此，事情似乎可以画上圆满的句号。但世事难料，后来的发展，竟又偏离了预定的轨迹。

创业艰难百战多

自从我一夜成名后，说话做事都得小心翼翼。唯恐留下什么蛛丝马迹，被人揪住，捅将出去，时不时地搞点边角新闻，弄得沸沸扬扬，引得人们指手画脚，再转过身去戳脊梁骨。反倒不如过去活得舒心自在、无所顾忌。

连锁经营的泡沫

我有位朋友毋建铭，西安师专毕业，曾在《长安报》任编辑、记者。1992年，我参加农村“社教”时，铺盖卷儿放在农村，偶尔回韦曲时没地方住，就和他挤一张单人床，一起喝酒、吹牛、拉广告、写文章等，可以说是无话不说、推心置腹的好朋友。

毋建铭的父亲原为临潼县委书记，临潼撤县设区时，调任西安市农经委主任，可惜早逝。临去世时，他才将唯一的儿子调到市政府办公厅，现为市政府《政报》主编。

一次我从某杂志看到一则脑筋急转弯，稍加改编，讲给他听：“建铭的妈妈有三个孩子，老大叫大毛，老二叫二毛，那么老三叫什么？”

建铭不假思索，脱口而出：“叫三毛。”回过神来，将自己给逗乐了。因为他的两个小妹妹，小名分别叫大毛、碎毛。

建铭调走后不久，我下海淘金了。时空的距离拉开了心扉的距离，见面的机会逐渐减少，以后又都结婚生子，携家带口，各忙各的事情，联系更加稀少。

2003年，新闻传媒热炒眼镜肉店时，毋建铭带着他企业界的两位朋友来看我，酒桌上极力鼓捣我注册“眼镜肉店”商标；中央电视台二套《对话》节目中，一位先生发表评论时，也说“眼镜肉店”品牌的商业价值何止千万。

对此，我曾经心动。但考虑到鲜肉的寿命有限，利润极薄，又迟迟下不了决心。直至2003年8月22日，《西安晚报》报道，西安、兰州两位名牌大学毕业生抢注“眼镜肉店”商标，聘请西北农林科技大学专家教授专门指导，欲开肉食连锁店。

我不常看报纸，对此也并不知情。一位鸣犊的老乡孙小林，原来在长安报社印刷厂工作，后来聘任到《西安晚报》当校对，仍住在韦曲。一天深夜归来，特意带来报纸的校样，怕打扰我睡眠，悄悄地从门缝中塞了进来，又担心我见不到，第二天又特意告知我，才引起我的重视。

“不就是几千块钱吗？有什么大不了的。”内心如此想着，可杂务繁忙，分身乏术，便与陕西通大商标代理有限责任公司联系，欲将商标注册事宜委托他们办理。

世间的事说来也怪，时运到了，想瞌睡便有人递来了枕头。2003年8月上旬，美国特思国际集团总裁周斌先生打来电话，说他正在香港参加一个商务会议，从网上知道我的情况，打算开完会绕道西安前来看我，并粗略谈及双方合作经营肉类连锁的意向。

本人孤陋寡闻，对于外资企业知之甚少。常听人讲外国人的经营理念如何超前，管理方式如何先进，但只是耳闻，没有机会目睹。我倒真想见识见识“假洋鬼子”的手段，便爽快答应。

不一日，又有人从大连打来电话，自称姓孙名玉光，北大哲学系1979级学生，周斌的密友，受周斌之托，拟来长安与我面谈合作事宜。现代交通方便快捷，顷刻之间，他便到了西安咸阳国际机场。

因为校友这层关系，一切变得轻松而又简单。表姐夫作陪，我与老孙在西安钟楼饭店边吃边谈。丰盛的晚餐之后，协议便顺理成章，水到渠成了。

从西安归来，已接近午夜，大街上的行人稀少了许多，打字复印门市部都已打烊。老孙购买的又是返程机票，第二天拂晓就要启程。于是协议变成了君子协定，没有任何文字为据。

过了几日，老孙又来，摆谱似的住在长安最豪华的金长城酒店。那段时间，天老是下雨，老孙戏谑地说他一来，西安就下雨，是他名中有“雨”（“玉”和“雨”同音，按照训诂学的原则，音通则义同），给炎热的西安带来了雨露与凉爽。而天凉人们胃口好，猪肉则好卖，我的生意如日中天，火爆非常。宁可信其有，不可信其无，我也暗自祈祷：愿老孙的西安之行能够带来财气，大家发财。

因为下雨，除了偶尔出去转转，老孙大部分时间都泡在酒店里。在我的印象里，好像电话不用缴费一样，老孙的电话贼多。过了几天，老孙说他有事要去北京，担心所带现金不够。我赶忙声称自己没钱——如今这世道，坏人连累了好人，且不说借过钱金蝉脱壳，走得无影无踪，只是借钱时是孙子，还钱时便成了大爷，就叫人无法忍受。所以，钱财千万不可露帛。

“你误会了。”老孙急忙解释，然后给了我一个上海的电话号码，让我打电话找一个姓纪的，请他电汇三万块钱过来，并且不要告诉对方他在这儿，是他要钱。

我有点莫名其妙，愣在那儿没动。

“跟他不要客气！”老孙给我打气，说那是周斌在上海的一家分公司，一切都安排好的。

我不了解他们之间的关系，又不好意思多嘴多舌，反正在电话之中谁又不见谁的面，谈不上丢人现眼，就抱着试试看的态度，冒冒失失地照着打过去。还真管用，三万块现金一分不少地很快汇了过来。至此，我开始打消疑虑，钦佩老孙的神通。

据老孙讲，他大学毕业后，供职于《吉林日报》，后跳槽到香港《大公报》，任该报驻大连记者站站长。年过四十，胳膊腿僵硬了，不再适合没日没夜的新闻工作，便辞了职，与周斌合伙做生意，现任美国特思国际集团副总裁。

老孙去了北京，此后很长时间没有消息，所留的电话号码不是关机，就是不在服务区。同时，好消息与坏传言不断袭来，我在漫长的焦急中等待。到后来我已经失去了耐心，基本不抱什么幻想，只待开学，去西安工程科技学院报到——也许换换环境，可以改变心境，重新开始另一种生活。

在我的记忆里，2002年至2003年，西安气候异常。冬日奇冷无比，晚上进购的猪肉，第二天清晨就结成了冰块，连骨头都难以剔下来，非得放在火炉旁烘烤不行。据某建筑工地老板讲，最冷的一夜，室外居然降到零下37度，在西安历史上是极其罕见的。春天虽温暖，但来去匆匆，眨巴眨巴眼睛，已经溜得无影无踪。夏季酷热难耐，真是冬有多冷，夏有多热，40度的高温也算稀松平常，近80度的温差！试想，将手放入0度的水中，冰凉透骨，然后逐渐加温，至80度时，人的手如何承受得了。可见，人们赖以生存的环境多么恶劣，而人类的适应能力又是何等强大！到了秋季，淫雨霏霏，连绵不断，好久见不着太阳，仿佛将人也要下霉一般。

久等老孙不来，合作之事渐渐淡出了我的视野。

2003年8月下旬的一天傍晚，风大雨疾，行人匆匆。我心慌脊乱，即将收摊关门，一辆挂上海牌照的小汽车停在了门前。我以为是隔壁餐厅的主顾，未加理会，不料老孙却走下车来，同行的还有两位。老孙向我介绍，较胖的一位是他的好友，来自美国加州的周斌先生；另一位是上海某服装贸易公司老板纪雪明，就是曾经汇过三万块钱的那位。

“本该早点过来，可是事情太多……”周斌摊摊手，耸耸肩，做出无可奈何的情态，浓重的东北口音夹杂着些许英文，伴随着手势，颇有洋鬼子的韵味。

当晚我们一行四人驱车来到西安朱雀门附近的四川会馆。席间，周斌用他的数码相机拍了不少照片，说是要传到北京，请人民日报社《讽刺与幽默》的主编徐鹏飞先生给我画像，作为注册商标。此前，老孙也曾多次说过，徐先生是他在《吉林日报》的同事，在漫画界享有盛誉。我也曾请《华商报》的李杰将我的资料照片传送给他。这次老孙进京，便是为了此事，不知何故尚未搞定。

边吃边聊，不知不觉到了午夜，服务员收拾桌椅准备打烊，我们才回过神来。周斌刚从地球的另一面过来，要倒时差，谈兴正浓，我们几个可有点招架不住了，尤其是我，早上必须早起，多年养成了严格的生活习惯——按时作息，于是提议早点休息。本来他们打算连我住在市内，顺便兜风，观赏古城夜景，没想到全被我打乱了。

户县双庄屠宰场老板杨伟，曾多次与我联系，希望能找到双方合作的结合点。此次周斌他们前来，汽车方便，在与我洽谈合作、考察西安市场之余，便有了户县之行。

据杨伟讲，他们距离西安市区仅半小时的车程，但车速即使达到九十码，也要一个多小时才赶到。小车尚且如此，倘若换作货车，跑一趟至少需要三个小时。冬天勉强凑合，到了夏天，如果从他们那里进货，耽误时间不说，倘无冷藏运输设备，一流的货到了西安市场也会成为“注水肉”；倘用冷藏车运送，又会失去新鲜度，成为四川人所谓的“冻——肉——”。总之无论其他条件如何优越，在地理位置上首先占了下筹。

双庄屠宰场修葺一新，硬件设施堪称一流，设计能力为日加工生猪三四百头，但由于种种原因，目前屠宰量只有二三十头。难怪老板杨伟心急如焚，四处寻找合作伙伴。

周斌是做服装贸易生意的。俗话说：“隔行如隔山。”对于杀猪卖肉，自然知之甚少。作为投资商，考察市场必不可少，不能稀里糊涂地将“富兰克林”打了水漂。这种心情我能理解，所以，尽管那时的我已经折腾得焦头烂额，还是尽量抽出时间，陪他们四处考察。好在有从上海开过来的汽车代步，方便快捷了许多。

我眼里没水，不会讨价还价，因而很少转悠服装市场。一件衣物索价三百，还价一百五，连腰砍！我觉得心够黑的，老板必定大放血。岂料行家只扫了一眼：“什么玩意？只值二三十块。”

我猜想，周斌他们可能将杀猪卖肉与服装贸易生意相提并论，误以为有较大的利润空间。考察市场时，很少考虑中长期运营成本，一味追求气派、洋活。老孙也跟着人云亦云，满口哲学词语：

“考虑问题要有前瞻性，不能一叶障目，不见森林，只看到眼前利益。”

对于他们的做法，我最初持保留意见。反过来一想，这么多年，自己局限在狭小的圈子里，很少在大千世界走动，成为井底之蛙，看待事物管中窥豹；可能他们是对的，他们从世界上最发达的国家来，见过大世面，对经营管理又都是行家里手，也许依照他们的方略，说不定会别有洞天。所以，最终还是少数服从多数，遵从了他们的意见。

老板周斌在西安待过五天，签订了合作协议，确定了短期发展目标后，就飞回了美国，留下老孙、老纪负责具体实施。

不久，周斌通过其在长春的公司转过来五十万元人民币放在临时账户里，作为西安公司的注册资本和前期启动资金。但问题随之出现。

首先，按照最初的约定，我们应当申请注册中外合作企业，享受国家许多优惠政策；但我是个体经营者，依照有关规定，自然人不能直接接纳美元与外资合作。老孙与我商议，既然做游戏，就得遵守游戏规则，权宜之计，需要大笔资金时，再想办法予以挪腾。由于我两人同为北大毕业，老孙的意思是也跟母校沾点光、揩点油，拟名“北大仁食业有限公司”。谁知去工商局一查，北大已经实行了品牌保护，该名称不能使用。老孙就与周斌电话沟通，好几天不能确定，时间白白耗着。最后实在没辙了，于是干脆沿用美国公司的名称——西安特思食品有限公司。

接着，去工商局注册，验资是至关重要的一环。周斌转过来的钱放在建设银行，但不能作为注册资金，理由是我们两人注册个体企业，为防止洗钱行为，公司的资金不能转入个人账户。咨询了好几家会计师事务所，都表示这是新规定，爱莫能助。一时之间，我与老孙去哪里筹措几十万元资金？事情因此拖了许久。几乎无计可施时，西安某会计师谢鸣打来电话，让我联系原长安造纸厂厂长，现为西安高新开发区某会计师事务所高级注册会计师王宗让先生，他在长安人熟，看能不能另辟蹊径。王先生是老熟人，找起来不费吹灰之力，一个电话人就到了。说明情由，王先生倒笑了：

“正路不行，就来邪的。”看过银行提供的对账单，“唰唰”提笔写了资金证明，“啪”的一声，盖上朱红大印，末了，还怕我们人缘不熟，再被为难，又陪我们一起去工商局，说说笑笑，完成了注册手续。

相比之下，去市技术监督局办理代码证则要简单得多。拿着工商营业执照，带上有效证件及相关印鉴，交足了费用，不出两三天，跑上三四趟，代码证便到手了。有了代码证，再在银行开设正式账户，死钱就盘活了。

经历了登记注册手续的繁复过程，老孙大发感慨：“早知办公司如此麻烦，不如开始先不注册，运行起来，有关方面自会找你。”话虽如此，几十万现金总不能用挎包拎过来，即使拎过来，也不可能带在手头。否则，危险性大权且放在一边，公安局不立案侦查，怀疑你走私贩毒，那才是咄咄怪事。

自从我一夜成名后，说话做事都得小心翼翼。唯恐留下什么蛛丝马迹，被人揪住，捅将出去，时不时地搞点边角新闻，弄得沸沸扬扬，引得人们指手画脚，再转身头去戳脊梁骨。反倒不如过去活得舒心自在、无所顾忌。

贾平凹先生对于名人的论述很精辟，摘抄于此，与诸君奇文共欣赏：

> 一般人以为作了名人就十分幸福，以至尽一切努力追逐名，其实名人头脑一时冷静下来，各自是一肚子悲酸。中国人越来越热出国留洋，未出国留洋的人觉得出去了就必然发财，而出国留洋者即便在国外作牛作马，回来时也要装个人模狗样来显阔。人一旦成为名人，名字是自己的，别人用得最多，从出名的那一天起就没有了自己的安静和真实，完全凭着别人的好恶来活着。说好时说得水能点灯，一俊遮了百丑；说得不好时，猪屙的狗屙的都是你屙的。人常说，淹死的是会游泳的，挨枪的是耍枪的，名人以名而荣，名人也以名而毁。未名人和名人的区别，就是《围城》的定义：没进城的想进城，进了城的想出城。

大肉是时鲜食品，寿命有限，而主顾多为回头客，本大利薄，生意比较稳定。虽然与周斌达成合作意向，但具体如何操作，我心里没谱，只能看老孙他们有何高招。因而，对于合作，我持审慎态度，除了几个非常亲密之人，对外界没有透露只语片言。但纸终究包不住火，瞒过十多天之后，嗅觉灵敏的新闻界，还是闻到了异样的味道。先是《三秦都市报》在2003年8月16日率先登出消息，“眼镜肉店成为香饽饽，美企业慕名前来投资”。文中说得有鼻子有眼，如同亲身经历一般，比我这个当事人知道得更为详尽。接着其他媒体蜂拥而至，开始第二轮采访大战。对于绝大部分新闻媒体，我干脆装起了糊涂，一问三不知，有的甚至避而不见。我当时的想法是，前面的路是黑的，摸着石头过河，走一步看一步，不要急于表态，能隐瞒多久先隐瞒多久。

然而，对于有的媒体却是不能隐瞒的，譬如西安电视台与《华商报》。我这个人成不了大事，就是书生意气太浓，胸无城府，心肠太软，总有一种感恩图报的心理，认为没有他们的关注，哪会有自己的今天？倘对恩人胡言乱语，则辜负了他们的一番美意，有好心当作驴肝肺之嫌，扪心自问，愧对自己的良心。所以，当《华商报》记者江雪与李杰再次登门的时候，我闪烁其词，大致谈了自己的想法，回答了一些问题，并叮嘱他们事情未定局之前先不要见报。没想到第二天，即2003年8月16日偏偏刊登出来。也许是行文与口语之间的差异，报道与我的本意不十分相符，最起码在语气的运用上将我的犹豫变成了肯定，使我猝不及防，一时间非常被动。

比如原先说好要到西安工程科技学院教书，我也十分向往大学的生活。在那里，既可以安安静静地读书，还有人按时发工资，而且据说工资还不低，养家糊口足矣。自1989年从学校毕业，我怀着满腔革命热情，自不量力地企图改造社会，不想却跌进社会这个大熔炉里难以自拔。一眨眼十多年过去，其间经历了太多的风风雨雨，坎坎坷坷，转眼之间，恍若隔世。而今，可谓再世为人，对世间的一切，什么名、利、金钱、地位……都看得淡了，深切地体会到平平淡淡才是真的哲理。现在有这个机会，利用劫后余生，捧起久违的书本，静下心来潜心治学，教书育人，做做学问也是不错的选择。

然而这一切来得太突然了，几乎没有思考回旋的余地。世间许多事情由事不由人，作为主宰万物的人类充当了被动的角色。西安工程科技学院的黄翔副院长并人事处两位处长，牺牲休息时间，多次来长安，我也与他们达成协议，虽然未形成书面契约，但大丈夫一言九鼎，岂是说反悔便反悔的吗？况且新华社播发了"每日电讯"，全国媒体纷纷转载，早已铁板钉钉，天下皆知。即使不去学校，也容我将其中缘由向校方解释清楚，免得真心实意帮我助我者热脸遇上冷屁股，岂不叫人寒心，日后当如何面对？

而这一切实在太突然了。当时尚在暑假，学校的工作还不正常，否则，后来的一切可能就不会发生。

一位哲人说过，人生最紧要处往往就是那几步。倘若一步跟不上，就步步跟不上。事情的走向常常系于一念之间，容不得半点思考掂量。先是来了个北大校友，接着美国老板大驾光临，新闻媒体也跟着凑热闹。《华商报》刊登"陆步轩要与人合作办公司"的当天，我正在肉店忙碌着，还没来得及看报，西安工程科技学院的两位处长径直找上门来，质问我怎么回事。我措手不及，一时语塞，不知道该如何解释，只能推托稍后将给黄院长去电话，细说情由。事实上，我在思量台词。我想去学校，梦寐以求，但报纸上如此说了，白纸黑字，言之凿凿，我再出面予以否认，在人们眼里，岂不成了反复无常之辈？

所以，思虑良久，我只能这样解释：自己的专业荒废了十几年，如果到大学去，已经没有优势可言。因为大学里博士、硕士多如牛毛，自己的学位低，要拾起专业至少需要两三年；然后牵扯评职称，倘若再攻读硕士、博士学位，又得五六年光景，这样不知不觉间十年光阴又要过去。而人的一生究竟能有几个十年？权衡利弊，与其在大学发展，不如继续经营猪肉店。自己从事肉食行业好几年了，积累了一定的经验，轻车熟路，再加上美方的资金与先进的管理模式，有可能将猪肉的品牌做大做强。

我头脑蠢笨，除此之外，实在编不出更合适的台词。反过来一想，任何事物都有正反两方面。我已经人到中年，携家带口，大半辈子已经过去，是过一天少一天的人了，如果再如年轻人一般争强好胜，累死累活又有什么意义？“塞翁失马，焉知祸福。”兵法亦云：置之死地而后生。商场如战场，断了退路，不再瞻前顾后，一心一意做生意，说不定真能有所成就。

如此这般，就对新闻界坦言了，等于下定了决心，准备与老孙一道，破釜沉舟，大干一场。

接着，筹备连锁店紧锣密鼓。我们在踩点的同时，各地要求加盟的信函如雪片般飞至，不少人甚至不远千里亲自登门。对于特许加盟，我是外八路，拿捏不准，不敢轻易表态，遂把来人引荐给老孙，同时也把有关信件转给老孙。老孙是公司的法人，又有老纪协助，一切还须老孙最终定夺。

按照我的思路，公司的运作可以分两步走：第一步，全国各地有加盟意向的少说也有两三百家，将之建成松散型联盟，在各省、市设总代理，提供品牌、技术、监督服务，收取加盟费；第二步，公司扎扎实实创品牌，从最基础的养殖、屠宰做起，向销售、深加工等一条龙发展。

老孙与周斌电话沟通后，不以为然。他们以为建立松散型联盟，在公司成立之初，人力、财力很有限的情况下不好控制，容易将品牌搞砸、搞滥；养殖、屠宰投入资金量太大，万一遭遇风险，血本无归。依照他们的思路，先从样板店做起，一个城市一个城市逐渐发展连锁店；待发展到一定的规模，摸索出路子，再搞特许加盟。至于形成从养殖到深加工一条龙，则要根据连锁店发展的情况而定，不能盲目。

我曾对一些养殖户进行过调查走访，用配方饲料喂养生猪，从猪崽到出栏大约需要四个月左右，每头生猪日消耗饲料平均约1250克。在饲料未涨价之前，大肉批发到6.40—6.60元／公斤，养殖户可保本经营，不赚不赔。饲料涨价后成本价约在8.00元／公斤左右。从2003年10月“非典”警戒解除之后，大肉价格一路飙升，最高时批发达13.00元/公斤，最低也在10.00元/公斤以上。况且规模养殖，加入一定的青饲料，成本还有可能下降。老孙他们开始若遵从我的建议，首先建立养殖场，不遇诸如口蹄疫、五号病、蓝耳病等重大疫情，便可狠赚一笔。而且要做品牌，不从根本抓起，无异于空中楼阁——你说是无公害绿色食品，到处胡乱进货，质量如何保证？

再说屠宰加工，国家控制建设项目，实行定点屠宰之后，任何集体、单位、个人不得私屠乱宰，哪怕只有一头猪杀掉自己食用，也必须到定点屠宰场加工，等于实行了屠宰加工专营。申请建立一家屠宰场的审批手续，当时仅需要五千元左右，而眼下炒到了好几万元。可以说建设定点屠宰场是稳赚不赔的项目，关键是审批手续较难。但凭我们当时的人脉和影响，只要建起了养殖场，自养自宰，我想申请屠宰手续不是太难的。

但周斌、老孙他们考虑的不一样。也许资金有困难，也许涉足一个全新领域，想先牛刀小试，探探水的热冷深浅，担心万一投资过大陷得太深难以自拔，或许还有其他方面的原因，我不好刨根问底。周斌是出资人，远在美国，我打国际长途很不方便，主要依靠老孙与他沟通。我觉得小打小闹太没劲，实在没意思，而自己未出资金，又不好意思说出口，闷在心里很难受。老孙是周斌的全权代表、公司法人，我理应尊重他的意见。

分歧归分歧，大目标一致。老孙与老纪在西安承租了写字楼，换了当地手机号码，汽车也留在了西安，拉开了扎根西安、大干一场的架势。

方针已经确定，踩点、选择连锁店的店址就成为第一要务。整治市容环境之后，取缔了摆摊设点和占道经营，门面房身价倍增。我与老孙、老纪顶着烈日，冒着酷暑，驱车在大街小巷瞎转悠了好几天，出了几身臭汗，一无所获。几个人一商量，为了加快进度，分头寻找，待有了眉目，再碰头商议。我发动妻哥、杨师傅等一起帮我搜寻。经过几天的不懈努力，终于在北郊与南郊各找着一处，我认为两处恰在城乡接合部，靠近农贸市场，房租价位适中，比较合适。领老孙、老纪看了，他们却认为地理位置偏僻，起不到宣传、示范作用。我反复强调，肉店不能一味追求新潮、气派，如果附近没有菜市场，即使开到钟鼓楼底下，房价高权且不说，还少人问津。

我的话歪理正，但老孙、老纪以为我讲话不中听，有损他们的颜面。双方因此争执不下，我借口一走了之，事情便搁置起来。

老孙、老纪人生地疏，他们托房屋中介公司代找店面。一晃到了“双节”举家团聚的日子，老孙、老纪离家时日已久，需要回家看看。于是老孙回了大连，老纪也去了上海。恰好“双节”肉店生意很忙，人手不够，我则在店里帮忙。

节后，老孙打来电话，说他有些事情，需要在北京稍作逗留，让我找中介公司一位叫刘义的人，代签房屋租赁合同并付款。我约见了刘义，看过所找店面，上下两层，楼上两间，楼下一间，还有室内楼梯。认为其离菜市场太远，有效利用面积小，房租也贵，不太满意。遂推说我手头无钱，不能交纳租金，等老孙他们过来再说。事实上，老孙他们休假时，在我处放置了两万元现金，以备急用。我的意思是门店地理位置不佳，等老孙过来，看过店面后再作计议。一旦签订合同，缴纳租金，造成既定事实，即使老孙后悔，已经回天乏力了。

老纪先于老孙返回西安。我劝说不住，他从我处拿了钱，与甲方签订了合同，刘义得到五百元中介费。接着刘义又找着一处，老纪开车接我，约我一同前去考察。我本抽不开身，最主要的是人微言轻，起不了太大的作用，因而懒得咸吃萝卜淡操心。但念老纪只身一人，诚恳相邀，不去有碍情面，于情于理都很难讲得过去，于是又去了。看过店面，我愈加不满意，认为地理位置太偏，犹如走入死胡同，谈不上半点优势，坚决不同意。但老纪说：

“老孙交代了，让签。”我极力阻拦，均无济于事。最终，他抱着试试看的态度，只缴纳了一个季度的租金。

一个星期之后，老孙返回西安，我言明自己的顾虑：

“酒好不怕巷子深的时代已经过去。如今竞争激烈，开店做生意，地理位置非常重要。”

老孙说得也很现实：“这么长时间过去了，没有动静，周斌那边又催得紧，先动起来再说。”

设身处地，我能理解老孙的难处。毕竟，我也曾经寄人篱下，过着仰人鼻息的日子。

不久，上海那边有事，老纪必须回去，千钧重担就落在老孙一个人的肩上。我真为老孙捏了一把汗。

当“干部”始末

随着事件的发展，我渐渐地明白，周斌投资搞连锁经营，并非像当初承诺的那样，投入大量资金，真正把品牌做大做强，在全国占有一席之地。而是在很大程度上，抱着投机心理，利用当时颇具知名度的“眼镜肉店”的招牌，从事曾经风靡一时的特许加盟，捞一笔钱。可惜他们并不清楚鲜肉经营的特点，社会发展到今天，钱不好挣，钱又不值钱。当一两毛钱掉在地上，人们都懒得弯腰去捡的时候，猪肉依然是五分、一毛地与家庭主妇们讨价还价。他们想当然地把猪肉经营与品牌服饰混为一谈，以为具有较大的利润空间。否则，不可能涉足对他们来说完全陌生的领域。

眼镜肉店出名以后，泰国正大集团、河南双汇集团等知名企业都先后派员与我联系，洽谈合作事宜。因我与周斌他们有约在先，遂婉拒了他们的要求。

装修门店的过程中，我与老孙又产生了严重分歧。我既干过装潢又卖过猪肉，应算得上是行家里手。依照我的主张，样板店是为以后的特许加盟店树立榜样，其门槛不宜过高——毕竟在这个世界上还是穷人多富人少，再说富人也没有必要非得去卖猪肉不可，故装修门店以简洁、明快为宜，不必追求高贵与豪华。然而老孙却不以为然，他认为考虑问题要有“前瞻性”，不能只顾眼前利益，吝惜几个小钱，要十多年、二十年以后仍不过时。

为了保证我的生活来源，合作之初就商定，我在长安区的肉店名义上归公司统一领导，实际上仍然实行独立经营。为了慎重起见，装修门店时首先从我的猪肉店开始。老孙在选择装修公司时，亦犯下讲究排场的错误，眼睛只瞅准招牌大的公司，以为其重合同守信誉，质量保证，不会蒙人骗人。最终选中了

××建设。图纸做出后，觉得还算可以，在未作详细预算的情况下，过分相信他人，盲目地预付了一万元定金。

切切记住，无论资质多高的建筑装潢公司，只不过是个承揽工程的招牌，具体活儿还是由民工来干。本想堂堂××建设，那么大的建筑装潢公司，设备一流，开工时必有专车拉来机械、工具与工人。可万万没想到，开工当天，装潢公司只来了两人，一位领工，一位施工，乘坐公交车，未带任何工具、器械。我心有疑虑，急急地将老孙电话召来，看完预算，一贯处变不惊、温文尔雅、很能沉得住气的老孙吓得差点把眼镜掉在地上：二十平方的门店，不作大的改观调整，仅表面装饰一项竟要四万多元。难道要抢人不成？况且，哪有装潢公司的工人竟然不知道公司总部在何处？一看便知道是装潢公司临时雇用的农民工！这样的施工态度如何保证工程质量？而且漫天要价，欺我们老孙不懂行情，冒充大款，不会就地还钱！

我的脾气是尕炸了，眼睛里容不得沙粒子。第一面就对装潢公司未留下好印象，抵触情绪很大，看老孙的颜面不便发作，采取了“非暴力不合作”的态度。第二天、第三天依然如此，一位领工，一位施工。细问得知，××建设以为工程量太小，大动干戈不划算，遂将活儿转包给他们，工料价格只是预算的三分之一。老孙得悉后，一贯心平气和的他将肺都能气炸，立刻找到装潢公司经理，要求解除合同。

但定金在对方手里攥着，单方面解除合同要承担法律责任。装潢公司条件很苛刻，他们狮子大张口：解除合同要赔付五千元的经济损失！我等的肠子肝花都差点气出来。虽说开工三天，工人两名，只是写写画画，未动一砖一瓦，你××建设的职工高智商，造原子弹还是飞天卫星？那么高身价，敲诈勒索不成？双方僵持不下。关键时候，老孙出身《大公报》，见过大世面，知道媒体的力量，以通报给媒体予以曝光相威胁。对方顾忌招牌，才松软下来。最终赔付了一千元摆平此事。

较之西安，长安的消费水平低得多。老孙与老纪租住写字楼时，我并不知情。写字楼距离我处太远，公交车不能直达，我们的联系很不方便。老纪返回了上海，老孙与我一样，视力不好，胆子又小，汽车便闲置在那里。为了出行方便，老孙托我在长安找一名小车司机，我爽快地答应，遂将一朋友的儿子介绍给他。不知何故，老孙目测后不言不语，连个干脆话都没有，害得朋友的儿子死等了好几天。尔后，老孙在西安又高价聘请了司机，弄得我无法给朋友交代，很没颜面。

意见得不到尊重，想法无法实施，我渐渐觉得自己在公司中无足轻重——毕竟我没有投入资金，抱着不哭的孩子，自己不心疼。频繁地过问，惹人生厌。滋生了这种思想，便对公司的事务很少过问，除非老孙有事找我，吩咐下来我照办就行。好在媒体给我做了免费的广告，猪肉店的生意非常火爆。

意见不合，老孙总以为我对他个人有成见。其实这是他理解上的错误，根本不是那么回事。人家不远千里万里地前来帮我、助我，倘存有个人偏见，我成了什么人品？事实上，我俩的个人感情一直挺好；工作的关系绑在一起，犹如一根绳子上的两只蚂蚱，荣辱与共。一次，好几天没见着老孙，固定电话无人接听，手机关机。我担心老孙一个人住在偌大的房间，冬天寒冷，没有暖气设备，用煤气取暖出了意外，差点打电话报警。最后老孙打来电话，说有急事去了北京，因时间太紧没来得及跟我打声招呼。害得我提心吊胆，虚惊一场。

但工作中的意见和分歧在所难免。我认为每个人的阅历不同，观察事物又有不同的角度，分歧很正常，而一言堂有害无益。大家都以工作为重，想方设法把事情做好，大目标一致为根本，其他细枝末节的问题何足挂齿。

未去大学就业，在筹办连锁店的同时，长安区委、区人事局一直与我保持着密切的联系。装修店面时，我仍在营业。按规定，长安撤县设区成为西安的新城区后，对市容环境卫生抓得很严，绝对不允许出店经营，装修店面时必须停业。我当时供应着不少宾馆、饭店，停业一段时间就意味着要失去许多老主顾。考虑到我的特殊情况，经区委领导特批，在市容局办理了“占道经营许可证”，未花任何费用，店里得以正常营业。所有这些放在过去，是无法想象的。

由于经营思路不同，为了让老孙依照他的思路放手工作，此后对于连锁店的事，我很少过问；对于全国各地的来访者或要求加盟者，一概转给老孙。只是偶尔需要帮忙，老孙派车来接我。

风浪之后，我愈加向往平静的生活。这时，如果某高校能稍微给我一点暗示，我会毫不犹豫地前去就职。可惜他们并不清楚我的心理，我也不好意思再走回头路，再返身去找西安工程科技学院。

前文说过，长安区委、区人事局一直与我保持联系。于是，我与老孙商议，连锁店全盘委托于他，我接受区委、区政府的建议，重新体验为党工作的乐趣。老孙内心可能也不乐意，但没有明确表示反对，只是建议我将此消息暂时不要公之于众。毕竟我当初虽然说过不去高校，但并未承诺一辈子只卖猪肉而不进体制内，何况在公司里，我只是个配角，准确地说，仅仅是个招牌，起不了太大的作用。如此而已，事情就这样确定下来。

西方人重视圣诞、元旦。周斌在美国待的时间长了，可能已经西化，对春节这个中国人的传统节日持无所谓的态度。早就听说过完公历年，周斌要过来，当时以为只是说说而已——毕竟加州距离西安何止万里，不是去一趟周至、户县那样容易，抬脚就能到的。不料元旦刚过，他还真来了。那天老孙打电话来，我正在去区人事局的路上，老孙说十分钟之内他们就过来。我一听赶忙取消了与人事局的约会，为党工作之事又搁置起来。

周斌此来，带着美国加州大学的一位女博士，听说是攻读畜牧工程专业的。我以为要对我的方案进行论证，要有大举措，心中窃喜。

他们本住喜来登大酒店，没想到酒店部分装修，油漆味儿刺鼻，担心摄入过量有害物质，临时搬到了凯悦饭店。周斌此来，除我之外，最高兴的当属我的两个孩子，大包小包的礼物，洋货国货一应俱全。过惯穷日子的孩子们哪里见过这么多好吃的，他们一改以往腼腆的个性，跟在后面“伯伯、伯伯”地叫个不停。

经过长途跋涉，又要倒时差，周斌看起来很疲惫。寒暄了一阵，问过一些不痛不痒的问题，叮嘱我搞好方案，明天晚些时候碰头讨论，便回了饭店。

老板此来，除了汇报工作、安排来年工作计划之外，提出新的设想为第一要务。我不敢懈怠，周斌他们走后，我赶紧回房，泡上茶，点上烟，将如何做自己的品牌，投资养殖、屠宰、销售、深加工一条龙等一揽子方案，在头脑中细细地筹划了一遍。紧要之处仔细推敲，写写画画列出要点，最后附上投资规模与经济效益分析。忙完这一切，已经接近午夜。习惯了按时作息，熬过了头就很难入睡，又辗转反侧，将方案要点在头脑再过一遍，唯恐有所遗漏，直至了然于心。

第二天下午，我如约来到凯悦饭店。在大厅的茶苑里，老孙汇报了几个月来的工作情况，老板予以充分肯定，并提出殷切期望。对于我的设想建议，周斌思索良久，未作正面回答。而一边的女博士则是徐庶进曹营——一言不发。最终还是老孙打破僵局，说兴平那边有一家规模较大的养殖场，取得农业部无公害食品认证，建议先一起去看看再作理论，大家一致赞同。

兴平是咸阳市所辖的一个县级市，因几家省级企业落户而设市。近几年，国有企业普遍效益下滑，人们收入有限，所以兴平市消费水平并不高，然而这里却是养猪大市，猪肉主要供应西安、咸阳市场。老孙与养殖场老板似乎很熟，说明来意，未费周折，经过消毒，我与周斌、女博士，还有前文提到的高桥屠宰场老板老王就进了养殖区。其养殖规模不小，足足有四五千头猪，大多是二元、三元杂交品种，品系优良。女博士似乎对猪情有独钟，不停地给一帮蠢家伙拍照，镁光灯吓得猪群东躲西藏，引起养殖方反感，我们不得不急急地退出。

之后，我们又参观了久负盛名的晁庄、界庄。那是距离兴平市区不远的两个小村庄。走进村子，一股股恶臭扑鼻而来，几乎每家门前都有一个用木材圈起的待宰圈。这里的人以杀猪为业，每家都是一个小型屠宰坊，私屠滥宰的情况比较严重。听说村子里办理了一本营业执照，村民家里便是一个个分散的车间。据我所知，这种情况国家明令禁止，不知何故，兴平市仍然予以保留。

老孙的意见是，与兴平这家养殖场合作，连锁店先从此地进货，运作一段时间后，视情况建立一家属于自己的屠宰场。

我以为不妥：其一，兴平这家养殖场的货固然不错，基本为优良品种，瘦肉率高，但价格较长安还贵两毛，长安较西安又贵四到五毛，而猪肉利润本身很薄，投入市场，缺乏竞争力；其二，此地距离西安路途较远，必须经过西宝高速，长年累月，运输费用是一笔不小的开支；其三，兴平多年形成的习惯，先一天宰杀第二天上市的生猪，猪肉不够新鲜，冬季勉强凑合，到了夏日，极易变质，必须使用冷藏车，而冰冻肉在西安本身就缺乏市场；其四，以后倘屠宰场建在此地，我们人生地疏，对合作方依赖性太强，极易让人牵着鼻子走；

其五，媒体对瘦肉精极力渲染，人们谈“精”色变，太瘦的猪肉有人还真不敢买。我在长安区的肉店之所以出售比较肥的肉，原因就在这里。何况我们自己做品牌，不从根本抓起，如何对外宣传？走捷径有时会把自己绕进去。

我与老孙争得脸红耳赤，周斌与女博士在一旁听着，未参与任何意见。末了周斌说：“容我掂量掂量，OK？”

三天之后，我们仍然驱车来到四川会馆。当初的合作协议是在这里签署的，我猜想，故地重游，周斌可能另有深意。

酒过三巡，各抒己见，依然是老一套。周斌最后总结：老孙与我在半年之中做了大量的市场调研工作，现在要加快连锁店进程，希望我能从具体事务中脱离出来，协助老孙抓紧连锁店建设；装修好的店面要尽快试营业，同时扩大范围，争取在2004年5月份前，西安地区的连锁店数量达到十四家；待连锁店形成一定气候，销售问题彻底解决了，再考虑养殖、屠宰到深加工一条龙的其他项目；并强调“一条龙”一定要搞，但不是现在。

我能听出周斌话中的弦外之音，表扬之中暗含批评：几十万元扔在西安，六个多月了，你们两个吃干饭的，尽干些没有明堂的虚事！

我也想甩开膀子，大干一场，但老孙不懂装懂，冒充内行，总在前面挡道，我的想法得不到实施，小打小闹又有什么意思？

周斌走了，我的心有点凉。西安的连锁店装修完工的已有四家，在一般人眼里，“四”是个很不吉利的数字，更有商家将“四”与“死”联系在一起，无论登记汽车牌照还是选择电话号码，都不喜欢“四”。但周斌似乎不这样看，经商做生意，希望“天天有事”，即“三三四四”；倘若没事，整日坐冷板凳，便没了生意，赚谁的钱？所以要在2004年4月底前建成十四个连锁店。

老孙的意思，我因名牌大学毕业，单位效益不佳，下海、下岗，自谋生路而出名，故连锁店雇用人员，首选下岗职工或未就业之大学生。于是介绍西安石油学院一名休学的大学生在我的肉店接受培训。

我们开公司办企业，目的是为了盈利，为了做大做强，并非开设慈善机构，救济天下苍生——即使救济，也是赚钱以后的事。老孙以为杀猪卖肉是眼窍活，“灵人不可细教”，聪明人仔细观察三两天，大致可以摸出其中的门道。但老孙忽略了一点，手、眼的功夫非十天、半月就能练就，卖猪肉也与其他技术工种一样，有一个日积月累的过程。况且，想要保持生意的稳定，首先要保证从业人员的稳定，所以连锁店最好招聘具有实践经验而又能够长期稳定之人，这样经过简单培训，便可上岗。

我目测了该大学生，以为其不符合这样的条件，即使花费一定的心血与精力培养成功，干不了几天，又要上学，完成学业之后又不一定看得上杀猪卖肉这等下三烂的活计，到头来等于竹篮打水——一场空，白忙活一场。

该大学生写了一封长信，老孙转交于我，信中期期艾艾，悲悲戚戚。我心中不忍，建议老孙资助大学生一笔钱，助其完成学业。老孙的意思，先放在肉店，观察观察再说。

我办不成大事，就是心地太软。与老孙分歧太多，担心在老孙眼里，我处处与他“为难”“作对”，凡他所说，我都不赞成，因而不好直接违拂老孙的意思，勉强接纳了该大学生。

学卖猪肉从剔皮开始，这是最起码的基本功。冬季，天气寒冷，该大学生似乎在暖气房间待惯了，怕冷，又似乎有洁癖，见不得油腻，每动一下猪肉，便要净手，然后找把椅子坐下，双手插入裤兜，挑起二郎腿，一副老板的架势。早上生意忙时，帮不了忙，还碍手碍脚。他与我肉店的小学徒年龄相仿，两人待在一起，才找着了玩耍的对象。一次去西京大学送肉，骑着摩托车，一个带一个，本来半小时即可返回，却送了整整一个下午，让人担心是不是出了交通事故。我把有关情况告知老孙，老孙自己也观察了两天，认为确实不行，方辞退了该大学生。

我抽空与区人事局接上头，大致谈了我的想法：自己已经年届不惑，转眼就到了知天命的年纪，不像刚走出校门的小青年意气风发，对未来充满憧憬与幻想，政治上已经没有前途，希望能去文化部门，发挥专业所长，安安静静做学问，争取在有生之年，在专业领域有所成就。

人事局主管业务的副局长亲自承办此事，很快就有了回音，区委党校、政协文史办、广播事业局等诸多单位可供参考。权衡再三，我最终选择了地方志办公室。我以为区志办是一个文化部门，业务相对单一，工作之余，可以腾出大量的时间与精力从事自己想做和必须做的事，党的事业与个人奔小康两不误。

依照常理，事情既然决定了，年前就应该报到，但逼近年关，连锁店急于开业，具体事务千头万绪，老孙又人地两生。我答应过周斌，尽力协助老孙办好连锁店，这样，上班的事又搁置起来。

吃过几次牛拽马不拽、意见不统一的亏，这次，我们吃一堑长一智，仔细分析猪肉店经营的特点之后，我们的主张出现了前所未有的一致：承包经营。但多次犹豫，贻误了时机，轮到我们烧香，庙门便关了。按照陕西人的习惯，辛苦了一年，到了春节，是享受收获喜悦的时候，又不是穷得揭不开锅，很少有人这时出门打工，因而连锁店的雇员出奇地难找，更遑论承包经营了。按理，我是内行，这一点应该未雨绸缪，提早谋划，确定人选，毕竟卖猪肉不等同于建筑工地的小工，随便拉一个，傻子、瘸子、哑巴都能派上用场。然而想到几次建议，老孙均未采纳，况且在此之前，老孙也一直主张使用下岗职工和未就业之大学生。我的社会交往有限，自忖跟前没有合适的人选，以为老孙另有主意，故而一直没有在意。

通过熟人关系，好不容易找到两位，却怕承担风险，不愿意承包。没有办法，遂高价雇用了他们，先开一家试营业。但2004年冬，货源紧缺，进货又成为问题。我开猪肉店时间长了，有一些老关系，解决自己肉店的供货勉强可以，哪有隔夜之炊，建议连锁店从朱雀路批发市场进货。老孙是外行，有些胆怯，我遂让给我供货的批发商先供应他——大不了我的猪肉店少卖一点，应付应付老主顾，而优先保证连锁店。

第一天送去三头，只卖掉一头。老孙说，肉不好，很难卖。我便让在我的店里选货，需要多少拿多少。

从此，每天早晨天还未亮，老孙的小汽车就准时停在我店门前等待拉货，可惜二十多万元的高级轿车倒成了拉肉的工具。如此过了几天，我肉店里像争抢似的，七八头猪肉根本不够卖，每天早早关门，而连锁店却连一头也卖不完。老孙不停地打电话：“卖不动，很难卖！”我很奇怪，决定前去探个究竟。

那天才十点多，我店里的猪肉已经所剩无几，叮嘱雇员看着卖，自己坐上老孙的汽车，直奔连锁店。店里，两个雇员坐在那里，门可罗雀；肉剔开的时间太久，卖不出去，蒸发掉水分，已经发干，失去了新鲜度。询问过价格，才知道连锁店竟比我的肉店价格高出一元左右，这就不难解释少人问津的原因。我急吩咐雇员，及时调整价格。但雇员担心：“地理位置太偏，量上不去，价格再低，保不住要赔钱。”

“赔本的买卖行家做，有赔才有赚！”当着老孙的面，我向雇员仔细解释了薄利多销、多中取利的道理——事实上，依然是老生常谈，我师傅教给我的那一套。此后，连锁店的经营逐步好转，老孙才相信地理位置的重要，进价不宜过高的道理，不再提及与兴平某养殖场合作之事。

前文提到，长安区由于费重，大肉批发价要比西安朱雀路批发市场贵四五毛钱。时光荏苒，光阴如梭，一眨眼到了腊月二十五，猪肉进入一年之中销售最旺的季节，我肉店里的销量成倍增长。经过一段时间经营，连锁店也从中摸着一些门道。我建议连锁店改从批发市场进货，以降低成本，借春节之大好时机，增加销量，扩大影响。老孙也信心大增，几次约我看车，准备购进一辆轻型货车，专门为几家连锁店进货，可我一直抽不开身。

春节之后，进入销售淡季，生意萧条了许多。老孙休假期满，从大连返回西安后，认为有些富余时间，想去上海，一是看看老朋友老纪，二是先探探路，看能否开拓上海市场，不料这一去便失去了音讯。听老白鸡讲，老孙不幸遭遇车祸，在大连家里养伤，几次想帮我联系，可老白鸡身在北京，杂务繁忙，一时半刻又脱身不得。我既已答应人事局，不可拖延得时日太久。春节过完，便去区志办报了到，重新又成为一名正式国家干部。

奔小康的日子

明清两代，县令有“征粮、断案、修县志”之职责；民国为乱世，又很短暂，县长忙于剿匪、戡乱、抗日本，顾不得修县志。新中国成立后，各级政府曾经组织人员编修地方志，名曰“新志”，可因不久的“反右”斗争而中止，以后运动一个接一个，诸如修志之类不关乎阶级斗争之小事自然被忽略，“新志”也因质量问题束之高阁，各地鲜有出版。20世纪80年代初，适逢盛世，修志重被提起，然发展是硬道理，人民公仆日理万机，对这等不影响人民生活之事无暇顾及，于是乎国务院成立全国地方志工作指导委员会，各级政府设立专门机构——地方志办公室。经过20年耕耘，21世纪前各地陆续出版新中国首轮地方志，修志告一段落，市级以上机构多予保留，区县级机构基本被撤销、合并。长安县地方志办公室并入县档案局，保管利用科在保管查阅档案资料的同时，兼顾县志查阅工作。

进入21世纪，全国二轮修志启动。2002年长安撤县设区，2003年实施区级机构改革，设立西安市长安区地方志编纂委员会及办公室。委员会主任由区长兼任，体现古之县令职责；办公室与区档案局合署办公，档案局长兼区志办主任，副局长兼副主任。时，档案局长还兼区政府办公室副主任之职，负责政府文件起草把关，工作繁缛，办公亦主要在政府办，兼顾档案工作已经力有不逮，更奢谈地方志。于是又设区志办，作为档案局一个下属科室。如此区志办就有了双重身份：对外持有编纂委员会及办公室两枚公章，独立办公，名头挺大；对内又是档案局的一个下属科室，权限很小。为表述之方便，以后叙述中凡涉及区志办，非特别表明，均指权限很小的区志办。

老孙失去了踪迹，西安几家肉店均已歇业，连锁经营成为泡影。我没有懊恼，反而觉得一身轻松，只是失落之余带点淡淡的伤感。2004年3月，我去区志办报到。时，区志办刚刚组建，一明一暗两间办公室，一个主任，一个副主任，率领我一个当兵的。区志编纂尚未启动，从各乡镇拉来的档案资料将各办公室塞得满满当当，机关干部全力以赴整档案，顺便挣点儿补贴，捞点儿外快——帮助乡镇整档是有偿劳动，毕竟档案局属清水而非衙门。

档案局阴盛阳衰，是妇女的天下，除局领导之外，男性公民屈指可数。然而我们区志办却是例外，过去男女之比为一比一，而且男为主任，女为副主任，表面看来，男同胞略占上风。但事实并非如此，我们的主任老X同志老家在东部旱塬区，初中毕业回家务农，当过生产队长，适逢恢复招生考试，跳出农门，初中专学机械专业，毕业在某企业就业，企业效益不佳，寻情钻眼调入档案局，在档案行当浸淫二十余年，做过指导科长、办公室主任，作为党支部书记，曾主持局务工作，辅佐过七任局长，自称“七朝元老”。半辈子在清水而非衙门工作，想腐败党从未提供过条件，守着干工资过日子，年届五十，从小学生做起，改行修编地方志，曾云：“得志者不修志，修志者不得志。”无钱无权，却又娶了个漂亮老婆，于是由怜生爱，由爱生怕，心甘情愿当家里的老黄牛，受老婆管辖，所领工资悉数上缴，做饭洗衣全部承包。老×为人随和，喜欢与年轻人嘻嘻哈哈，没大没小；不良嗜好是抽烟、打牌，每天三包两元一包的祝尔慷香烟，还经常断顿。小×副主任是个留守妇女，大学毕业做过事业干部，后来与其夫停薪留职到沿海闯天下，小有所成后丈夫经营企业继续发财，妻子返回家乡带领孩子坚守阵地旱涝保收。老×是正的，小×是副的，但在科室老×却要受小×的节制，抽烟必须到楼道或者厕所，炎炎夏日、冬冷寒天、风和日丽、刮风下雨从不例外。

我的到来改变了这种局面。

多年以来，五元一包的普通白沙是我的最爱，不多不少，每天两包。上班后，本打算与时俱进，和吃公家饭的看齐，抽烟上控制数量，提升质量，每天一包，改抽十元一包的精品白沙，这样有益健康，经济上也在可控范围。看看顶头上司还不如自己的层次，也就断了这份念想——毕竟一把年纪了，不必太过委屈；况且反过来说，与顶头上司的档次拉得太开，不利于沟通，还有不尊重领导之虞。尝试过祝尔慷，一股草腥味，而且太冲，不习惯，还是继续最爱吧。办公室三个人，两个烟民，党不是坚持民主集中制原则吗？你俩都是党员，我们向党看齐，投票决定，结果二比一。从此办公室拿掉“禁止吸烟”的牌子，可以随便吞云吐雾了——谁嫌呛可以去外边透透风去！

整理档案以科室为单位，分任务，限时间，多劳多得，落后受罚。我是个外八路，不明白分类标准，搞不清划分年限，好在几年书总算没有白读，汉字认识不少，抄抄写写还算顺溜，于是乎承担抄写目录、装订成册这些没有技术含量的粗笨任务。至于甄别、鉴定、分类，二位领导是行家里手，那就多劳啦！

局长忙于政府事务，主持工作之副局长履行监督检查职能。见我笔走龙蛇，下笔如飞，所书目录字迹娟秀、干净整洁，微微颔首：“不错，看来功力犹存，几年大学没有白上！”此为重新上班后第一次听到溢美之词，不禁有些飘飘然。抄完一叠，腰酸背痛，眼睛发花，手指发麻，站起身来，伸个懒腰，掏出“白沙”，随手扔给主任一支，“吧嗒”一声点燃，美滋滋地吸了起来。主任也不含糊，香烟咂在嘴角，工作、过瘾两不误。正享受间，久违的局长推门而入：“你二位老几哥瘾还大得很，把档案燣（着火）咧负得起责任吗？”此为重新上班后第一次挨批评，不禁又有些黯黯然。副局长表扬，局长批评，虽则功过相抵，然毕竟官大一级压死人，给局长留下糟糕的印象终究不是什么好兆头。

媒体做了免费的广告，肉店的生意可以用“火爆”来形容。事实上，大家知道，我书读滞了，是个老实巴交的家伙。进货选择一等品，残次品半个眼也瞧不上，哪怕掏高价；分割时，尽量将猪肉修理干净、整齐，不好的一律打掉，做到无血无毛无囊膪，哪怕少卖几个钱；绝对不卖病猪死猪泔水肉，哪怕不要钱白给从而一本万利，昧良心的钱不挣。

猪肉属于日用消费品，生活水平提高后，不见荤腥，好多家庭主妇连饭也不会做。她们早上出门，往往第一件事就是买菜割肉。日用消费品，购买的主体注定是附近的居民，都是老主顾、回头客，经营者的口碑很重要，𤞤师“一天哄一个人，世上的人一辈子也哄不完”的做派是一锤子买卖，放到火车站卖矿泉水、方便面还有发财的可能，经营日用品只能路越走越窄，最后关门大吉。我老实木讷，无奸商之头脑，却歪打正着，积累了一大帮忠实的粉丝，附近居民，只要买肉，就会自觉不自觉地走进眼镜肉店，哪怕价格略高。2002—2003年“非典”时期，餐厅、食堂生意清淡，猪肉价格走低，眼镜肉店主要针对家庭消费者，日均销量十二至十五头，达到顶峰，以后除非节假日，再也没有超越过，便是明证。那时我尚未出名，只是个普通的猪肉佬，所以肉店的生意本身很好，媒体只不过是锦上添花而已。

有人以权生钱，有人以钱挣钱，我等无权无钱，只能靠力气吃饭。小本生意，琐碎繁冗，天长日久，便会大意，忽视一些细枝末节，发生差池。

我重新上班前，肉店雇佣两个熟练工人，连同我与妻子、丈母娘，共五人，两个熟手负责分割、出售，我负责收款、找零，妻帮着绞、切加工，丈母娘做饭，兼照顾孩子。上班后，店里又增加一个熟手一个学徒，总数达到六人，妻腾出手来专门负责来往账目。其中的学徒即我妻哥，就是以前我到朱雀路批发市场进货时用汽油蹦蹦车帮我拉肉的那位老儿哥。韦曲蔬菜果品批发市场建成后，我通过朋友在2号帮他租赁了一个摊位，他们两口子在那儿摆摊卖菜。两人生意做得不咋的，赌瘾倒是挺大，看不上五分、一毛地与家庭主妇讨价还价，生意稍淡，就一头扎进了牌摊子，买主要一两斤菜，因担心瞎了一手好牌，从而走了背运，往往给买主报很高的价，你爱买不买！结果麻将没走红运，生意反而走了霉运，经营一年便摊前冷落，入不敷出了。无奈收拾了摊子，两口子农忙种地，农闲打牌，虽则逍遥自在，但时常如背个子（罗锅）上山——前（钱）紧。丈母娘担心儿子没有一技之长，年轻时没有攒下养老钱，待年老体衰还要出力下苦，更担心不务正业，带坏了子孙，影响门风，于是举荐给我带带。古人云：“人过四十不学艺”，意谓老胳膊老腿老脑筋接受新事物慢，学起来费劲，亦谓人应当从事自己熟悉的行业，街道的店铺每天都有开业的也有关张的，各行各业也挣钱也赔钱，就看你自己如何经营。无论怎么说，丈母娘帮我做饭带孩子，使得我们能够做生意不分心，没有功劳也有苦劳，她的脸面伤不得，而且“亲帮亲邻帮邻”，我们倘若指不住还靠哪个？况且我一上班，肉店正缺人手。于是学徒拿了把式的佣金，意即不仅要学着干活，更重要的是要多操店里的心。

当初与老孙办连锁店时装修肉店，老孙帮我们在肉店附近找了一套单元房租住，装修完毕，一直未退。晚上，店里留一个雇员看门，其他雇员或回家，或与我们同住。清晨五点半，我准时到店里接货、结账；六点，店员上班，开始分割，打发零星买主；七点许，逐渐进入高峰时段，一班人如打仗一般忙碌；七点半，妻到店里接班，我带孩子上学，送完孩子上班，临出发，带走营业款。中午十一点四十，准时到学校门口接孩子，甫到肉店，先收营业款，而后吃饭、休息。下午一点四十，再收营业款，送孩子上学，自己上班。下午下班，我在肉店看摊，妻休息。双休日或节假日，我去肉店顶班，妻上半天班，雇员每天两人轮流休息，当然，清明、中秋、春节前等重要节日除外。一切有条不紊，日子日复一日月复一月地向前走着，我们的积蓄也快速增加。

谚云：“谨慎能捕千秋蝉，小心驶得万年船。”一个夏日，刮风，天有微尘，单位通知开会，会期一天，中午不得回家。我送完孩子去开会，并按规定关闭手机。午饭时打开手机，不一会铃响了，电话那头传来妻的哭腔：“赶快回来，失码了！”未等下午会，急切赶回店里。原来，午饭后，生意清淡，三个把式或趴桌子或靠椅子小憩，妻搞卫生，妻哥收拾下杂，丈母娘串门。女儿趴在桌子上写作业，一道数学题不会，一屋子人谁也说不清，孩子急得要哭。这时进来一位戴口罩的好心人，女的，自称当过教师，可以帮孩子看看。于是凑到女儿跟前，但扯了半天也没扯清，临走，要买一块肉，罢了，又称忘了带钱，肉先给她放着，她到车上去拿。她前脚刚走，后脚就进来了一个男的，哑巴，一会儿指这个一会儿又指那个，手口并用咿咿呀呀比画了半天也不知所云，搞得一屋子人手忙脚乱，最终，一根猪毛都没要。

“姨，快看，刚才来咱店里的那个哑巴咋会说话！”一名雇员代我送完孩子，边停放摩托车，边指着马路对面，急切地对我老婆说。果然，铁树开花水倒流，哑巴开口说评书。“快看看钱！”雇员又喊。拉开抽屉，钱包早已不见了踪迹。“那个哑巴有问题，快追！”大家几乎异口同声。“哑巴”见一帮人涌出肉店，直奔自己而来，仿佛又变成了运动员，撒丫子狂奔。隔着一条川流不息的马路，哪里还追得上？

我与五家屠宰场签订供销合同：每天保持四家供货，根据销售量，同样的价格，每家至少送一头；谁家的货好可送二至三头，谁家的货差只送一头，连续两天不如意第三天就休息反省，待有好货时再电话联系。周而复始，如此循环。三家屠宰场都是第二天送货时结先一天的账，只有一家中午十二点老板过来收当天的账。时值夏日，销量本身不大，一天七八头而已。中午结账的周老板是个小老头，周至人，常年在长安做生意，对长安比他的家乡还熟悉，是个能够长期打交道的实诚生意人，但他交往的槽户多以泔水喂猪，猪肉实在不咋地，圈内人评价其“人好肉不好”。我与老周是好朋友，但却对泔水肉不感兴趣，所以经常一起喝酒吹牛打麻将，可就是不要他的货。年初，老周专门找到我，说是要改变形象，变成“人好肉也好”，要求我支持他，我答应试试，与其他屠宰场同等对待。老周本来每天从几十头猪里挑一头，质量不赖，连续几天如此，上升为三头。好在老周中午已经结账，剩余一头，损失约三头猪肉的本利七千余元，还不算太大，也是吉人自有天相，不幸中的万幸。

一帮人事后诸葛亮，回过神才明白，原来教师不是教师，哑巴也并非哑巴，二人表演了一场漂亮的双簧：女人自称“教师”，以辅导孩子之名接近抽屉，趴在桌子上瞎扯扰乱主人的心思，以身体遮挡众人的视线，伺机下手。只是大热天戴口罩有悖常理，然天扬微尘，“教师”爱干净戴口罩勉强可以讲通，实质是担心暴露真面目。“教师”得手后，男人假扮“哑巴”过来捣乱，掩护“教师”撤离。

妻情绪异常低落，以往都是我收营业款，随身装着，她当甩手掌柜的，如今只收了一次，偏偏遇到了祸端，就“将天捅了个窟窿”，于是怨天尤人，决意报警。我劝慰：“人民警察公务繁忙，大案要案都厘不清，还要维护社会稳定，哪有闲工夫管你这等鸡毛蒜皮的小事？我们多次被盗，哪一次没报案，哪一次又不是泥牛入海？”她不以为然，说万一哪次碰巧逮住小偷，审得招架不住，交代出来也未可知，所以执意要去。在派出所，遇到我单位小满，他骑摩托车去参加会议，舍不得一块五毛钱的存车费，将摩托车锁在会场之外，结果成为别人的顺手之羊，会未开完，请假到派出所报案。两人先后作过笔录，签字，画押，而后，没有了下文。

尽管多次被盗，蒙受重大损失，但眼镜肉店生意不赖，失窃的钱财很快就能赚回来。到2005年4月，即我上班一年后，我们打算买房了。鉴于我只会卖猪肉，其他的一窍不通，恰好，妻的二姐夫，即我的连襟，帮别人搞房地产开发，对行业比较熟悉，交给他全权代理，我只管拿钱就成。很快就相中一套，99.7平米，二室二厅两卫，期房，与一家单位套在一起。单位为职工建福利房，价格低，我等不能享受此福利，按商品房价格对待。当下付定金10万，按工程进度再付余款，一年后房子建成，交钥匙时全款付清。这是4月下旬的事，有一点缺憾，就是我家人多，丈母娘以后肯定跟我们住，稍微有点屈狭（地方小）。然反过来一想，而今房价飞涨，自己尚无草庐一间，只有骑上驴才能赶马，就先暂时将就将就吧！

隔十日，副局长宣布一重大利好消息：档案局联合区发改委、统战部、团委、计生局等单位，为职工买地集资建房，需要的先登记，一周内交5万元定金。随即成立档案局集资建房领导小组，局长挂帅，副局长主抓，工会主席协助，建房提上议事日程。

刚上班就搭上顺风车，唯有感激好政策，感谢好政府。全家兴奋，唯妻略显忧愁：“这套房钱还没交完，后面交多少还不知道，再买下一套，钱不够咋办？”“集资建房便宜将近一半，不能瞎了指标，车到山前必有路，到时候再想办法。”我自忖自己今非昔比，出名后脸大了许多，即使借，也相对容易些。大不了，卖了这套，再倒套大的。当时，房地产市场方兴未艾，只要有指标房，不愁出不了手，很可能还能小赚一笔。

三弟在农村老家穷困潦倒，混的没办法，打电话想学卖猪肉。一爿小店已经6人，再添人手连脚都转不开，我有点为难。妻很大度：“你的亲弟弟，你不管谁管？！”

6月，区市场管理中心兴建长乐蔬菜果品批发市场，有少量门店出售，其主任是我多年的朋友，问我要不要。“当然要！”无丝毫犹豫，让他帮我选择向阳位置留两间。

回家一说，立即遭到妻与丈母娘的联合反对：“你有几个鑹刺刺子（硬头货），敢这样掰拉（夸耀）？”“门店很紧张，过了这村可没这店！”我说过，我是家长，家里的事我说了算。就这样，又定购了两间。

但钱还没有着落。大家知道，我这个人毛病不少，尤其嗜酒如命，高兴喝，悲伤喝，忧愁也喝。喝酒就得有下酒菜，卖肉的又喜欢吃肉，经常去一家卤肉店照顾生意，久而久之与老板成了酒肉朋友。朋友之间，在一起呡两盅很正常。舌头喝大的时候，嘴上就走了把门的，天大的秘密也会透漏出去。

“有门路帮我也搞两间，少不了你的好处。”老板开卤肉店多年，腰包鼓囊囊的，说话也有底气。“没问题，包在我身上！”倒不是冲着卤肉老板的好处，酒喝高了更豪气干云，为朋友两肋插刀。

然问过主任朋友，门店很抢手，已然没有了。这不要在朋友跟前放空炮吗？做人应言而有信，洒家虽然不是出家人，也不能打诳语。于是与卤肉老板商议，我的两间指标一人一间，将来做邻居，我钱不顺手的时候，他可以帮衬点。

撤县设区后，长安凸现开发热潮，连老家那种穷乡僻壤的土地也成了香饽饽。8月，三弟分得3万元卖地款，未开封拿来，成为门店的首笔基金。9月，我凑得不足2万元现金，交清一间门店款。10月，三弟独立，眼镜肉店长乐分店开门迎客。

2006年6月，第一套房子如期装修入住，第二套却没有了消息。

同年12月，长安区行政中心落成，政府迁入新区，档案局挤入东一楼办公，借调曾任××小学校长的王老师充实地方志。

2007年，局长将到退居二线年龄，免了政府办副主任，专心做档案局长，忽然想起这几年忽视了地方志，临下台该给后世留点东西了。于是，带指导科科长等人赴江南考察学习，回来即刻调整区志办人马与办公地点，启动地方综合年鉴编纂工作：副局长即将退居二线，抽出来专门搞“三级联邦”工作，工会主席主抓地方志，任年鉴第一副主编；免去×主任的主任之职，专门与副局长搞“三级联邦”，由此人起外号“×联邦”；×副主任与指导科科长职务调换，新主任为第二副主编，区志办又增加一名副主任；王老师调入档案局办公室，专门负责创建国家卫生城市工作，由此得名“王创卫”；安排一名李姓下岗工人入区志办，曰“公益性岗位”，一名女同志搞内勤；区志办搬至老区政府办公，启动年鉴编纂，为地方志编纂练兵，积累资料。

局长亲任主编，从此两头折腾——上午在新区主持档案局全盘工作，下午在老区抽查年鉴资料，连累我等晚上、节假日加班成为常态。我们三个责任编辑每人负责一部分资料的征集、初编，内勤撰写“概述”部分，主任负责一审，工会主席负责二审，局长抽查。鉴于编纂长安历史上首部综合年鉴，还专门在西安市地方志办公室聘请一名退休老编辑，指导体例，把握文字。

3月下旬召开动员培训会，4—5月征集资料，6—8月征集彩页，组稿，编辑，约110万字。8月下旬，我花费约10天时间，将文字串在一起，编辑了目录、索引，文字稿基本成型；因彩页牵扯收费，征集较慢，尚有扫尾工作。

9月初，接市志办通知：本月15日，在宁波大学举办“陕西省第一期方志培训班”，期限半个月。局长欲带副主任与我参加。可我要接送两个孩子上下学，又割舍不下生意，面露难色，遭局长一顿抢白：“地球离开你还不转咧！少磨蹭，过去我还有话对你说。”想到局长见我半年来工作辛苦，有意带出去学习的同时散散心，放松放松，倘再推辞，岂不有好心当成驴肝肺之嫌。

鉴于彩页征集接近尾声，我等走后，全部交予下岗工人编辑，由此得绰号“李彩页”。李编辑独自担当重任自豪万分，又有点不好意思：“彩叶是个女人名字，不合适，不合适！”嘴上如此推辞，但我们每次如此称呼，他都答应得很干脆。

在宁波，我与局长住一间房子。局长，初中毕业参军，复员后入一家乡镇企业，勤奋好学，凭一支笔进入县乡镇企业管理局，任办公室副主任，专司理论调研与舆论宣传，不久长安乡镇企业被新闻界誉为“西北一花，陕西之冠”。后来被某县长看中，作为特殊人才转为国家干部，提拔为县政府办副主任兼档案局长。局长爱干净，宁波学习半月，每晚冲澡洗衣服，然后看书学习，从未见其看电视谝闲传，更对参观旅游没兴趣。我编年鉴半年，夜以继日，身心疲惫，于是提出换换工种的要求。

“档案有啥干头？简单劳动，不嫌混日子爱干啥干啥去！”局长一顿棒喝，而后语重心长，表示他退二线后也将参与修志，并以所购地方志理论书籍示我，要我跟着他好好干，搞出一部精品良志来。

返乡日，恰遇中秋节，又是周六，坐在火车上，手机响个不停：买主能把肉店挤爆，一雇员患尿结石，疼得厉害，已经去医院，希望我赶快回去搭把手。时，火车尚未提速，宁波到西安要咣当30多个小时，干着急没脾气。

周一上班，年鉴已送印刷厂，排版，出清样，而后三校。待发行时，局长正办退居二线手续，新局长已经就位。

12月，举行首发式。未过几日，社会反应强烈：彩页讹舛太多，图片说明居然有混淆领导职务与张冠李戴现象！区志办全体出动，发出的如数收回，订正图片。好在刚刚开印，数量不大，损失还不算太重。隔十多日，又发，每个单位两本免费，其余的予以销售，以弥补经费之不足。档案局全体都有，每人任务20本，完成者奖励，未完成者扣津贴。费九牛二虎之力，好不容易完成任务，又出现问题：图片排序颠倒，首末倒置。又收，改正后又发，发行过程中再发现重大错误：领导名录中居然将大活人用黑框框了起来——区志办所用电脑操作系统与印刷厂不同，改动时文字位置变动而黑框不动，结果活人死了，死人又活了。停发，收。改后发，再有错误：观点不清，文字粗糙，再收。

如此反复折腾，如“捉放曹”，将曹操捉住，放了，放了又捉，捉住又放，放了再捉……终于惊动了区长。那日，区长即将外出，将局长招至车中：“年鉴出版，你看过没有？”“我去宁波学习，没来得及看。”“副主编看过没有？”“可能没有。”“那你们当的什么主编、副主编？！”后，局长退于他处，终于与地方志无缘。

新局长汲取教训，区志办水平不济，须另请高明。请高人修订期间，水平不行的没事干，一次聚在一起聊天，被主任发现：“年鉴都修订呢，你们忿（惭愧，脸无光）吗不忿，还在这儿嘻嘻哈哈？！”“主编、副主编都不忿，我们忿个鸟！”我回敬，主任哑口。

2008年5月，修订后的年鉴重新发行，主编换成了新局长。

而后主任、副主任重回档案局，区志办大换血，恢复原班人马。所不同的是，×副主任升为主任，×联邦成为一般干部，工会主席仍旧主管。

撤县设区后，档案局级别升为正处，但清水而非衙门的实质并没有改变，属于想腐败而没有机会的那种，仕途正旺或者握有实权的领导，谁也不愿意来。任职者多为任副处多年，临近退休升迁无望，区上领导照顾情绪，到档案局过渡过渡，混个正处，好光荣退休，衣锦还乡。所以，×联邦才能侍奉多任领导，混成七朝元老。领导也不求有功，但求无过。年鉴修订完毕，区志办又加入整理档案行列，修编区志之事早已抛到九霄云外。

副局长早已退入二线，成了调研员，集资建房的事再无人提起，有的人开始酝酿退款赔息。可前期费用花费不菲，档案局穷得叮当响，又不是富得响叮当，本金也难凑出，何谈利息，同志们大多凭工资吃饭，从嘴上抠钱集资建房，血汗钱难道打水漂不成?

忽一日下午，机关全体开会，工会主席宣布：单位已与开发商签订合同，我们必须从甲方变更成乙方，合作建房变成团购，集体从开发商手中购买，以图批发价，每平米先上涨一千元，以后多退少补。同意的再交10万元诚信金，以后按进度交款，交钥匙付清；不同意者只退本金，不付利息。中午我喝得晕晕乎乎，当时酒劲未散，说话口无遮拦，胡乱放炮：“我听这合同咋像是李鸿章签订的！”大家哄堂大笑，连连称道，工会主席勃然大怒，拂袖而去。

会后，新局长找我单独谈话：“国家叫停了集资建房，谁也没办法。以后少喝酒，注意说话方式！”我酒醒了大半，只有唯唯诺诺。

有权有钱单位，集资多套住房不在少数，轮到我们烧香,庙门却关了。怪就怪我们无权无钱，办事效率低下，一纸规划跑了几年，国家政策岂有等你之理！然房子终于有了眉目，毕竟是可喜可贺之事，再说团购总比单独购买划算。话再说回来，多亏手续拖了几年，给了我缓冲余地，不然，两套房子同时交款，岂不要难煞洒家——卖猪肉是小本生意，工资也仅够糊口，千万不敢跟当官做领导的相提并论。

2010年初，新局长退居二线，又来了新新局长，我晋级三朝元老之列。

3月，因建设西区小学，长乐市场整体拆除，我等在使用六年后，得到12.5万元补偿款，可三弟又下岗了。

同年12月，团购房竣工，总计28层，我购得东南六楼向阳的三居室，133平方米。

2011年1月，区市容局租地建成城南综合批发市场，近百间门店均由土地所有者——皇子坡村分配，我沾“名人”之光，通过局长找到某副区长协调，以60万元的价格购得门店95平方米，新眼镜肉店开业，安排三弟再次就业。我工资加上房租连同积累，初步进入小康社会。老眼镜肉店完成历史使命，交给徒弟奔小康，从此，自己心无旁骛，全心全意干好党的事业。

新新局长看来不是过渡的——比较年轻，干满一届远不到退二线年龄，而且，国家叫停了官员退居二线。

2011年春节后，免去×主任之职，调入档案局；聘请社会贤达，重新组阁区志办，启动《长安年鉴2011》卷编纂，2012年3月顺利出版，社会反应良好。6月，原区政协副主席退休，聘入区志办，任《长安区志（1990—2010）》主编，区志编纂启动，5个责任编辑，分编自然、经济、政治、社会、文化部类，我成为在职人员之中的唯一一个，负责经济部类及社会部类中“民俗·方言”编资料的征集、编纂，后又受主编委托，承担《西安市志（1990—2010）》涉及长安之任务及区志多编的修改工作。目前，志稿二审结束，年末报终审，有望2018年面世。今年，区志办被评为全国地方志编纂先进单位。

屠夫学校诞生记

2008年5月1日，肉店一雇员小飞喜结良缘，按照长安的规矩，提前宴客三日。4月29日晚，肉店打烊，另一雇员小东骑摩托车带我去搭份子蹭酒喝。将酣，手机响起，抬眼一看，1333****666，显示来电为广东湛江，我思忖没有同学、朋友在彼高就，以为又是中奖、抽奖之类的虚假信息，摁断，继续喝酒吹牛。未几，手机又响，我不耐烦地接通："哪位？""你猜猜我是谁？"一口南方普通话。"我管你是谁！"又摁断。2007年，办公室接通宽带，上班期间不许聊天打游戏上购物网站，浏览新闻读书看笑话却没人干预。我有时候会看看新闻，知道最近骗子设计了一个"猜猜我是谁？"的圈套，上当受骗的人还真不少。南方人聪明，骗子也多，我在网上见过，当然不会上当受骗。

"老陕，我是老曹，曹喜红！"第三次叫通电话，对方终于不敢再玩猫腻，自报家门了。"你小子，发财啦？用这么拉风的号！"一听是老同学，我不再跟他客气，借着酒劲，嘴里不干不净，骂骂咧咧起来。

老曹，安徽人，毕业后亦发配回家乡，先在一家县办企业混日子，后辞职到广东闯天下，听老白鸡说现在就职于《南方周末》，是消费版的大拿。我出名后，曾通过电话，但以后来往不多，我换过手机后，就没存他的号码。想不到广东真是冒险家的天堂，这不，才多长时间，就混出了个模样。

"没有，没有，没有！这电话不是我的。"老曹连忙否认，生怕我粘他似的。寒暄几句，开始叙述事情的原委。

那晚，我酒喝大了，加之在乡村的院落，人声嘈杂，听不大清楚，稀里糊涂中逮住了几句，大意是：一个学长，在广东跟我做同样的生意，想与我交流交流，请我有时间去广东玩。“可以，可以呀！”我酒喝多的时候特别豪迈，跟谁都不客气，当时一口应承了下来。“那明天联系啊！”“好、好。”

“有时间”是个很含混的概念，有时也可以理解成一句客套话。我这个人平时木讷，一旦上了酒桌子，几杯般若汤下肚，嘴上就走了把门的，东拉西扯，胡吹冒撂。大家知道，那是酒话，不作数的。老曹也在跟人一起吃饭，无酒不成席，大概也喝了不少酒，客气客气，不能当真。

第二天中午，单位节前聚餐，我又喝了不少。下午放假，梦乡里走一遭，就把与老曹的约定忘得一干二净。

晚上，那个拉风的电话又响了：“老陆吗？我是你师兄，经济系80级的，叫陈生。什么时候来广州啊？我来订票，黄金周怎么样？”一口广东普通话，好像就是昨晚与老曹一起吃饭的那个人。当时，正赶上五一七天假，天气不冷不热，本是旅游放松的大好时机。可我还在奔小康的路上，八小时之内要干党的事业，八小时之外还想捞点外快，黄金周正是商家利好之际，况且小飞刚结婚休假一周，店里正缺人手。于是向对方说明情况，答应过几天再作决定。

以后几天，我们几乎每晚通话。当然，为了节省我的长途话费，总是师兄打过来，通话几分钟，匆忙挂断——毕竟中国的电话费要比美国贵一千多倍，我们都不富裕，能省还是省点吧——我当时想。也许，我们彼此还不熟悉，共同的话题不是很多。

转眼，黄金周已过，小飞休假期满，生意恢复常态。

5月8日，我如期上班。区志办不编年鉴，不修地方志，没有硬性指标，应付一些闲差，时间过了，任务也就完成了，上班如同打酱油，银子一分都不少，每天点个卯而已，神仙一般的日子。但神仙也有思凡的时候，这样打发光阴实在无聊，我决定到广东走一遭，有无收获倒在其次，权当免费旅游，消遣消遣。次日，师兄再来电话的时候，我表达了这样的愿望。

“好啊，不过这几天不行。”可能担心我误会，师兄这次没急着挂断电话，强调他有一个足球队，要在湛江比赛，他得前去助阵，这段时间不在广州。“15号怎么样？我来订票。”末了，师兄又补充一句，要与我敲定时间。

“到时候再看。”吃谁的饭，跟谁转，我端公家的碗，不能目无领导，自己说了算。

岂料5月12日发生汶川大地震。西安震感强烈，还是耽误了行程。

当时，我与“李彩页”在一个办公室，隔壁为工会主席，也是我们的主管领导。以往有事无事，他总爱在领导跟前表现，打水、扫地、洗拖把，嘘寒、问暖、拉家常，贴心暖意。一时间，窗户嘎嘎作响，感觉一阵头晕目眩，彩页一声“地震了！”飞也似地奔下四楼，连隔壁最尊敬爱戴的领导都忘了喊一嗓子。

后来我去成都晤范师弟美忠跑跑，知道那是出于本能，绝大多数人都会如此。不同的是，别人只做不说，他却不合时宜，偏偏把逃跑的事情拿来当谈资炫耀，就让人忍不得了。譬如拉屎，人人不可避免，别人擦干净屁股提起裤子悄无声息地走了，你却拿根小棍摆弄：“大家都来看，这一脬是我拉的。”恶心不恶心？！

之后余震不断，人心惶惶。

人一旦上了年纪，怕死、爱钱、没瞌睡。吃过晚饭，丈母娘就逼着一家老小拉上凉席夹上铺盖卷儿到旷野宿营躲地震。小孩子觉得新鲜，高兴得能跳起来；大人劳累一天，人困马乏，晚上就想睡个囫囵觉。野外蚊虫叮咬风吹雨打还要防火防盗防破坏，睡不踏实，我不乐意去。实在受不了唠叨，才卷上铺盖跑到外面，怀抱钱匣子头枕衣袋子似睡似醒打个盹。我是家里的壮劳力主心骨保护伞，撒手不管肯定不宜。风餐露宿一星期，一场透雨始终结。

转眼过了小满节令，关中农村开始备战三夏。

我幼时丧母，家境贫困，为供我读书，两个弟弟早早辍学当了农民。三弟吃不惯农村的苦，一直跟我瞎混，办工厂、干装修、卖猪肉，虽未挣到大钱，但一家子都搬到城市，有一份职业，收入稳定，发家致富是迟早的事，基本可以放心。老父年近八旬，体弱多病，一直生活在老家，由二弟照顾。二弟继承父亲衣钵，种得一手好庄稼，他农忙种田，农闲打工，但粮食不值钱，日子依然过得紧巴巴。2007年，国家实行农机具补贴政策，我帮他凑足8万元，买了一台东方红牌80马力拖拉机，秋夏两忙帮人犁地、耕种，增加收入。

5月23日，雨过天晴，正是农忙好时节。二弟从车库倒出拖拉机，准备安装犁铧，可犁铧这铁疙瘩足有300多斤，一个人根本挪不动。二弟叫来邻居，两人一步步挪出来，抬起安装时力有不逮，父亲前去搭手，一下未抬起，猛一加力，“嘎巴”一声一阵剧痛，旋即倒地。二弟要送他去医院，父亲怕花钱，死活不肯：“这点小毛病，死不了，歇歇就没事了。”二弟无奈，给我打电话。我与三弟急忙赶回去，三人合力送到引镇卫生院，拍片检查：腰椎骨折，需要住院手术治疗。

关中有句骂人话“小心把你脊梁杆子挣断咧着”，即谓此。人一旦上了年纪，骨质疏松，跌打碰撞很容易骨折，而且不易痊愈。鉴于乡镇卫生院水平、条件有限，我赶紧联系父亲的表弟，他在西安市红十字会医院任设备科长，该院治疗骨伤最拿手。

三天后父亲手术，术后又观察三日，病情稳定，回家卧床静养。我把一切安排妥当，方想起与人相约，不可拖得太久，连忙准备，5月30日下午，终于乘上飞往广州的飞机。

当日广州大雨瓢泼，飞机一再延误，本当下午6时抵达，落地时已是晚上9点。刚开机，手机冒出一条短消息：“陆总，我是广东壹号食品公司的小林，老板派我来接您……”我忍俊不禁，老广真会说话，我就一领导五六个人的小店老板也称“总”，敢情广东遍地是“总”。

刚到出口，一位漂亮的姑娘一手持鲜花，一手举接机牌迎了上来：“辛苦了，陆总，我帮你拿行李。”“不用，不用。也不要这样称呼，我不是什么‘总’，叫我‘老陆’就行。”我纠正她，可是姑娘不改口，我很难为情，却又无奈。“车在6号出口。”姑娘不由分说，将鲜花塞给我，抢过挎包，往出口便走。

奔驰S350！姑娘拉开车门的一瞬，我瞅见了品牌，心里嘀咕：“我也不是什么达官显贵，弄辆普通车接接就行了，何必借辆高档车摆阔气要排场？”反过来又一想，接我的车这么贵重，看来师兄对我很重视，不觉心里又飘飘然起来。

“这是陆总，这是老板的司机邱雄。”姑娘介绍道。

“您好，欢迎，欢迎！”

“不客气。”客气完毕，司机不再多言，专心致志地开起车来。

从机场到市区大约一个小时的车程。从与姑娘的闲聊中得知，师兄有4家公司，主营饮料、猪肉、白酒、房地产，员工接近两千人，奔驰是他的座驾。

出乎我的预料，师兄并非卖猪肉的小老板！

就说呢！猪肉贩子我认识许多，大多骑摩托车，开蹦蹦车，都是能用就行。少数喜欢玩车的，如我三弟之流，也只是买上一辆北斗星、昌河、五菱之类的面包车，拉货载人，两不耽误：拉猪肉时，卸掉后排座椅，铺上油布；载人时，再安上座位，铺上坐垫。常年四季，车外油腻腻，车里脏兮兮，散发着难闻的气味。

到达时，师兄与我在广东混事的几位同学包括曹喜红、王伟正等，早已摆好酒宴，等候多时。觥筹交错之中，得知师兄长我两岁，高我五级，出身于贫困乡村，毕业于北大经济系，分配至中共广州市委办公厅。这样的好差事，放到今天的大学生身上，能高兴得一蹦三尺高，可他不满足于平淡的生活，不久辞职，在商海中打拼，先后种菜买菜、倒腾白酒、开发房地产、制售饮料……拼搏十余年，历经几多坎坷，方达到今天的地步。2004年，他介入肉鸡行业，恰遇禽流感，加之管理体制原因，只能养，不能卖，亏得心痛，感觉命中似乎与鸡相克，于是2007年辗转猪肉业。目前，在湛江有几个养殖场，自繁自养，在广州一些农贸市场开设了20多个猪肉档口，每个档口日均销售1.5头。因规模小、成本高、管理难等原因，尚处于亏损状态。当日把酒言欢，约定次日先到档口看看。

酒醉不觉更深，曹喜红等陆续告辞。王伟正专门跑过来见我，妻儿均在中山，在广州也没有熟人，于是当晚和我以及师兄三人共同下榻广州皇家国际酒店，此后几天，他全程引路陪酒。

那几天，雨淅淅沥沥下个不住，我们三人乘坐师兄的拉风车，走档口，看工厂，访同学，跑遍广州、深圳、珠海，所到之处，有王伟正张罗，一帮校友欢声笑语，好不热闹。

老实说，一开始，我对师兄的壹号土猪并不看好：首先是过肥，物资匮乏时代已经终结，肥肉不再抢手，在都市，肥胖症及高血压、高血糖、高血脂患者与日俱增，医生把罪魁归结于肥肉，故肥肉滞销。而卖猪肉，必须将各部位协调售罄才有利润；其次是黑毛，国家实行定点屠宰后，屠宰场垄断经营，宰量大增，屠宰毛糙，机械脱毛又不干净，“货卖一张皮”，白猪不明显，黑猪特别难看；第三是价格，黑猪是我国传统品种，生长缓慢，生长周期长，与引进品种——瘦肉型白猪相比没有价格优势，毕竟我国处于社会主义初级阶段，大富大贵者凤毛麟角，大部分老百姓掐算着过日子。

基于此，我建议师兄改变品种，向瘦肉型新品种发展，满足大众消费。

师兄不以为然，他说全国每年猪肉消费上千个亿，如此大的一个市场，却没有一个高端品牌，瘦肉精、注水肉泛滥，导致整个市场混乱，缺乏诚信力。他的壹号土猪是他带领相关人员，开着车，拿着锅，跑遍大半个中国，白水煮猪肉，尝遍各种味道，采集优秀基因，精心培育出的优良品种。他要创立一个高端品牌，卖猪肉中的“奔驰”“宝马”，满足发达地区高端人士的高品质生活，“只要做到百分之十的市场份额，就不得了、了不得”。

我在落后地区混生活，不了解发达地区，更不懂经营之道，而且还自以为是，是个牛脾气。师兄见说服不了我，当场切割一块土猪肉，又购买了同样部位的一块普通猪肉，回到办公室，让司机不加任何佐料，分别用白水煮熟，让我体味，比较其中的差别。

洒家喜好杯中物，自以为大嘴吃天下，尝遍人间口味，但如此吃猪肉着实是开了眼界。两块猪肉煮熟后，我夹起来：乍入口，土猪肉既老且硬，如同老䶮，险些把牙齿崩掉；多炖半小时，肉质细嫩，入口绵软，肥肉不腻，瘦肉不柴，回味悠长；放入佐料爊炒后，感觉小时候吃的猪肉味道又回来了，普通猪肉不可与之同日而语。

“猪肉不是终端产品，必须经过烹调加工，口感如何，往往决定于厨师的水平。”我无理犟三分。

“这个倒不用担心，广东人口味淡，对食材很敏感。”师兄信心满满。

我持保留意见返回西安，继续八小时之内与八小时之外的生活。

一眨眼进入11月。忽一日，接师兄电话，说他现在华山，准备来西安看我。想到自己在广东受到国宾般的礼遇，意识到还礼的时节到了，忙问需要几间房间，我来订酒店——依照常理，老板出行，不可能单枪匹马，至少该有几个随员。

“40来间吧，我们近百人。”他煞有介事。

我大吃一惊，吓得差点把眼镜掉在地上。以我的能力，马马虎虎能负担三五个人的吃饭住宿，七八个人就有点勉为其难，这一下子来了近百人，这不要老衲的命吗?

“跟你开玩笑，酒店我们已订好了，晚上过来一起聚聚就行。”

我长出一口气，这才想到需要搞一辆相对拉风的汽车，方便师兄出行，况且自己坐公交车去酒店接人也太掉价。

前面说过，我杀猪卖肉的朋友能拉上几卡车，而以拉风轿车为座驾的亲友还真没有。正郁闷间，某人民团体的宏主任来电话说他心烦，让我陪他去喝两杯。

宏主任较我略长，是本区唯一一位文学硕士。早年政府投资经商办企业，作为特殊人才引进，后企业塌火，安置于某人民团体，在办公室主任的位子一蹲就是十余年，年届五十，仕途即将画上终止符。壮志未酬，心灰意懒，时常应卯之后，百无聊赖，以烟、酒、麻将、扑克消磨时光。

“何以解忧？唯有杜康。”我们臭味相投，饭点经常聚在一起抿两口。他健谈，一起喝酒等于在听他演讲。因为健谈，交际就广，朋友就多，也时常介绍一些人跟我认识。而我八小时之内、之外都在穷折腾，凡夫俗子一个，离清谈的境界还很遥远，未来的事现在做于人无益于事无补，瞎耽误工夫，因而经常顾左右而言他，答非所问，胡乱应付。好在宏主任并不介意，如此，不妨碍我们继续做朋友。

正神侃间，宏主任的电话响了，说是老同学好朋友，办事路过，想过来坐坐。

“这是王总！”车停在门口时节，宏主任如此介绍。

“你好，你好！”我们互相寒暄。

看到王总驾驶一辆崭新的桑塔纳3000轿车，我心头一喜：这不是传说中的吉人自有天相，想什么来什么吗？于是连忙招呼。傍晚时分，我顺理成章地坐上国企老总的座驾，公车私用，同他们一起去拜访师兄。

见面方知，师兄的公司实施激励机制，每当接近年底，就会组织完成目标任务的员工出游。今年他旗下的老伙记酒业公司游览十三朝古都，师兄跟着，顺道看我。

翌日，员工分头游览。我一事不烦二主，依然借用王总及其座驾，载师兄夫妇到“杨凌中国农业高新科技成果博览会”开眼界。途中问起土猪经营情况，师兄说已发展至40多个档口，情况还可以，就是员工难招，尤其是熟练刀手，更是供不应求。

联想到目前就业形势，我猛然想起老孙当年招收大学生的思路，建议师兄不妨试试。时，美国金融危机引发全球经济衰退,国内高校扩招成果初步显现，大学生放下身段，竞聘城管、环卫工者不再稀奇。

“当今形势下，用大学生无疑很划算。不过得给他们上升空间，让他们看到希望。”师兄赞同我的想法。

我们谈得兴起，忽略了时间概念，待在咸阳用过晚饭，匆匆赶到机场时，按预定时间，飞机差5分钟起飞。

“没事，我们90多人，差不多是包机，我不到，他们不敢起飞。”师兄开玩笑。果然，飞机晚点，赶到时刚刚开始登机。

约20天后，“1500名研究生竞聘猪肉荣”的新闻占据全国各大媒体显著位置，应该与我们的会面不无关系。需要说明的是，当时好多人甚至媒体都以为这个新闻是“噱头”“有炒作嫌疑”“在做广告”。事实上，当年招收的30名研究生目前大部分并未跳槽，多数晋升到公司管理层。只有一人例外，他承包了公司8个档口，雇工经营，年入百万，逍逍遥遥地做着小老板。

2009年8月，小女小学毕业即将升入初中，恰逢我休年假，天气炎热，肉店是半天的生意，大部分时间闲得无聊，女儿吵闹带她出去走走。我想到一直是穷人忙身子，对孩子没时间照顾，亏欠太多，而今不再捉襟见肘，遂答应带她去看看大海，开开眼界。适逢师兄盛情邀请，于是有了第二次的广东之行。

照例又是一番参观游玩。在粤一帮同学知我赴穗，在一家潮州餐厅摆下海鲜大宴，为我等接风，师兄带国酒茅台助兴。席间自然谈及公司的经营状况，师兄依然抱怨熟练工人难招，企业发展受限：“到处挖人，我都快成行业公敌了。”

“那你们为何不办个学校，自己培养人才呢？”我的同学李晓彤快人快语，冷不丁冒出一句。

“这个主意好，有老陕的实践经验，你的经济实力、管理才能，我看靠谱。”“各取所长，各取所需。”“联珠合璧，天下绝配！”大家七嘴八舌，一致赞同。

“主意不错，我考虑考虑。”师兄最后表态。

“考虑”“研究”通常为推脱的代名词，况且在酒桌子上，醉话一般不作数，所以酒足饭饱之后回酒店，我并未多想。心中无事瞌睡香，一觉睡到大天亮。

第二天是回陕的日子，机票订在下午2点，一是可以吃过午饭再去机场，不至于饿肚子，二是下车之后我刚好能乘坐机场大巴回家。依照惯例，师兄睡得晚起得晚，早上的时候还在家休息，我则在酒店用完自助餐，10点坐上公司派来的汽车，被接到老板办公室同师兄喝茶聊天打发时间，而后师兄陪我吃饭，为我送行。

师兄的办公室在维多利广场A座30楼，A001号，饮料公司与食品公司之间的位置，一般很安静，鲜有人打扰。一次我们喝茶，整整一下午，中间除电话叫来一位员工吩咐几句外，再无人敲办公室的门。我感觉很奇怪："你是老板，几个月不露面，偌大的公司，怎么没人找你？"

"我不管钱，不管物，更不管人，谁找我干吗？！"

"那你管什么？"

"只管公司发展方向。"

但那天我刚踏进办公室，就被扛着长枪短炮的记者围了个水泄不通，异口同声地询问创办屠夫学校事宜。我原以为酒肉场合的话多为玩笑，千万不能较真，万一作数，"考虑考虑"怎么也得十天半月——但我忽视了一点，师兄烟酒不沾，与我等醉汉不同，头脑很清楚，他既然能招来记者，心中定然已经有了计较。

我看到这个场面，立马就后悔起昨晚只顾喝酒聊天，未提前与师兄沟通，猛不丁问起，心理毫无准备，真不知该如何作答。而记者均有打破沙锅问到底之癖好，不好糊弄，非三言两语可以打发，于是调整思路，依照自己的设想抑或是猜想，叙说了个大概。牵扯到具体问题，实在无法答复的，就推给师兄——反正他是老板，一锤定音，皮球我可以踢过去，他不可以踢过来。

回西安后，我又被各地媒体反复追问，有的面访，有的电话采访，有的甚至道听途说，后来竟传成了我要辞去公职，去屠夫学校任教云云。最后不得不出面澄清：非我主持，仅仅协助，做些力所能及的工作而已。

广东那边，屠夫学校的筹备紧锣密鼓，陕西这边，教材的编写却掉了链子。

首先，是我经过几年休养生息，开始忙碌起来。档案局为局、馆合一体制，其时，长安区档案馆准备晋升国家一级档案馆，全局职工全力以赴，区志办作为档案局的下属科室，当然不能例外，久违了的档案资料又堆满办公室，整理档案成为中心任务。此外，区志办为"秀才"聚集地，除整理档案之外还承担了20余种编研资料的撰写任务，我年富力强，文字功底还算马马虎虎，自然筷子之中拔旗杆，“村无大树，蓬蒿为林”了。

其次，既要作为教材，须成体系，单有动手操作和基础知识还不行，还要有所提升，上升到理论高度，而杀猪卖肉是下九流的营生，专家教授不屑研究，普通屠夫只知白刀子进红刀子出，历来师徒相授，从未试图寻找规律写到书本，没有文字结晶，无成果可借鉴。

第三，自己混得没办法，以卖猪肉为手段养家活口，从未将其看作事业，谈不上热爱。不热爱就提不起兴趣，无兴趣就懒得留意，行业的积淀不够。

第四，久不与文化打交道，每每提笔忘字，开口忘言，心有余而力不足矣。

“若将此事做成，你就是行业的鼻祖！”被师兄几次询问、催促，鼓励、勉励，我终于激起豪情：自己浸淫猪肉行业多年，感性认识积累不菲，又沾母校之光，被世人以“才子”相誉，对行业的洞悉与文字总结、提炼的能力集于一身，此事舍我其谁！

此时，最大的困扰是时间问题。未承想，一次意外带来了转机。

前面提到，杀猪卖肉的多以踏板摩托车、蹦蹦车作为交通工具，节省费用的同时，方便进货、送货，我也不例外。1999年购木兰，2003年更新为大阳，不久被三只手顺手牵走，为避免回家遭受奚落，当日赊购同款一辆冒充以掩耳目。2010年4月12日早晨，我在踏板放几十斤槽头肉，后带老婆、儿子上班、上学，在小区门口陡坡急弯处避汽车摔倒，忍剧痛至单位，不能上楼，行走困难，被同事送往长安区医院拍片检查。

大夫50多岁，满头花发，慈眉善目，一副医术精湛、医德高尚的模样。“肌肉挫伤，没多大事，吃点药，休息几天就会消肿痊愈。”他将巴掌大的X光片举过头顶，摘下眼镜边瞧边下结论。

既然不碍事，我粗皮大胯，皮糙肉厚，非无病呻吟，小病大养之辈。开过200余元的跌打损伤药，便被送回家静养，我还思忖着歇息三天两日，伤处不再肿痛之后，要随同事赴武当山求仙访道怡情放松。然一连十余日疼痛不减，病情未见消退反而有越发壮大的趋势。

马王屠宰场的宋波前来探望，说户县大王镇一个私家诊所有祖传秘方，专治跌打损伤，有立竿见影之效，不妨去瞧瞧。我也是有病乱投医，辗转到了大王镇，照例又是拍片检查，不同的是，这次的X光片要大得多。末了，三位大夫轮流端详，聚在一起咕哝半天，得出的结论吓我一跳："可能髌骨骨折，需要手术治疗。本院条件有限，建议去大医院进行磁共振扫描，进一步确诊。"

为我父亲治疗时，我得知磁共振机属大型设备，紧缺资源，须提前预约。忙电话联系我父亲之老表，我称呼为叔之长辈表亲。

"你清鼻往眼睛里流呢，到处乱跑！治跌打损伤，咱红会最拿手。废话少说，快过来。"挨长辈表亲一顿训斥，我不怒且喜，急忙驱车赶往西安市红十字会医院。

如前所料，磁共振果然需要预约，长辈表亲虽贵为设备科长，亦无能为力，总不能将别人赶下检查台让自家亲戚爬上去。不过还是县官不若现管，磁共振繁忙，CT不需要预约，总算是插空进去。做完CT，长辈又带着去找专家做诊断，先进设备要与高技术人才配合才能充分发挥作用。这样，经过CT扫描、专家会诊确诊，住院手术与保守治疗风险同在，遂采用保守疗法。经固定、上药，再开口服药后，我被送回家静养，20天拆石膏复查。

事后，我与小满开玩笑："早知如此，该让我将摩托车丢了。如果小偷偷走的是我的，留下的是你的，现在摔断腿的就是你而不是我了。"于是，小满庆幸摩托车丢得及时，丢得漂亮，丢得应该，小偷偷走一辆摩托车，还给了他一条腿，这笔交易赚大发了。

扎绷带打石膏，不得动，不能走，不用上班整档案，不用店里卖猪肉，电脑电视轮番看，衣来伸手，饭来张口，真乃神仙一般的日子。然而，我注定是个劳碌命，过不了这种什么也不用想，什么也不必干的逍遥日子，躺过半月，身心不再为剧痛所折磨时，反而心烦意乱起来，在屋里待的烦闷，只想出门行走。但左腿硬邦邦，只能伸，不能屈，完不成行走的动作，即使方便，也须借助拐杖的力量，奈何，奈何！于此间猛然想起师兄交付的任务，于是，恢复作息，理顺思路，在键盘上滴滴答答敲打起来。

伤筋动骨一百天。3个月囚于陋室，活动骤减，脂肪猛增。随着肚子一天天凸起，显示屏上的字数也在逐渐增加，约14万字时，骨伤已无大碍，接着拜师访友，勘验求证，修改补充。因诸多问题尚未搞清，不敢以"教材"自居，暂名《猪肉营销讲义》，发给师兄，交付屠夫学校使用。

翌年9月赴广州，与第九期学员交流。

北大演讲实录

2003年7月，“北大学子长安街头卖肉”的新闻丢了百年名校的脸，撕扯着其掌门人——许智宏校长的心。记者们穷追不舍，连人代会都不放过，很快成为会场热议的话题。

许校长不厌其烦：“卖猪肉怎么啦？北大学生既能够当国家领导人，也可以做普通劳动者！”

话虽如此，我这位百年名校的门徒具体情形究竟如何，学校一班人心中无底，于是委托北大校友会陕西分会秘书长王鸿信等人前往探望，表示愿意尽可能为落难门徒提供帮助。

随着时间的推移，新闻热度逐渐冷却，大学生就业形势却益发严峻。改变期望值，转变就业观念，成为促进大学生就业的先决条件。2008年4月，北大就业指导中心主任陈永利电话联系到我：“陆学兄，最近情况如何？学校想请你回来与学弟、学妹们互动交流，分享你的创业心得 。”

我扑哧一声笑了：“我这也算创业，陈主任是开玩笑还是拿我开涮？”

在长安，我是妇孺皆知的大“名人”。老师教育学生要刻苦努力，将来考取国家211、985大学，学生回敬：“211、985算个鸟，北大毕业不是照样卖猪肉？”；家长教育孩子要发奋读书，将来成名成家，有个光彩的归宿，孩子反驳：“老子英雄儿好汉，老子卖葱儿卖蒜。读书顶个屁用，人家阿毛、阿狗斗大的字识不了几箩筐，还不照样升大官发大财？”；连我的父亲都说：“不上北大，咱照样能卖肉么。”自己混得灰头土脸，害得一家老小都颜面无光，何苦再回北大丢人现眼，遂婉拒了陈主任的邀请。

2010年10月，许智宏校长作为联合国教科文组织人与生物圈中国国家委员会主席，考察调研陕西牛背梁国家森林公园，途经西安时专门约见我，再次邀请我回北大。我不识抬举，以同样的理由拒绝。稍后，许校长到深圳出差，约见了北大另一位猪肉佬——我的师兄陈生，两人交流轻松而愉快，师兄同许校长约定适当的时候回北大，与师弟、师妹分享创业的苦与乐。

2013年3月，许校长再赴广东，住在陈师兄创办的扁鹊兄弟国医馆，正式向陈师兄发出回北大演讲的邀请，并且希望陈师兄能做通我的工作，一同前往。

“这个包在我身上，拽也要把他拽去！”陈师兄拍了胸脯，随后电话联系我。

我很为难，一方面，德高望重的许校长三番五次相邀，盛情难却，师兄又是我老板，却之不恭，双方颜面都须留住；另一方面，自己为生计所迫，操刀卖肉，歪打正着，撞上个“名人”，并非光宗耀祖之事，实在是愧对江东父老，更不可在学弟、学妹面前自以为是，指手画脚。故而迟疑未决。

4月6日，陈师兄来到西安，考察西安市场的同时，再做我的工作。9日，我俩一起飞往北京。11日，登上北京大学职业素养大讲堂。

附：演讲稿

尊敬的各位领导、老师、学弟学妹们，大家好!

首先谈点感受。

说老实话，站在这里，我很愧疚，也很忐忑，甚至有点不知所措。因为我此前得知，能受邀回校与在校生交流的校友，基本为业界佼佼者、行业之楷模、时代之精英，如俞敏洪、李彦宏、张泉灵等，他们为北大争了光，添了彩，是母校的荣誉与骄傲！而我不同，我只是生活在社会底层的一个小人物，一个受过高等教育而又为生活所迫，在西安街头摆摊卖肉的小贩。给北大抹了黑，给母校丢了脸。在此，我只能作为反面教材，给学弟学妹们未来的职业生涯提供借鉴。

20多年前，怀着满腔热情与对未来的憧憬，我从陕西一个边远农村，踏上北京这块热土。在北大中文系，度过快乐、幸福，甚至是幸运的四年时光。之所以这么说，是作为农家子弟，终于跳出了“农门”，没有了贫瘠土地“面朝黄土背朝天”的凄苦，没有了升学考试的压力，有的是鸟语花香，书声朗朗。可谓“朝为田舍郎，暮登天子堂”。因为我们是统招生，国家负责分配，只要拿到毕业证，就是堂堂正正的国家干部，端起来人人羡慕的铁饭碗。

然而，伴随着1989年的动荡，我们戴上了学士帽。经过风暴的考验，霉运也考验我们来啦。先是无休无止的学习、反思、写心得，接着一个个同学被用人单位退回，最后被发回原籍，接收劳动锻炼。这样，一纸派遣证，我也毫无例外地被发配至我家乡——陕西省长安县——一个透着古铜色气息的名字。大家知道，古长安即今西安，现长安当时是一个市辖县，2002年撤县设区。古长安在历史上可谓鼎鼎大名，有道是“江南的才子北方的将，陕西的黄土埋皇上”，周、秦、汉、唐等13个王朝定都长安，曾是中国古代政治、经济、文化中心。然中国有句古话“穷不过三代，富亦不过三代”，风水轮流转，辉煌迟早会走向衰落，天朝大国——大清国的历史充分证明了这一点。上世纪八九十年代的长安，乃至陕西，曾经的辉煌都已化为历史，尘封起来。愚昧、落后，故步自封而又夜郎自大，如鲁迅笔下的阿Q，老是吹嘘祖上如何有钱，自己又如何不屑云云。

当然，我无意贬低故乡。说这些话的意思是想告诉大家，不要以为小地方缺乏人才，从而重视人才。事实上，愈小的地方愈封闭，裙带关系愈严重，七大姑八大姨充斥各个部门，形成了牢固的关系网，一枝随风飘摇的浮萍很难扎根。

在此，作为过来人，给学弟学妹们第一条忠告：干事业到大都市，那儿大家来自五湖四海，人事关系相对简单，机会多，发展空间大；混生活到小地方，这儿交通方便，房价不高，生活安逸。

1989年7月，我被打回原籍。7—9月，整整三个月，每天骑上破自行车穿梭于西安、长安之间，早出晚归，风雨无阻。但既感动不了上苍，也打动不了那些高高在上的老爷。好不容易托关系，找门路，叩开县城建局大门，却被我高中一位同学顶替了。有必要简单比较一下我与我这位同学：我，男；同学，女；我，北大；同学，西安地质学院；我，四年本科，同学，两年大专，至于同年毕业，是她多补习两年；我先来，她后到。之所以能被顶替，唯一可解释的原因，是她的关系更硬。我当时通过曲里拐弯的关系，找到县政协主席说情；她则是找她八竿子打不着的姨夫——时任长安县科技副县长。按理，政协主席是正处级，比挂职锻炼的副处级科技副县长职位要高，说话应该更顶事。但是，众所周知，我国的体制，历来是“党委有权，政府有钱，人大举手，政协发言”，一般从副书记职位退到政协任主席，已经日薄西山，仅仅是给个待遇而已，绝无东山再起之可能；而能从科研单位到一个地方挂职锻炼，至少说明：一是年轻有为，二是政界有关系，三是上升空间很大，前途不可限量。能在人事局——要害部门当局长，眼睛当然雪亮，自然掂得来轻重。需要说明一点，中间有没有人民币或者其他交易，不得而知。

当然，我还找过省、市、县许多部门，要么没编制、没指标，要么不需要人，有的干脆只对组织，不接待个人，凡此等等。万般无奈，在一个100多万人的所谓大县，党政部门不需要北大学生，文化部门不需要北大学生，教育部门更不需要北大学生，只有一个即将破产倒闭的机械配件企业需要一个北大中文系学生解企业于倒悬。

顺便说明一下，北大建校百年，包括清华，在我们那个小县，我是唯一一个扎根的毕业生。有一个北农毕业的，比我小几岁、低几届，经常去找我，与我套乡党、校友关系。他当时分配到草滩农场，单位不景气，下海创业失败，自谋出路。至今无车无房，父母双亡；无妻无子，孑然一身。白天推着三轮车，走街串巷收购旧书报；晚上市容、城管下班后摆旧书摊。自诩为文化人，未丢掉老本行，做的是文化产业，传递人类文明。前段时间三轮车被城管暂扣，还找我说情。我给300元，让他给城管买条烟。他说不值，破三轮值不了几十元。我说沟通关系，建立感情，要不下次他还扣你。

我报到的单位是长安县柴油机配件厂。县办企业，有100来号人，当时已经处于停产、半停产状态，只有厂部20多人上班。我一天班未上，被借调到上级机关——长安县计经委写材料。计经委主任是个转业干部，团副政委，文墨不多，讲话、报告全凭我写他念。按惯例，计经委主任届满，当升任副县长。但他例外，到了人大，任副主任。后来因给县上20多位领导提意见，贴小字报，还到北京上访，被冠以“文革作风”“诬陷罪”罪名蹲了号子，失去了公职。我由于跟错人、站错队，久久不能转正。1993年愤然下海，自谋职业。

但文弱书生好比旱鸭子，海水太深，不久就呛死、淹死了。

1993年后，我先后干过工厂、矿洞、装潢、商店，等等。其中小本买卖多有盈余，稍微大点，必亏无疑。究其原因，一是个人能力差，头脑不灵活。二是刚踏上社会，经验不足，掂不来轻重。第三是利益与风险同在，肥肉毕竟看见的人多，好多人为了利益，不择手段，几多老板有黑社会背景便是明证。第四，人生第一桶金至关重要，成功了，赢得资本金，确立信心；失败了，挫伤自信心，还可能背负沉重的负担。第五，俗话说“男怕入错行，女怕嫁错郎。”行业的选择及其切入点、时机也不可忽视。陈声贵，兰州大学本科，中科院研究生，伯克利大学博士生，攻畜牧学。2003年前后在陕西凤县养野猪，亏损20余万。告借无门，穷得揭不开锅，在山中挖野菜度日。通过我联系白岩松，上央视新闻频道《新闻会客厅》，被上海一家公司相中，从此不知所踪。野猪，皮厚肉粗，瘦肉率高，不易熟，口感不好。作为野味，尝尝还行；作为食品，在2003年时，还是超前了。

第二条忠告：不打无准备之仗，创业选择自己熟悉的行业。天下行业七十二，行行都有潜规则。有的同学可能不屑运用，但你必须懂得，提早防备，才不至于临事措手不及。广州屠夫学校，不卖病、死、问题猪肉。但我每次讲课，必讲各种疾病在屠体上的反映，必讲注水猪肉、注水的方法以及隐蔽性注水的辨认。

1999年，为生计所迫，我杀猪卖肉了。有的同学可能要问，既然天下行业有七十二行，为什么偏偏选择杀猪卖肉呢？一句话：门槛低，周转快，当天见效；不需要太多本钱，没多少技术含量。广东天地食品公司董事长、我们的学兄陈生有一个著名的论断：“卖猪肉比卖电脑还有技术含量。”开始我并不这样认为，否则也不会去卖猪肉，当然有可能去卖鸡肉、牛肉。后来想想，他的话还是有道理，毕竟电脑零件是机械加工的，很规范，严格按照程序组装即可；生猪是自然生长体，个体差异很大，大多数情况下全凭经验把握，对分割师的技术要求很高。

顺便说明，我与学兄——陈董事长今天一起回校与大家交流，但我们两个既有相同点，也有不同点，甚至有本质的区别。先说相同点，两个北大猪肉佬。大家上网输入“北大、猪肉”两个关键词搜索，一个是他，另一个是我，没有第三个。不同点在于，第一，他是经济系，我是中文系。从相貌上看，他年轻，我沧桑。事实上，他1963年生，1980级，师兄；我1965年生，1985级，师弟。人家是老板，保养得度，加之南方水土养人，所以显得年轻；我为一介小屁民，整日为生计奔波，劳累过度，加之黄土高坡风沙，故而沧桑。北大1984届经济系，那是皇帝女儿不愁嫁，分配到广州市委办公厅，接触的是改革开放前沿高端经济界人士，朋友圈子多为党政要员与企业老板；1989届中文系，发配到破产企业劳动改造，接触的是拿铁锤、斧头的，朋友圈子多为鸡鸣狗盗之徒。起点有云泥之别。第二，1992年，他在积累一定人脉、经验后主动下海，掘得第一桶金，胆气倍增，为日后发展奠定基础；1993年，我在企业倒闭、饱受排挤之后愤而跳海，兴办化工企业，因国家治污被迫关门，担负沉重债务，形成一定思想负担，被市场大潮吓破了胆，导致日后做事谨小慎微，故步自封。第三，他是企业家，我是小屁民。1999年，我迫于生计，操刀卖肉，仅为养家糊口而已，所以目前没有什么发展，反倒萌生退隐之意；2007年，他去市场买菜，从中捕捉到商机，强势介入，做土猪品牌，产、供、销一条龙，目前广州有500多家、上海有20多家连锁店，很快在北京也要开店，连同他的苹果醋饮料，早已是亿万富翁了。

第三条忠告：考入北大，只能证明我们天赋高，文化课学得好。其他说明不了什么。

有位校友薛涌，写过一本书，叫《北大毕业等于零》，不知大家看过没有。其实我也没看过。顾名思义，走上社会，我们在学校学过的知识未必用得上，需要在实践中锻炼、提高自己。有一个看似奇怪的现象，不知大家注意没有。往往在学校学习、表现好的学生，走上社会没出息；反倒调皮捣蛋者，在社会上如鱼得水。其实一点都不奇怪，从幼儿园到小学，而后初中、高中，再到大学，有近20年时间，几乎占一生的四分之一，而且是最可塑的时段。在学校表现优秀，经常受老师、家长表扬，周围也是一片溢美之声。久而久之，习惯了表扬、奖励，面皮较薄，受不得批评、挫折，走上社会，没有一帆风顺，在打击、挫折中容易一蹶不振；相反，调皮捣蛋者，经常挨批评，脸皮锻炼得特别厚，走上社会，百折不挠，往往取得出人意料的成绩。

我们北大，这种情形可能更典型。还有一点，作为全国名校，学生来自五湖四海，毕业去向也是全国各地。具体到一个城市，我们人数少，势单力薄，更容易受到嫉妒与排挤。做得好，你北大的，应该；稍有差池，“还北大的，就这水平！”。所以，校友会的作用非常大。我们长安区，中层领导有20多位是西安农业学校一个班毕业的，原因是区委书记是他们同学，了解，知根知底。

2003年，由于媒体的关注，我一鸣惊人。然而，我胸无大志，2004年被当地政府招安。现在，八小时之内，干党的事业；八小时之外，奔自己的小康。倒也悠闲自在。

非常抱歉，浪费了大家不少时间。

最后，感谢母校，给了我在此与大家交流的机会，同时也感谢各位耐着性子听完。谢谢！

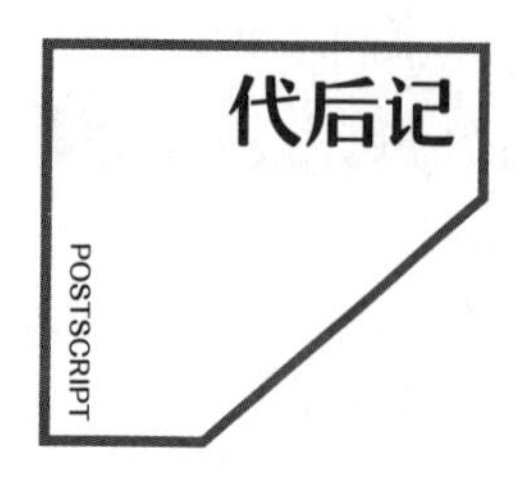

故乡，想说爱你不容易

落笔这本书的最后一个字，似乎对我过去四十年作了一次大致的回顾与总结。合上稿纸，低头想想忍不住好笑，因为我的人生故事写出来就像一场恶作剧，一则黑色幽默——好在大家都知道我是个言辞木讷、不苟言笑、老实巴交的家伙，缺乏糊弄人的心眼，更不会杜撰故事，哗众取宠。这一点至关重要。

读万卷书，行万里路，乘长风破万里浪是我少年时代的梦想，是故自幼树雄心，立大志，博览群书，博闻强识，至于后来报考北大中文系，与此也有莫大的干系。但岁月流转，斗转星移，前面的道路一团漆黑，铺满了荆棘与陷阱，稍有不慎，就可能坠入万劫不复的深渊。人不可能先知先觉，预测、设计自己的未来，连我的老师、著名易学大家王扶汉老先生也不例外，何况我等弟子乎？

屈原《九章・哀郢》：“鸟飞反故乡兮，狐死必首丘。”俗语：“儿不嫌母丑，狗不嫌家贫。”十多年前，满怀对故土的眷眷之情，投入故乡的怀抱，但万万没有想到，投错庙门嫁错郎，十载寒窗，功亏一篑，竟沦落为杀猪卖肉的屠夫，腹中墨水点滴也派不上用场。如此数年，寻思有生之年与笔墨无缘了，遂把辛辛苦苦记忆了大半辈子的汉字也奉还给老师，变得如同我父亲一般“只会写自己的名字，认识银票上的几个字”，是以法门大佛笑话我“错别字和病句满篇”。

有一则段子很精彩。

一位爱国者升天，向玉皇大帝请求："中国之所以落后，就是缺少科学家，请您给中国降生几位优秀的科学家吧！"受其爱国精神的感召，玉皇大帝抹下老脸，求助于上帝，把居里夫人、爱迪生、爱因斯坦、牛顿均降生到中国。二十多年后，居里夫人以优异的成绩从神州大学毕业，可是因为父母都是平民，又不谙请客送礼，一直没有找到专业对口的科研工作；爱迪生发明了很多东西，可是由于初中都未念完，申请专利时，错别字和病句满篇，最后一事无成；爱因斯坦虽然物理、数学成绩优异，但偏科思想严重，尤其政治课一塌糊涂，补习了多年，连大学都没有考上；只有牛顿先生比较幸运，他的万有引力论文被媒体报道后引起轰动，竞相传阅，最终被某苹果园相中，非常荣幸地被召入麾下，做了一名采果工人。

一位大老板拍拍一个正在干活的农民工肩头："好好干，想当年我也当过农民工。"农民工回眸一笑："老板，您也好好干，想当年我也曾是大老板。"

尼采《查拉图斯特拉如是说》："人的伟大，在于其为桥梁而非目的；人的可爱，在于其为不断的上升与下落。"

世事沧桑，浮生沉重。

是媒体给了我露脸的机会，我被媒体一夜之间捧成了"名人"。从此，一个习惯于躲藏在阴暗角落里醉生梦死的小人物，终于暴露在耀眼的镁光灯下，忍受成千上万如刀之笔的解剖。同情、怜悯我的人说我命里犯剋，时运不济；对我抱有成见者则说我脾气暴戾，自命清高，能力不济。

其实这都是片面之词。我是个凡夫俗子，吃五谷杂粮，生喜怒哀乐，人品与为人没有人们想象的那么高尚，只是马马虎虎，得过且过，随遇而安，不肯落井下石或者锦上添花。读过鲁迅一些杂文，先生的骨气没学下，却增长了不少臭脾气，喜欢"城门洞里掮竹竿——直来直去"，不会转弯抹角，阳奉阴违。有道是有火不发，等着得"气鼓胀"，将自己烧焦不成？男人的颜面最重要，我顶看不起那些跟在上司后面，屁颠儿屁颠儿地点头哈腰的人。我不擅长这些，是谓"不会包装""不适应社会""屠龙之技"，榆木脑袋不开化，简直如同猪脑子。

癞蛤蟆炒地皮发了洋财，银子烧得心痒痒，它大大咧咧往酒楼里一坐，开始点菜：“我要红烧天鹅、清蒸天鹅、糖醋天鹅、锅仔天鹅……还要你们这儿最漂亮的小母天鹅陪酒。”

社会仿佛已经形成了“惯性”，一有钱就变坏，一阔气就变脸，要换车、换房、换行头，甚至还要换“糟糠”，万一换不成，就要包二奶、三奶、四奶；一出事就出名，一出名就出书，一出书就畅销，一畅销就来钱——金钱又是好东西，人言“什么都可以有，就是不能有病；什么都可以没有，就是不能没有钱”。如今社会尊敬富人，大款放个屁，人们都说一点都不臭。大款说“倘若连屁都不臭了还有性命吗？”人们赶紧一手捂住鼻子，另一手作扇风状“好臭，好臭！”

名人亦有好多种，不能名垂千古，也要遗臭万年。

我也算得一个名人，响应党的号召，与时俱进，厚着脸皮凑一次热闹，为构建和谐社会略尽绵薄之力。打个比方，譬如唱戏，生旦净末丑，行当齐全，有名生名旦，必有名丑，否则咿咿呀呀地猛唱一气，岂不气杀喜爱流行歌曲的青少年朋友？然而在名人之中，我只能算个丑角，这一点我有自知之明。但我面恶心善，人黑心不黑，人丑心不丑，诸位看官权且当作反面教材。

无论怎么说，我现在也算是一个正式在编的国家干部，旱涝保收。

某倒霉蛋匆忙上了列车才发现搭错了车，急忙找乘务员寻求帮助。乘务员很为难：“我们这可是直达快车，中途不能停啊！”请示列车长后，乘务员有了办法：“经过车站的时候，车速会减慢，到时候我将车门打开，你跳下去就是。不过千万注意，车速虽然不快，但是由于惯性，你跳下去的时候必须向前跑一段路，否则会摔个大跟头。”倒霉蛋感激涕零，千恩万谢。当列车进入车站时，乘务员打开了车门，倒霉蛋往下一跳，脚刚着地就往前跑，一直跑到前一节车厢。就在他刚想停下来的一刹那，车厢的门忽然打开，另一位乘务员老鹰捉小鸡似的一把将他拽进车厢：“先生，你真幸运，我们这是直达快车，中途还没有上来过人。来，请补票吧！”

那个倒霉蛋便是我。

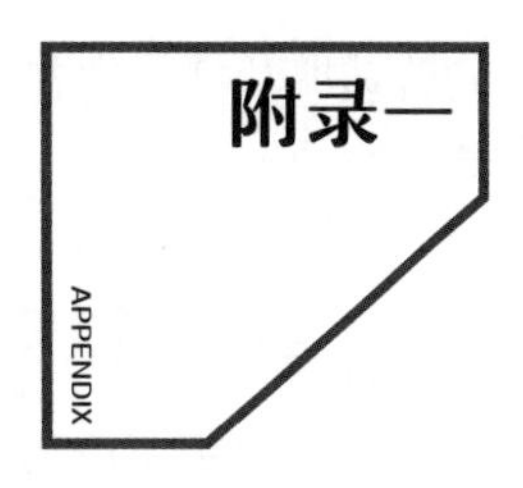

《鲁豫有约》：北大卖肉才子陆步轩

陆步轩，38岁，屠户。上世纪80年代末北大“才子”，已近“不惑”却又“大惑”。出身贫寒农家，幼年丧母，怀着“光宗耀祖”的梦想高分考入北大中文系，未名湖畔四载寒窗如今已不堪回首，十多年来历经坎坷，郁郁而不得其志。“分配”回乡、“借调”机关、“下海”破产、前妻离去、求职未果，遂屠肆操刀聊以糊口。日前经媒体报道，一夜之间“名满天下”。

【画外音】

他左手拿刀，他右手拿笔，几经坎坷，他最终选择游走于雅俗之间。《鲁豫有约：陆步轩》讲述屠夫眼中的世界。

鲁豫：我刚才上场之前想这样一个问题，如果我们碰到一个人，别人介绍说，这个人是北大毕业生，我不知道你们心里会怎么想？我觉得我心里面会有点肃然起敬的感觉，因为每个做学生或者做过学生的人都会这样啊，北大是我们心里有着很崇高位置的一个学府。那再碰到一个人，有人介绍说这个人是一个卖肉的，开着一家小小的肉铺，我们心里面可能不会多想什么，觉得这是一份挺踏实的，但是挺辛苦的，特别平凡的一份工作。如果把这两个身份加在一起，说这个开肉店卖肉的一个人曾经是北大毕业生，我们心里会怎么想？可能会特别地好奇，今天我们的嘉宾就有着这样在我们看来可能很特殊的身份，很特别的经历。

【画外音】

在中国版图所囊括的2400多个县市中，有无数个这样的私营肉店，他们每天重复着同样的工作，进肉、切肉、卖肉。他叫陆步轩，是这家眼镜肉店的主人，和其他肉店的经营者一样，他的工作是平凡的，平凡地切肉、平凡地挣钱。然而在2003年的一个夏日，伴随一次突如其来的采访，这相对的平凡被打破了，人们开始关注他的经历，关注他的身世，而这一切关注的理由，仅仅是因为他生命中曾有的一个落点，和他现在的身份不太相符。当往事的尘埃被人们的好奇心卷起的时候，当人们试图用历史的眼光去解读这位肉店老板的时候，他便不再平凡，接踵而至的争议也无可避免地开始响彻在他的耳边。在被媒体报道之后，陆步轩原本平静而有规律的生活开始变得毫无章法，而那些了解陆步轩经历的人们，也开始在他“肉店老板”名衔的前面多加了四个字：北大才子。

鲁豫：这就是我们今天的主人公陆步轩，先掌声有请陆步轩。你好。

陆步轩：你好。

鲁豫：来坐。刚才看你在镜头里面切肉切得特别潇洒，我们小时候上语文课学那古文《庖丁解牛》，你有那两下子吗？

陆步轩：过去可能没有，现在已经练出来了。

鲁豫：怎么叫练出来了？

陆步轩：长年累月在那儿干活儿啊，熟能生巧。

鲁豫：比如说一斤肉，你一刀下去就是一斤肉吗？

陆步轩：完全能做到。

鲁豫：你现在是猪肉专家。

陆步轩：不敢说专家，现在看得比较准，随便一头猪，瞅上一眼……

鲁豫：一头猪瞅上一眼，你能看出什么来啊？

陆步轩：能看出它能杀多少肉，也就是一头猪在眼里被看成肉了。

鲁豫：陆步轩在他们那儿特别有名，只要到了长安区，陆步轩没人知道，你要说眼镜那卖肉的大家全都知道。

陆步轩：现在知道了，现在有那媒体呀。

鲁豫：我觉得这个媒体是无孔不入，我觉得那第一个发现你的人挺神奇的，他是怎么发现你的？

陆步轩：有一个中学的同学，他在一个县办机械厂当厂长，西安电视台讴歌改革开放拍专题片，在他们厂里边拍，我这个同学提到我了，说陆步轩什么学校毕业的，他一说电视台才感兴趣了，然后就找到我那儿去了。这期节目播出以后引来了一些平面媒体的记者，《西安晚报》《西安日报》……他们一帮一帮地来，搞得我特别不耐烦。《华商报》是最后一家来的，来的时候已经六点了，我正在床上睡着，脱了一个光膀子，就底下穿了个短裤。

鲁豫：这挺像屠夫那劲儿的，我觉得。

陆步轩：后来有一个主顾来买货，我起来了，李杰抓拍了照片，第二天就发到《华商报》上了。

鲁豫：这一下就大了。

陆步轩：《华商报》这一报道也是引来了众多的媒体，包括中央电视台。

鲁豫：有没有对你的生意有实质性的帮助？会有人不远千里慕名来到你的小店，一睹风采之余也买点儿肉？

陆步轩：夏天猪肉寿命很有限，早上的肉可能到晚上就坏了，所以说不远千里地来……

鲁豫：不远百里？十里？

陆步轩：不远十里的有，不远百里的就少，不远千里的就没有。

鲁豫：我相信不要说他们当地的人，可能就平常我们如果不知道他的这些经历的话，你路过他的店可能真的不会多看他一眼，因为他跟别的卖肉的可能没有什么区别。

陆步轩：可能就多一副眼镜。

鲁豫：反正在我们看来，他就是一个戴着眼镜的一个卖肉的，可能没有什么特别的，生活也特别地辛苦。刚才他讲了有时候早上三四点钟就要起来，在我们还在熟睡的时候，他已经开始了一天特别辛勤的工作。

【画外音】

已是不惑之年的陆步轩，每天都是这样早出晚归地忙碌着，很认命地干着这种在常人眼中只有粗人才干的营生，然而如果把时间向前回溯20年的话，恐怕这个当年怀揣着北京大学中文系录取通知书的陕西省长安县高考状元，是怎么样也不会把回家卖肉这项粗人才做的营生放进自己在大学毕业之后的职业计划之中的。领略了北京的繁华，习惯了都市的喧嚣，进入全国最高学府的陆步轩在北京大学里按部就班地读书，按部就班地生活，按部就班地畅想着自己美好的前途，一切都是那么的自然。然而命运在他毕业那年发生了转变，使他的人生轨迹并没有按照他预先设计的路线发展下去。（开始的时候选择的余地很大，后来形势发生了变化，没法子一棒子打回当地。）从首都回到西安市，又从西安市回到长安县，经历了四载春秋之后，陆步轩又回到了当初的起点。长安县地方虽小，但毕竟是自己的家乡，找一份和自己身份相符的工作在陆步轩心里并不是什么为难的事情。虽然心里并不平衡，但是生计问题更是迫在眉睫，虽然手拿一纸北京大学的毕业证书，一向清高的陆步轩在命运面前，却也不得不放低文人的姿态，开始为解决工作而去寻找关系。

鲁豫：所以这点，现在的学生可能感触也都挺深，大学毕业以后找工作是不太容易。那当年你回到长安县以后，得面对现实，去找工作。

陆步轩：我一到长安就说专业对不对口倒是其次，先找一个落脚的地方。

鲁豫：通常这时候可能关系会起到很大作用，就是熟人帮你去介绍一下。

陆步轩：我有一个八舅爷，他有一个老乡在县委当副书记，后来退到政协当主席，我让八舅爷找到他老乡，他老乡就把我领到城建局去了。老领导说来吧，事儿能定下来。

鲁豫：基本上定了？

陆步轩：结果过了两天人事局就开始推。

鲁豫：到底发生什么让他们这么难？

陆步轩：我后来才知道的，有一个人把我的名额顶了。

鲁豫：那个人可能是七舅爷介绍的？

陆步轩：那个人是一个亲戚在县委当副县长。

鲁豫：比你关系硬。

陆步轩：那个政协主席毕竟是年龄大了退了。

鲁豫：但你是北大毕业生啊，那个女孩儿呢？清华的吗？

陆步轩：那不管用，西安一个三流的学校，他宁可得罪那个政协主席，也不敢得罪副县长。

鲁豫：所以当时陆步轩先是到西安市，然后到长安县，找工作的时候，像这样碰壁的场面特别特别的多，这和他四年之前当时考上北大离开家乡那时候锣鼓喧天送行的热闹场面相比，可能差别太大了。但我总觉得心里面应该还是有点准儿，想我好歹是拿着北大的毕业文凭，找一份比较体面的、稳定的工作应该不是那么难的事儿。当然过了一段时间之后，他找到了一份工作，不过那之后的路程并不是那么顺利。

【画外音】

在上个世纪80年代末，铁饭碗的概念依然在大多数人的脑海中根深蒂固，而是否能去一个单位端铁饭碗的先决条件，不仅仅是看单位是否有人事需求，更重要的条件是看这个单位有没有用人指标。在经过一系列摸索和磕碰后，陆步轩找到了一份在长安县计划经济委员会的工作，而这一次他碰到的问题却是计经委没有用人编制。于是，学中文的陆步轩只能先把档案关系放到计经委下属的一家企业，长安县柴油配件厂。虽说这种非正式工的借调身份让陆步轩十分不满意，但毕竟是毕业后的第一个落脚点，1989年9月13日陆步轩正式完成了他从一个学生到一名国家公职人员的角色转变，赶到计经委报到去了。在计经委的工作没有硬性指标，虽然每天上班下班也是忙忙碌碌地干活儿，但这些工作在陆步轩眼里是碌碌无为、劳而无功的。虽然并不满意自己所处的现状，但在陆步轩眼里机关的工作到底还算是个正经的营生，他天真地以为随着时间的推移人们会逐渐认可他，因为他毕竟是偌大的机关里唯一一个北大毕业生。然而机关里的几件小事却彻底破坏了陆步轩的心理平衡，转变了他的价值观念，也改变了他的人生轨迹。

鲁豫：当时你在这个单位里一个月的工资是多少？

陆步轩：刚开始去的时候是61块钱。

鲁豫：有奖金什么的吗？

陆步轩：奖金？有！反正乱七八糟的加起来一个月是106。

鲁豫：这时候在单位里有几件小事让你很不舒服。那么是什么样的小事？

陆步轩：最重要的事儿是单位开始建房，我觉得我是困难户，应该有。我有一个清华毕业的同学，比我早两届，分到西安基础建筑设计院。我就很积极，自告奋勇地说设计我就包了，我让我同学做。我那同学就说，除了交给他们单位的管理费、给其他人开的工资，他自己的工资就不要了。结果七八万块钱的设计费，只给了他一万五千块钱，等于免费给我们做了。但后来出的政策把我卡到外边了：关系不在本单位的和没有结婚的都不能分房。我是借调人员，关系在企业，按照政策不能分房。同时被卡在外边的还有其他人，但他们都通过别的关系分到了房子。

鲁豫：这是一件事，还有别的事儿吗，让你心里不舒服。

陆步轩：比如说一年发奖金。我在单位干的活儿最多，但最后发的奖金却比别人少，比如别人发一千，借调人员是五百。

鲁豫：所以这一件件小事累积起来，让他心里非常不舒服。他这段时间工作非常不愉快，有两年的时间，档案一直不能正式地调进单位。单位虽然不大，但人际关系其实也挺复杂的，还有一些不是很公平的对待。所以他慢慢心里，情绪非常非常地低。这段时间是他人生中非常低落的一段时间。这时候时间已经到了90年代初，当时已经有很多人开始下海经商，他们单位也是这样，办公司。他属于第一批吧，愿意投身商海，试一试身手。

【画外音】

1992年，邓小平同志南方讲话发表以后，陆步轩所在的机关开始酝酿分流办企业。作为借调人员的陆步轩自然是第一批被考虑的对象。在当时，分流意味着失去铁饭碗，失去机关工作人员的身份，对陆步轩而言则更意味着将要失去他文人清高的姿态。然而在这个即将改变他命运的关口，曾经以做学问为己任的陆步轩并没有太多微词，而是欣然接受了组织的安排。在分流之初，为了让这些创业者没有后顾之忧，原先的上级单位还曾经给过他们一些许诺。从机关工作人员到企业职工，来到新的环境，陆步轩又一次鼓足了干劲，希望能做出一番事业。连同一帮老头老太，陆步轩正式开始兴办实业了。这让他真正体会到了什么是真正的老当益壮，白手起家。虽然一起下海的人不少，可真正鞍前马后、跑腿儿办事儿的，仅有陆步轩一人而已。这个躲在文学避风港中的北大毕业生，第一次领略了商海中的风浪。

鲁豫：听说第一次出差谈生意是坐火车。带的盘缠是自己的存款，是吗？

陆步轩：单位当时没钱啊，发工资都困难。

鲁豫：那第一次出差，你从自己的银行存款里取了多少现金？

陆步轩：取了五千块钱吧，我全部的积蓄，工作了三年就存了五千块钱。

鲁豫：那一次去做生意，除了拿了自个儿的存款，我知道你还挣了一千块钱，但属于不义之财吧？那一千块钱是什么来历，现在能说了吗？

陆步轩：现在说出来也无所谓了，算是受贿吧。

鲁豫：怎么叫受贿？

陆步轩：我第一次代表单位到北京来，跟通县的一个人谈生意，这个人是个私人老板。他说你把这事儿办成了，给你一千块钱回扣。

鲁豫：我想知道当时给你的时候，那场景是怎么样的？就偷偷摸摸地塞给你？

陆步轩：是啊，当时我们几个人坐在那儿吃饭，他从桌子底下偷偷地塞给我。

鲁豫：你当时知道这是怎么回事儿吧？

陆步轩：当时没意识到，他用脚踩我的脚。当然我接过来偷偷地一看就明白了。

鲁豫：你当时的心情是怎么样的？

陆步轩：诚惶诚恐啊，当然也是既担心又害怕。我从没接受过别人的贿赂，没拿过不义之财，那是第一次。

鲁豫：没有一点点窃喜？

陆步轩：可能有，我那时一个月工资才一百七八，一千块钱就是半年的工资。

鲁豫：拿了一千块钱的回扣，心里面有点紧张，有点担心，还有点得意，可能心态稍微平衡了一点了吧。这个时候，国家政策又在慢慢改变了，一开始很多机关都在下海做生意，这个时候国家机关、党政机关都不能做生意了。那么对于步轩来说，他又面临一次新的职业危机，人生又面临很难的一个时刻。

【画外音】

时间到了1993年，根据最新政策的规定，党政机关不允许再办企业，已经办的，要求脱钩。（那时候老太太们陆续都回到了机关，因为老太太们都有关系啊，只有一个人没有关系，他就跟我一样。我们单位办企业也就是分流出来的人有十多个吧，最后就我们两个没能回去。）无法回到机关，也就意味着失去了国家公职人员的身份，他们所创办的企业这时候也面临着没有市场、没有效益的局面。1994年，已经而立之年的陆步轩，在家人的催促下勉强成了个家。屋漏又逢连夜雨，伴随着种种挫折，陆步轩又经历了他人生中的又一个低谷。面对艰险，陆步轩倍感无助，虽然满腹微词，但是生计还是要解决的。在对市场进行了一番调查后，他们决定用曲线救国的方式来缓解生存的压力。于是，文人出身的陆步轩摇身一变，变成了一名装修工。

鲁豫：开始搞装修，你是包工头呢，还是亲自去给人做装修？

陆步轩：我们开始是办一个涂料厂，生产出来以后又没有销路，你生产出来的三无产品，不能在商店里销售，自己就私下里边跑，别人又不会买账。所以没法子，自己就组织工程队去给人家施工，从那儿走上装修之路。

鲁豫：赚到钱了吗？

陆步轩：混混生活、勉强维持生计可以，想赚钱是比较难的。因为在那种小地方，地方势力特别强，你要有个赚钱的工程，那各方面势力都来了，比如黑社会的势力。

鲁豫：你抢不过人家？

陆步轩：我一个文弱书生，哪能跟黑社会较劲啊？

鲁豫：你试着跟人家抢过吗？头破血流过吗？

陆步轩：被人威胁过很多次，也被人打过。

鲁豫：被人打啊？可能你抢了别人的生意了。打得有多严重呢？

陆步轩：打得我几天起不了床。

鲁豫：你被人打过很多次吗？

陆步轩：我被人打过一次就学乖了。

鲁豫：我们现在可以看到陆步轩的心态已经一步步地放得很低了，但心里面有个底线他一直没有打破，那就是：无论做什么，我一直是一个国家机关的工作人员。但可能这一点也要很快被打破，因为他必须要面对生活的现实，很快他要完全地靠自己了。当然先不是卖肉，先是做别的生意。

【画外音】

1996年，伴随着中央提倡艰苦朴素的优良作风，禁建楼台馆所，地方也不再允许装饰豪华办公场所。于是消费市场急转直下。企业没了生意，面临倒闭，此时的陆步轩从有单位保障的装修工，一夜之间成了打零工的装修工。而就在陆步轩最艰难的日子里，妻子却在结婚刚刚两年多的时候提出了离婚的要求。没有了工作，没有了家庭，那段日子里，陆步轩把一天中的大部分时光放在麻将桌上度过，虽然事业和生活都很失意，但是赌场中的陆步轩却是一路春风得意。这不仅帮他打发了闲散的时光，还解决了生计问题。经历了一段时间的消沉和颓废，陆步轩在1997年底再一次走上了红地毯，并在不久之后有了一个可爱的女儿。家庭负担的加重，使他不得不再一次考虑工作的问题。他和妻子商量，决定开一间小卖部。

鲁豫：自己开始做生意，先开一间小卖部。有多大的门脸啊？

陆步轩：一间房，20多平米。

鲁豫：都卖什么呢？

陆步轩：卖烟、酒、副食。

鲁豫：你有没有碰到过那种情况，就是那种小的店里经常会收到假币。

陆步轩：假币太多了。

鲁豫：你收到过？

陆步轩：刚开始肯定收到过，现在也收到过，但我现在闭着眼睛都能认出假币，过去还要仔细地辨认。

鲁豫：你收到过假币，有没有因为不识货卖过假烟假酒被人罚的事儿呢？

陆步轩：对烟酒我是比较熟悉的，因为我老抽烟、喝酒，我抽一支烟，不用看那牌子，抽一口就知道那烟是什么档次的。两块钱一包的，还是十块钱一包的。所以假烟假酒倒没卖过，假电池倒是卖过——是进过，不是卖过。那种电池，原本两节电池可以用一个月，假电池一个礼拜就没电了。

鲁豫：那你是退货，还是接着卖？

陆步轩：我回头找他，他可能就不认账了，跟人家吵架也不划算，所以就干脆自己用。

鲁豫：自己用？用了多少年啊？

陆步轩：好在那种电池用不了多长时间，所以不到一年就用完了。

鲁豫：当时这个小店一直在赔本，所以他跟老婆两人面临一个选择：是咬着牙坚持做下去，坚信生意总有一天会好转，还是痛下决心关掉这个店，再做一个别的买卖？他后来写了一本书叫《屠夫看世界》，其中有一句话很有意思，我觉得是他对自己的一个总结吧。他说：“毕业分配时的一次错位，使我在人生的道路上一步赶不上，步步赶不上。最终为生活所迫，逼上梁山，这个‘逼’字，在我的身上，得到了充分的体现。”

【画外音】

在市场中摸索了一段时间，却总是不得要领。虽然做生意不可能永远都是只赚不赔，但短时间内不能扭亏增盈的话，陆步轩一家的生活就又将面临困境。“穷则变，变则通”，北大中文系毕业的陆步轩，当然明白这句古话哲理的意味。经过仔细的调查，陆步轩决定关掉商店，改开肉店。在经历了短暂准备后，“眼镜肉店”正式开张。陆步轩披挂上阵，磨刀霍霍向猪羊，这一年是公元1999年，陆步轩离开北大的第十个年头。每天早上六点，陆步轩都会准时去给肉店开门，在开始正式营业之前，陆步轩还要做一些准备工作。早上六点半，送猪肉的运输车准时到达。在做完准备工作后，他还要对新进的猪肉进行进一步加工。这种开店前的准备工作，一般在七点半左右就做完了，而这时候肉店也开始有顾客光临。这就是陆步轩一天生活的开始。从1999年眼镜肉店开业至今，像这样的日子他已经度过了2500多天了。

鲁豫：你工作也不系个围裙什么的，就穿个皮夹克切肉。

陆步轩：那个衣服给抹了点油，就当擦了点油了。

鲁豫：倒也是。现在多长时间回老家一次？半个月，还是一个月？

陆步轩：一个月。

鲁豫：他一个月回老家去看他爸爸，老家离长安区也不是很远，大概是20公里吧。他每次去都会带一件礼物，你们猜是什么礼物？（观众：肉！）没错，他每次会带几斤肉回家。

【画外音】

从长安到陆步轩的老家引镇，坐车一般需要半个小时。车到引镇后，陆步轩要步行一段路才能到家。等了半个小时，陆步轩的父亲回来了。每次回家，陆步轩都会坐下，陪父亲聊会儿天。聊聊家里的生活，聊聊肉店里的事儿。

鲁豫：你开肉店，你爸爸一直不知道？

陆步轩：是，开始不知道，现在当然早知道了。

鲁豫：他知道你开肉店以后是什么反应？

陆步轩：开始我开肉店的时候根本不敢让熟人知道。毕竟这是杀猪卖肉的粗笨活儿，所以我就会很不好意思。后来有人看见了，他就在村里宣传。

鲁豫：怎么宣传啊？

陆步轩：他说，北大毕业生现在混得不行，杀猪卖肉了。我父亲听说这话，他不相信，就过来看了，一看啊，果真是那么回事儿。我是混得没法子了才卖肉的，他也没办法来改变这种现状，就只能父子相对，默默地吸烟。你说我不卖肉干什么？笔杆子用不上，刀把子还凑合吧。

鲁豫：步轩的肉店不是很大，但一天的活儿很多，早晨起得特别早，肉店的生意到晚上六点左右就基本上结束了。他就需要打扫卫生，把其他的杂事处理完后，他就要骑摩托车到一些老主顾那儿去确认明天的订单。

【画外音】

由于信誉好，肉店附近的很多餐馆都从陆步轩的肉店里进肉。而今天晚上，陆步轩除了去确认明天的订单外，还要顺便把前几天的余款结清。一千两百块的肉款，几天的劳动所得。从餐馆出来，已经是晚上八点多了，伴随着初上的华灯，忙碌的一天就这样结束了。

鲁豫：他现在还有一个身份是长安区档案馆的……

陆步轩：地方志编修。是那种事情比较少的工作。

鲁豫：那你的肉不卖啦？

陆步轩：卖啊，继续卖啊。

鲁豫：那是早上卖肉，卖完肉以后再去编县志？

陆步轩：这叫一方面干好党的工作，另一方面奔好自己的小康。

鲁豫：小康奔得怎么样啦？

陆步轩：看跟谁比，比上不足，比下有余。在历代的文学作品里，杀猪卖肉的都是五大三粗的人。

鲁豫：那你是给屠夫界吹进一阵清风哦。

陆步轩：我是混得没法子，冒充的。

鲁豫：现在你的心态是什么样的？

陆步轩：我的心态是平和的，但就是一天的事儿多。

鲁豫：还听说你有个计划是做完我们这期访问后就对媒体闭门谢客了？

陆步轩：是。现在关键是我做得太多了，引起大家反感了，也是不好的。所以做完你们这节目，这两三年我就不做了，沉默一段时间。好好搞一下自己的东西，我还是比较喜欢安安静静下来，搞一点学问。

鲁豫：我在见到步轩以前，听到他的故事的时候，心里的确是觉得挺遗憾的。毕竟我们从小所受的教育就告诉我们：你上了大学，大学毕业以后你应该做什么，不应该做什么。总觉得北大毕业生应该去做什么什么样的工作。那是因为可能我们的观念有点狭窄。看到步轩，跟他这样当面聊过以后，我觉得我很敬佩他，因为人不管在什么样的环境中，能够把生活过得这样很正直，很有勇气，很乐观，我觉得非常不容易。我很钦佩他，他也会赢得很多人的钦佩。希望他小店的生意能够越做越好，县志编得越来越好。

柴静：北大卖猪肉男陆步轩的复杂人生

二十年前的中国，只有3%的人能够考上大学。在这个相对封闭的社会里面，意味着一个人自我实现的通道很少。这就是为什么在那时候的人看来，顶尖学府不仅代表着能够接受良好的知识训练，也意味着能够通向未来的成功之路。这样的价值观在两个少年十七八岁的时候，曾经对他们影响至深。如果我们对自己诚实的话，也会承认这样的价值标准在当下依然存在。

而这就是为什么我们感谢两位，今天面对镜头，能接受访问，坦承自己的人生。听过他们二十年来的故事才会真切地体会陈生所说的，什么才是一个人真正的成功。是要看他是主动、还是被迫做出人生的选择；是看他在迎合社会评价，还是在做自己最喜爱、最适合的事情，回答这样的问题并不容易。陆步轩有一位北大的校友，在看过新闻之后写信对他说，每个人都在经历这样的苦苦挣扎，他自己用了十几年的时间，才摆脱了“北大”这个沉重的标签，试图做回独立的自我。

【解说】

陆步轩恐怕是中国最著名的屠夫。1985年陕西省长安县高考文科状元，考入北大中文系，后来在街头卖猪剁肉为生。

【纪实】

记者：你觉得北大四年，给你的影响是什么？

陆步轩：这个我暂时不好说。

记者：那你希望自己以后能做什么？

陆步轩：现在我不敢说，命运基本上不掌握在我手里。

记者：如果说你一直在这边卖肉，那你会不会觉得很难过？

陆步轩：那也没什么难过的，我本来就是卖肉的。

【纪实】

陆步轩：我是给咱们学校，给母校抹了黑。

【演播室】

北大毕业生，曾经的文科状元，后来在小县城里当了屠夫。拖鞋、短裤、当街卖肉，多年后他被请回北大向学生做演讲，开口说的第一句话是“我给母校丢了脸、抹了黑”。这句话一出，引起了强烈的舆论反弹，很多人批评说卖肉不丢脸，你这么想、这么说才丢脸。倡导职业平等和尊严的批评之声很必要、也很正常，只不过如果一个人在演讲时，说出的是他真实的人生感受，那么恐怕简单地批评，也很难平复这二十多年来的人生滋味。今天节目当中，我们专访两位“北大屠夫”，听他们讲述复杂的人生况味和曾经的苦苦挣扎。

2013年，毕业二十四年之后，陆步轩受邀回到母校北大演讲，一开口就说：“我是给咱们学校，给母校抹了黑、丢了脸的人。”

【解说】

这句话激起了相当大的不满。在网络上，很多人反驳陆步轩说卖肉并不丢脸，这么说才给北大丢脸。这引发了激烈的网络讨论。

【采访】

柴静：说自己是因为做这个职业，在给北大丢人、抹黑，这是怎么回事？

陆步轩：以前到北大去演讲的都是很风光的人。我是一个小人物，觉得跟人家还有差距，所以说一些谦虚的话，也没有贬低我自己或者北大的意思。只要是凭自己勤劳致富，我觉得都是很光荣的。

柴静：那你为什么不能站在北大的演讲台上公开地说，我就为我的这个职业而觉得光荣和自豪？

陆步轩：我也很少演讲，到那种场合我也有点紧张。

柴静：反对你的声音是觉得说，你贬低了卖猪肉这个行业的尊严。你好像把劳动者分成了某些等级。

陆步轩：受过高等教育，尤其是北大这种高等教育，来从事这种大家看来比较低级的工作，就是反差比较大。

柴静：您说的是大家看来比较低级？

陆步轩：社会的看法。我的看法有很大程度受社会看法的影响。

【解说】

北大校长许智宏，当天在场表达北大毕业生卖猪肉没有什么不好。从事细微工作，并不影响这个人有崇高的理想。但这个话，当年的陆步轩并不信服。

【采访】

柴静：他一直在各种场合都说，北大可以出政治家、科学家、卖猪肉的，都是一样的。他这个话没有说服你吗？

陆步轩：好多人都认为这是自嘲的行为。你们北大出了个卖猪肉的，没法说了，自嘲呢。

柴静：比如在我看来，他这个话的意思是想表达职业的平等。

陆步轩：但是在不同人听起来，意思就不同了。

柴静：你是不是对这个职业角色还是有一种自卑感？

陆步轩：应该说有点，说完全没有那是骗人的。

【解说】

实际上，从2003年他被新闻媒体报道开始，这样的争议就从来没有停过。在书中他曾经直接地对另一种声音做出过回应，说那些励志的漂亮话说起来并无意义。因为当屠夫，并不需要什么技术含量，一个没有接受过高等教育的人一样可以做，当一个人在年轻时代花了多年时间接受专业训练之后，再去杀猪卖肉，对知识和智力都是一种浪费。他甚至在书里写，如果认为北大学生卖肉完全正常的话，为什么不在北大开设屠夫系，内设屠宰专业、拔毛专业、剔皮剁骨专业，那样卖起肉来岂不更专业？

【采访】

陆步轩：我那是情绪化的。

陆步轩：我在此再次声明，那段话对不起校长，对他有点不恭不敬。我那时候完全不了解，我觉得这是作为一个官方人士来推托。后来从学校（知道）完全不是那回事，我理解错了，所以我郑重地向许校长道歉。

【解说】

但陆步轩说，自己一直是一个真实的人，不愿意说空口号误导台下的年轻人。他说面对女儿的时候，也告诉过她，不要学文科。因为他觉得理工科能够直接运用、直接见效。

【采访】

陆步轩：文科是软科学，像我们这种草民，在这方面要做出成绩很难的。

柴静：这跟一个人出身阶层有什么关系？

陆步轩：关系可大了。往上混，这有好多潜规则，就是你要在学术界发一篇文章，你一个无名小辈，没人推荐的话都是很难的。

柴静：你是怕她怎么着呢？

陆步轩：我怕她重蹈我的覆辙。

柴静：您这么想会不会太实用主义了，或者太功利了。

陆步轩：社会就是这样一个实用的社会。

【纪实】

“我们两个，我说是北大的偏门，两个卖猪肉的。”

【解说】

这次受到邀请跟陆步轩一起在北大做演讲的，还有另一位也被称为“猪肉佬”的北大毕业生，叫陈生。他毕业于北大经济系，目前是一家猪肉品牌公司的董事长。上台之前，他曾经劝过陆步轩少一点悲观情绪，因为他觉得卖猪肉的经济收益相当不错。

【采访】

陈生：我说你别那么卑屈，他说他上去的时候照样卑屈。

柴静：你为什么要提醒他不要卑屈？

陈生：我说别给北大添堵，他说还是一样。

陈生：他“出事”之后，他同学就想怎么拯救他。然后一问他说，老陆你一个月收入多少，他说收入多少。突然之间呢，他同学就说你现在收入也蛮好的，为什么说是对不起北大，怎么说抹黑呢？

柴静：他是说，站那去就比较打鼓。

陈生：但是那些精英有多少呢？我们北大出了总理，到目前为止也就只有一个。那么每年毕业四五千人、五六千人，大部分还不如他呢。

【解说】

即使陈生一再劝陆步轩不要卑屈，但站在讲台上，他脱口而出的话也是，“我们是北大的丑角”。

【采访】

柴静：按照你之前的叙述，你是一个好像完全不在意面子和外界评价的人？

陈生：绝对不可能，那肯定会受影响的，任何一个人都不是真空的一个人。

陆步轩：好多人心目中北大是中国的最高学府，这是种沉重的负担。

柴静：负担？

陆步轩：你做得好，人说你是北大毕业的，你是高才生，应该的；你稍有差池，人就会嘲笑你，北大的什么水平。社会是非常复杂的，一旦受到挫折，抹不下面子，就很容易消沉。

柴静：你在说你自己吗？

【解说】

陈生和陆步轩，二十年来，从“北大学子”到“屠夫”，他们分别经历了什么呢？陆步轩出生在陕西省长安县农村。母亲早逝、家境贫寒，家里的书，只有一本《毛泽东语录》，他说自己天性适合做学问，喜欢刨根问底。一件事情，总要探索出来龙去脉，在学习上有天分。中学的时候，他的考试成绩常常比别的同学领先一百多分。

柴静：中学同学说你在中学的时候，是一个性格很狂妄的人。

陆步轩：是啊，那时候学习好。现在也是一样的。

柴静：你当时优势有多明显？

陆步轩：就是毕业的时候，讲桌上一坐，各项水平超过老师。

柴静：这是你对自己的评价？

陆步轩：我对自己的评价，就是说数学老师跟我考数学，考不过我；英语老师跟我考英语，他考不过我。

柴静：你知不知道他们给你起了一个外号，叫“夜郎”？

陆步轩：因为比较狂妄自大嘛。

柴静：那时候你们班这些人总体来说对你服气吗？

陆步轩：可能在别的地方不服气，但在学习上绝对服气。

柴静：那时候女生对你好吗？

陆步轩：学习好当然好了。

【解说】

那一年，陆步轩考上了西安师范大学。他撕掉了录取通知书，横下心要上北大。

【采访】

柴静：那时候北大在你心里，算是一个什么象征吗？

陆步轩：最高学府嘛，伟大领袖毛主席都在那儿当过图书管理员。他没当过老师，你想老师那层次多高。

柴静：那个时候，你对自己的期望是什么？

陆步轩：科学家、文学家，就是说在一定的领域有造诣的人。

柴静：是希望成为一个“家”，是吗？

陆步轩：想成为一个“家”，不想成为一个“匠”。

柴静：在你看来这两者的区别是什么？

陆步轩：“家”是富有创造性的，“匠”是干活的。

【解说】

考上北大那年，陕西的陆步轩骑着自行车挨个告诉每一个认识的人，“我成功了”。一向一分钱都要掰成两半花的父亲，为了儿子大摆宴席。

【采访】

柴静：乡亲说得最多的话是什么？

陆步轩：“了不得、了不得”，这是最多的一句话。也有些有水平的话，比如文曲星下凡。

柴静：在他们心里，考上北大意味着将来要过什么样的日子呢？

陆步轩：一定是高官厚禄，农村就是这样认为的。

柴静：那他们怎么能直接联系上高官厚禄呢？

陆步轩：天子脚下，第一学府，这出来为国务院、中央培养人才。他们就是那样说的。

柴静：你心里当时这么想过么？

陆步轩：也有这点想法。

【解说】

同样被称为“北大猪肉佬”，后来当上猪肉企业董事长的陈生比陆步轩早四届，出生在广东湛江农村，父亲早逝，母亲勉强拉扯五个孩子长大，经常顾不上他。他晚上有时候就在庙里睡。学习成绩一直中等偏下，第一次高考的时候，成绩也差得离谱。

【纪实】

陈生：一百八十分上线，我一百六十四分，考四门每门四十一分，你说差到什么程度了，谁知道（后来）考上北大了。一考的时候我全县第一名，县领导说这个家伙搞不好能考个重点大学，中间把我志愿给改了。

【采访】

柴静：你考上北大之后，你们家对你有什么期望吗？

陈生：我母亲是一个文盲，她有什么期望，我到哪儿读书她也不知道。

【解说】

但是上了北大之后，陈生还好，陆步轩却发现天外有天。无论是学习成绩还是见识上，他都掉到了中下游的水平。大学四年，他不参加社会活动，不去参加周末舞会，没有跟女生约会过。他的同学描述他，第一次见面的时候，看到他把烟夹在耳朵上，盘腿坐着，以为他是送人上学的农村亲戚。对他的印象，都是在自己身上“包着一层厚厚的壳”。沉默的外表下，他的自尊发展得更加强烈。毕业分配的时候，陆步轩的性格依然倔强桀骜，他认为自己不管是从政还是经商，干什么都一定会成功。当时曾经有一个省级的钢铁企业学校让他试讲，他觉得人家傲慢，掉头就走。

【采访】

陆步轩：那是企业的一个学校，我们北大毕业的肯定姿态比较高。他们要考试什么的，乱七八糟的，我才懒得理你这些事。

柴静：你后来后悔过，你当年的年轻气盛吗？

陆步轩：回过头来还是有点，因为在当时的大环境下应该夹着尾巴做人。

【解说】

毕业分配形势不好，以前是“皇帝的女儿不愁嫁”，现在是“靠关系”。家里八辈子务农，没有任何背景。他也从来不知道领导的家门在哪里，甚至忍受不了送礼时心里做贼的感觉。而陈生被分配到了广州教育学院，但他不想去，于是想了一个办法，最后没去教育学院，而是去了广州市办公厅。

【采访】

陈生：我就跑到院长面前跟院长说，院长我有一点口吃，不太适合当老师，他说我真的认为你不适合当老师。

柴静：那你怎么能进办公厅呢?

陈生：我的运气好，刚好碰上那个人，他也是北大中文系的一个师兄。他还问我，我听说你有点口吃，怎么没发现你有呢?我说见到师兄，就像见到家里人一样。

柴静：你不害羞，是吧?

陈生：我不认为这是个羞。

柴静：但你看刚才陆老师接受采访的时候，他是多么不能够接受和容忍这样的事情。

陈生：我跟他是不一样的。

【解说】

北方的陆步轩，沿袭着在北大得到的“宁为鸡头，不为马尾”的气质。一气之下主动要求回长安县，去了县计委，而且没有编制。一个在学校里、音韵学中度过了四年的年轻人，对中国正在发生的巨变还毫无感知。他不知道计划经济的全面控制已经走到了尽头，他所在的单位很快将失去过去的大量资源。

【采访】

柴静：回到长安县在计委工作，能成为一个“家”吗?

陆步轩：我认为，可能有发财的机会。

柴静：那判断是怎么来的呢?

陆步轩：最起码能接触一些，熟悉体制，熟悉经济。

【解说】

当时在广东，进入体制内的陈生也有相似的期待。

【采访】

陈生：摸清楚什么赚钱，哪里有漏洞，不是叫漏洞，哪里有机会什么的。

柴静：那你现在这样讲，大家会觉得你当年是在找政策的空子。

陈生：那个叫机遇，不叫空子。而且我做的我都坚持底线，比如说投机倒把。这个本身在某段时间，它是违法的，是犯罪的；有段时间认为它是非常好的，因为投机，有机遇就投进去。

【解说】

两个年轻人都进入体制之中，都靠着在北大学习的文字经验，给领导当了秘书。不过有一次，陆步轩写的文章得了奖，因为有领导把自己的名字写在他之前，他就把获奖证书撕掉了。

【采访】

柴静：你不能接受什么呢?

陆步轩：我不能接受说假话。

柴静：有的人觉得你很正直，另外一些人会觉得你会不会太书生意气了。

陆步轩：迂腐，太较真，但我一直是这样的，我现在还保持这样。

柴静：起码你完全可以不用这个激烈的方式去表达，对吧?

陆步轩：思想迂腐，不会转弯。

柴静：你想过改变自己吗?

陆步轩：没有，我不想改变，我就是这样。我要活出一个真实的自我。

柴静：你说这个话还是有那种被人叫作“北大才子”的劲。

陆步轩：现在都不敢当了。

【解说】

陈生的个性不同，但也遭遇了相似的命运。他给领导当秘书的时候，写了篇文章支持市场经济。当时这个提法仍然有争议，他遭到领导批评，就有了离开之念。

【采访】

陈生：我就跑到灯光夜市里面，搞点兼职，卖点衣服。

柴静：白天在办公厅当秘书，然后晚上去卖衣服。

陈生：广东几百万人，谁会看见你谁管你？一天晚上能赚三十块钱，我干公务员一个月，才八十块钱。

柴静：当时在广州，这不算丢人，是吧？

陈生：我不觉得丢人，况且也没人知道我是谁。

【解说】

两人都开始下海，把挣钱当成是另一条成功之路。身在广东的陈生，一边做着公务员，一边做小本生意。但在小小的关中县城，当年的文科状元几乎人尽皆知，陆步轩无处可藏。在计经委，他没有编制，分不到房子，住在一个六平米的门房里，工资只有正式工的一半。他被迫下海，干过化工，搞过装修，都接连失败了，负债累累。他的第一次婚姻也走到了尽头。前妻对外人说，当年是为了文凭才嫁给他的，但现在他让我丢尽脸面。离婚之后，他大病一场，酗酒、打麻将，做过四年的职业赌徒。从北大带回来的八箱书，再也没有打开过。他说绝望中，靠着喝闷酒度过。

【采访】

陆步轩：心力交瘁吧，我觉得人的支撑，主要是精神。只要你精神垮了，身体接着就垮掉了。四面楚歌，走投无路了，那会儿就是精神确实垮了。

柴静：你那时候想将来的事吗？

陆步轩：不想，打麻将的规则是非常公平的，人生的规则不公平。

柴静：怎么不公平？

陆步轩：首先出生决定了你周围的那个圈子。当然不是不能改变，改变是比较费劲的，它那个规则本身不公平。

柴静：你们那个年代最响亮的口号不就是“知识改变命运”吗？

陆步轩：到我们那时候，知识已经无用了。

柴静：你们班那么多同学，也有改变自己命运的人，把握自己命运的人。

陆步轩：各个人的际遇都不同。

【解说】

当时广东沿海刚刚开放，大量商机存在。尤其城市的现代化过程，让土地和房产在极短时间内积累了巨大财富。陈生后来靠帮朋友做房地产发家，没有一分钱的投资，在三年里挣到了一个亿。陆步轩的北大同学此时纷纷南下，也邀请过他去南方打工。

【采访】

柴静：你没动过念头说，我得做大，或者做强？

陆步轩：也动过，那时没有那个经济实力。

柴静：他也是白手起家，跟人家合作。

陆步轩：他到那时候，已经积累得差不多了，这还是观念上的问题。陕西那个地方，还是比较封闭落后，加之我这个人比较保守。

【解说】

再婚之后，为了老婆和孩子，陆步轩不得不为生存奋斗。他开过小卖部，但进的五号电池都是假货，他不好意思卖，都留下来自己用了。三个月下来，亏了将近一万块钱。走投无路之下，他媳妇建议他去卖肉，因为成本低回钱快。他后来在书里回忆说，肉摊上当时都是苍蝇乱飞，血水横流，肉腥气刺鼻，只能穿着短裤拖鞋站在铺里。手上是常年洗不净、后来就索性不洗的猪油。街坊没有人知道，他是北大毕业的，他的孩子被人叫作“卖肉娃”，他索性跟别人说他是文盲，唯一区别于其他肉贩的，就是他鼻梁上的眼镜。

【采访】

陆步轩：晚上挂一排，我就做梦在那儿想，这是尸体，尸体在那儿挂着，晚上很吓人，后来都习惯了，习惯了就没感觉了。

柴静：好像喂猪、养猪、杀猪这个事，在你心里头是一个……

陆步轩：很低档的事，我一直认为是很低档的事。

【解说】

老父亲第一次听说，他在开肉铺卖肉，气得找上门来。

【采访】

陆步轩：不上大学照样能卖。你上了大学还干这个，上学有什么用。我弄点酒一喝，让我父亲非常伤心，流泪了。

【解说】

但陆步轩的好处是，做事耿直、认真，卖肉时不欺压人。

【采访】

陆步轩：咱们就卖好的，少赚一点，做的是良心的生意、不害人。

【解说】

生意渐渐好了，陆步轩觉得生活有点滋味了。但他仍然不肯回学校，不参加同学聚会，隐姓埋名，自称“牛仔”。他开始熟悉街头的规则。工商所的所长，有一次收了他的摊，他跟人干了一仗，结果对方知道他是北大毕业生的背景之后，同情他，主动把罚没的东西还给了他。

【采访】

柴静：他这个同情让你心里是什么滋味？

陆步轩：我还是非常感激他，我觉得这最起码是尊重一个知识分子。

柴静：你一直在心里还是把自己当作知识分子？

陆步轩：对，说到这儿我很动情，但这种人是少数。

【解说】

2003年，他被媒体发现，以《北大才子长安街头卖肉》为题被大量报道。这时广东的陈生，还在投资鸡场，刚刚遇上禽流感，失败了。在电视上，他看到了这个报道。一开始他有点瞧不上这个陕西的“猪肉佬”。但到了2009年认识之后，他发现，陆步轩在经营一个具体的肉摊上比自己强多了。

【纪实】

陈生：我一个档口只能卖一点二头猪。他能卖十二头猪，是我的十倍。但是有可能，我开了五百个档口，等于说我是规模（化）。

陆步轩：我是精细化经营。

陈生：对，他是精细化，所以他是中文系，我是经济系。

【解说】

目前，陈生的猪肉品牌企业，市值已经是几十个亿了。他和陆步轩合伙开办了培训职业屠夫的屠夫学校，由陆步轩讲课和编辑教材。这是中国历史上前所未有的猪肉教材。

【采访】

陆步轩：说一句不谦虚的话，我是全国比较顶尖的猪肉专家。

柴静：我还挺喜欢看你脸上这个表情的。

陆步轩：你可以拿教授来跟我比。

【解说】

但是，从2003年起，陆步轩并没有把杀猪卖肉当成终身的职业，虽然按他卖肉的收入来说，十年下来怎么都会是百万富翁了。但是在被媒体报道之后，有一些工作单位找到了他，他最终选择进入体制，去长安县档案馆进行县志的编纂。这一次，他有了编制。

【采访】

柴静：所以别人难免也会有猜测说，你是不是还是觉得当一个国家干部更体面一些？

陆步轩：这有时候是保证。

柴静：这保证是指什么啊？

陆步轩：老有所养啊。

柴静：百万富翁，不比这个更有所养吗？

陆步轩：我认为自己是个文化人，应该从事文化事业。

柴静：文化人的标志是什么呢？

陆步轩：表面标志是戴眼镜，骨子里就是说在某一个方面，懂的比一般人要多，能够懂得它研究的方法，然后深入地钻研下去。

【解说】

他说，就算你们节目要播出，我也敢说。我在档案馆里，是干得最好的，谁也离不了我，我研究的经济部分是最难的，也是最有成绩的。说到这儿，他的脸上还依稀可见十几岁时少年自信的神情。不过，已经48岁的陆步轩，再没可能像当时幻想的那样在仕途上走多远了。他在书里带一点调侃地写道，“为了过把官瘾，结婚以来，我牢牢地抓住家政大权不放，家里的事我说了算”。

【采访】

陆步轩：是家长制，在家里我是家长。

柴静：有人对你有一个评价，说你身上有传统知识分子特别宝贵的那部分东西，包括有骨气，包括正直，包括对一件事情绝对认真的态度；另一方面也有特别传统的，甚至有一定农民的意识，有这种登堂入室，然后学而优则仕的这种传统想法。

陆步轩：对，这评价是非常客观的。因为农民出身，本身就有农民习气。再一个是中国传统的学而优则仕，说明传统的影响也是比较深的。

【解说】

很多人以为，媒体报道之后成为明星的陆步轩，会有一些雄心，也曾经有北大的美国校友，提出过帮他办全国连锁经营。陆步轩曾经对媒体说，等我做到全国第一，再回北大。但后来发现那家公司没有这么大的实力，只是想借用一下自己的招牌。这次折腾之后，他说自己彻底放弃了做到“第一”才算“成功”的想法。

【采访】

陆步轩：我认为，对我来说，最大的成功就是不成功。不成功的生活好，成功了反倒劳累。

柴静：你是觉得怕劳累，那你一天站在档口里面，十几个小时也很累啊?

陆步轩：比他还轻松。

陈生：他一年有十几二十万的收入。刮风下雨，他就跑到这个屋子里面；阳光明媚的时候，他就跑到外面去，有空还能喝喝酒。我觉得这种生活，也不比你们在一个单位里面当个什么总监差啊，他一点儿不差。现在我的心态，不是一个经济学院学生对他评价的那个心态了，而是一个正常的人，甚至一个讲享受的人，一个讲幸福感的人，对他的一种认同了。

【解说】

这次演讲中，陆步轩和陈生两个人的开场白，因为说到了给北大“抹黑丢脸”“是丑角”，引起了争议。但他们说，如果能够看完这几十分钟完整的演讲，会理解他们不是自我贬低。他们对自己当下的状态都挺满意，只是想把这二十多年来扎扎实实的人生和教训，完整地说给年轻的学弟学妹们听。

【采访】

陆步轩：能上北大只能证明你学习比别人好，脑瓜比较聪明，在学习上有天赋。其他不能证明什么，社会上知识还很多，需要你在实践中不停地去摸索、去学习。

柴静：您觉得这句话，您用了多少年去理解?

陆步轩：可能最起码用了十年时间去理解这段话。